U0093100

盛期之風貌

與

臥龍生作品 帶動武俠風潮

《飛燕驚龍》開一代武俠新風

《飛燕驚龍》(1958)爲臥龍生成名作，共48回，約120萬言。此書承《風塵俠隱》之餘烈，首倡「武林九大門派」及「江湖大一統」之說，更早於香港武俠巨匠金庸撰《笑傲江湖》(1967)所稱「千秋萬世，一統」達九年以上。流風所及，臺、港武俠作家無不效尤；而所謂「武林盟主」、「江湖霸業」等新提法，竟成爲社會大眾耳熟能詳的流行術語了。

《飛燕》一書可讀性高，格局甚大。主要是寫江湖群雄爲覬覦傳說中的武林奇書《歸元秘笈》而引起一連串的明爭暗鬥；再以一部假秘笈和萬年火龜爲餌，交插敘述武林九大門派（代表正派）彼此之間的爾虞我詐，以及天龍幫（代表反方）網羅天下奇人異士而與九大門派的對立衝突。其中崑崙派弟子楊夢寰偕師妹沈霞琳行道江湖，卻如夢似幻地成爲巾幗奇人朱若蘭、趙小蝶之絕世武功技驚天龍幫，而海天一叟李滄瀾復接連敗於沈霞琳、楊夢寰之手；致令其爭霸江湖之雄心盡泯，始化解了一場武林浩劫云。

在故事佈局上，本書以「懷璧其罪」（與真、假《歸元秘笈》有關）的楊夢寰屢遭險難，卻每獲武林紅妝垂青爲書膽(明)，又以金環二郎陶玉之嫉才害能，專與楊夢寰作對(暗)爲反派人物總代表。由是一明一暗交織成章，一波未平，一波又起，極盡波譎雲詭之能事。最後天龍幫冰消瓦解，陶玉帶著偷搶來的《歸元秘笈》跳下萬丈懸崖，生死不明，卻予人留下無窮想像空間。三年後，作者再續寫《風雨燕歸來》以交代陶玉重出江湖，爲惡世間，則力不從心，當屬狗尾續貂之作。

在人物塑造方面，臥龍生寫男主角楊夢寰中看不中用，固然乏善可陳，徹底失敗；但寫其他三名女主角如「天使的化身」沈霞琳聖潔無瑕，至情至性，處處惹人憐愛；「正義的女神」朱若蘭氣質高華，冷若冰霜，凜然不可犯；「無影女」李瑤紅則刁蠻任性，甘爲情死等等，均各擅勝場。乃至寫次要人物如「賓中之主」海天一叟李滄瀾之雄才大略，豪邁氣派；玉簫仙子之放蕩不羈，爲愛痴狂；以及八臂神翁聞公泰之老奸巨猾，天龍幫軍師王寒湘之冷傲自負等，亦多有可觀。

摘自 葉洪生、林保淳著《台灣武俠小說發展史》

台港武侠文

流行天

臥龍

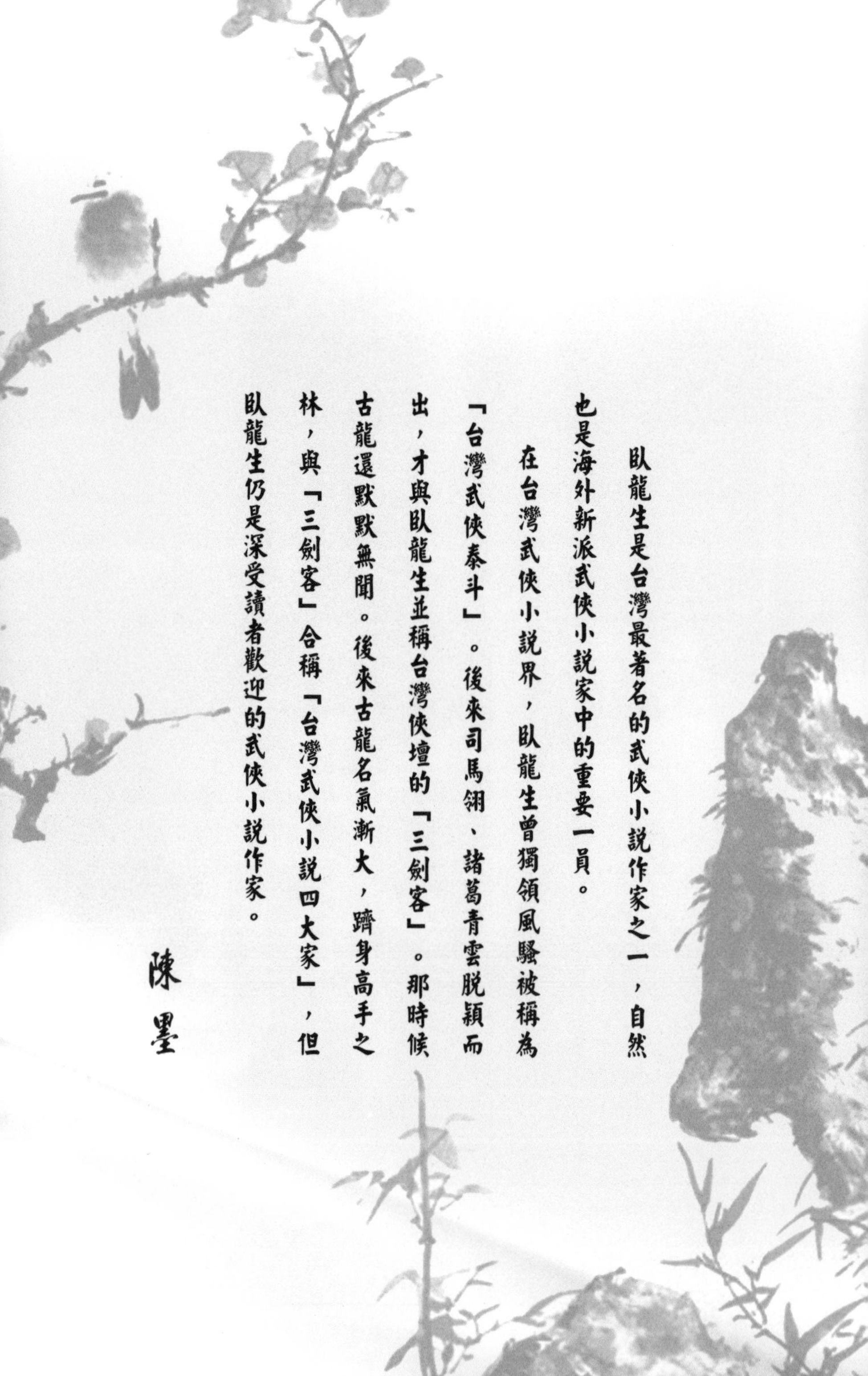

臥龍生是台灣最著名的武俠小説作家之一，自然也是海外新派武俠小説家中的重要一員。

在台灣武俠小說界，臥龍生曾獨領風騷被稱為「台灣武俠泰斗」。後來司馬翎、諸葛青雲脫穎而出，才與臥龍生並稱台灣俠壇的「三劍客」。那時候古龍還默默無聞。後來古龍名氣漸大，躋身高手之林，與「三劍客」合稱「台灣武俠小說四大家」，但臥龍生仍是深受讀者歡迎的武俠小說作家。

陳墨

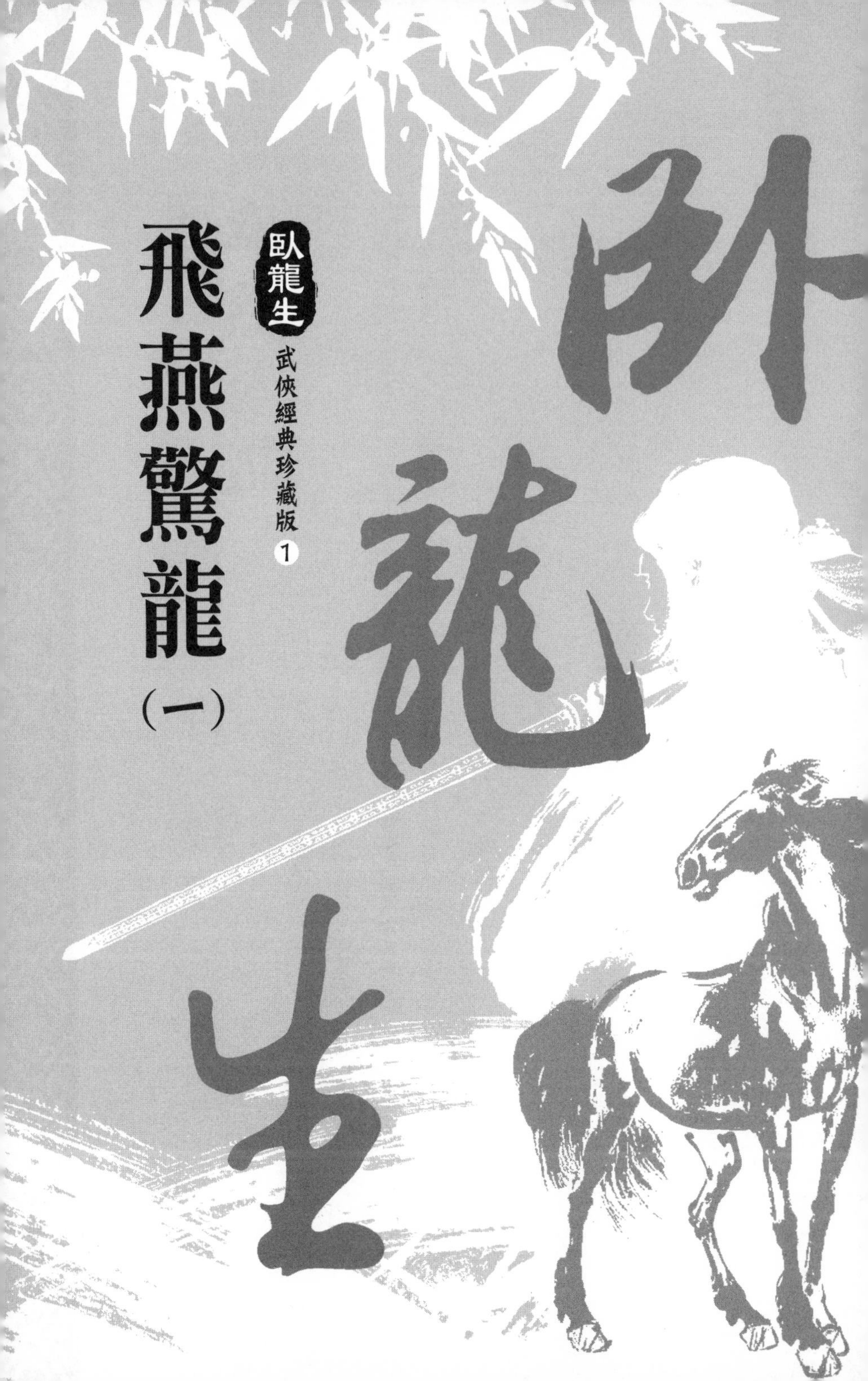
飛燕驚龍
（一）
臥龍生
武俠經典珍藏版
1
臥龍生

臥龍生精品集01

飛燕驚龍(一)

目錄

【導讀推薦】

武俠小說史上極重要的里程碑——臥龍生與《飛燕驚龍》

著名小說評論家及電影研究專家
陳墨

臥龍生是台灣最著名的武俠小說作家之一，自然也是海外新派武俠小說家中的重要一員。在台灣武俠小說界，臥龍生曾獨領風騷被稱爲「台灣武俠泰斗」。後來司馬翎、諸葛青雲脫穎而出，才與臥龍生並稱台灣俠壇的「三劍客」。那時候古龍還默默無聞。後來古龍名氣漸大，躋身高手之林，才與「三劍客」合稱「台灣武俠小說四大家」。再後來，古龍的小說受到電影界的青睞，當然更因爲古龍的求新求變並自創一格，其名聲後來居上，成爲台灣武俠小說第一人。而臥龍生等人之名卻並未受到多大影響，他仍然是深受讀者歡迎的武俠小說作家。

臥龍生的橫空出世

筆者曾聽一位台灣出版機構的總編輯先生聊起臥龍生的「名氣」，說臥龍生的小說《玉釵盟》在台灣當時最重要的報紙《中央日報》連載時，有一次不幸遇上一次小車禍，無法續稿，不料居然驚動了老蔣（介石），親自過問此事，不僅派人調查車禍，而且交代要防止再一次發生類似的意外而影響小說的連載云云。——這話是當著臥龍生的面說的，當時臥龍生先生非但不加否認，而且還點頭微笑。雖然筆者仍不敢肯定此事一定屬實，但臥龍生當年在台灣的知名度之高卻是可以想像的。

在中國大陸，臥龍生也是最受歡迎的武俠小說家之一。只是臥龍生的作品——當然只是標明「臥龍生著」的作品，而不一定是真的臥龍生作品——實在太多了，多到劣濫成災，市場上能見到的不下於一百種，而其水平參差不齊，大大影響了臥龍生的聲譽。這是臥龍生無法擺脫的一種陰影。這一點，我們在下文中還要專門介紹。

——真正的臥龍生是怎樣的一個人？

——真正的臥龍生小說是怎樣的？

這是臥龍生的愛好者最希望能獲得的訊息，也是我們在這兒所要介紹的。

臥龍生當然不姓「臥」或「臥龍」，他的真名是牛鶴亭，一九三〇年的端午節，出生於河南省鎮平縣。鎮平屬南陽地區，而南陽乃是三國時代最著名的人物諸葛亮隱居過的地方，後世之人辦起了臥龍書院，以紀念這位古代中國最偉大的政治家和軍事家。牛鶴亭少時求學於臥龍書院（**原址現為南陽農業學校所在地**），因而後來寫武俠小說，自然想到家鄉及少時求學之地，取名爲臥龍生，意爲「臥龍書院之學生」，既別具一格，讓人一聽難忘，又有紀念價值。他也真沒有辜負這一佳名。

臥龍生少時即逢抗戰爆發，在戰亂之中讀過幾年書，抗戰結束的第二年，即一九四六年，臥龍生剛剛上到高中一年級，沒上兩個月，迫於生計，年方十六就去當兵「吃糧」，第二年就上了戰場。因爲上過中學，那時候在國民黨軍隊的士兵中，就算是小小的知識分子了，加上他

勤奮好學，於一九四八年到南京考上當時由孫立人所主持的軍官訓練班。

一九四九年隨部隊到台灣，經過半年的訓練之後，又返回原部隊，當上了少尉排長。再後來，又一次經過考試，被選拔爲軍隊政務人員，擔任上尉指導員。在當時，儼然已算是春風得意，前途光明了。

五十年代中期，台灣陸軍總司令孫立人以及一部分高級軍官，因看不慣國民黨及其軍隊內部的腐敗現象，歸咎於蔣介石，因而與擁蔣的黃埔系將領發生傾軋，結果是孫立人等人被蔣所整肅，此即氣氛肅殺的所謂「孫案」。怎料城門失火，總要殃及池魚，「孫立人案」爆發後，軍隊中傳言紛紛，人人自危，一時風聲鶴唳，傳說有一份所謂的黑名單，在冊之人，誰也難逃。臥龍生雖說只是一個小小的下級軍官，但他上過孫立人主持的軍官訓練班。算來該是孫立人的「門生」，這條小小池魚自是非殃及不可，連平日交往密切的朋友也爲自保、避嫌而躲開他。臥龍生在軍隊的所謂「光明前途」，到此面臨絕谷，不得不被迫退伍，結束軍旅生涯。

誰也不會想到，台灣軍隊上層所發生的一次政治事件，意外的造成了一位著名的武俠小說家。一九五七年，臥龍生剛剛從部隊退伍，馬上就面臨著一種生計的壓力：以啥爲生？前途何在？

沒有人能幫助他，在那舉目無親的孤島上，職業難求，唯一能幫助他的只有他自己。雖然個頭不大，倒也年輕力壯，這位年輕的退伍軍官所能想到的最佳辦法，只能是蹬三輪車糊口。而當時臥龍生還沒有身分證，沒有身分證還不能找工作，他只得在軍營附近（台南縣大內鄉）住下來，等待部隊發放退伍身分證。

這一等就是三四個月。人生失意，其心黯然，何以解憂，唯有前人所寫的武俠小說。看著看著，不僅入迷，而且入癡，這些武俠小說，有的固然不錯，但也有些不怎麼樣。別人能寫，自己何不試一試？臥龍生雖然退伍了，但仍不改軍人脾氣，說幹就幹，寫了幾段，寄往台中的報紙《成功晚報》，沒想到，居然真的被報紙採用了！更沒想到，臥龍生的試筆之作在《成功晚報》上連載不久，就引起了讀者的注意，居然大受歡迎！

這個臥龍生的試筆之作，名爲《風塵俠隱》。主要是摹仿前輩作家王度盧、還珠樓主等人的作品，寫一位叫羅雁秋的男主人公爲父母報仇的故事，又涉及武當與雪山兩大門派的正邪之爭，其中還穿插了羅雁秋與凌雪紅、于飛瓊、余樓霞等幾位少女之間的情感糾葛。雖係初試啼聲，但臥龍生的想像力及其編故事的潛能得以發揮，小說寫得有聲有色。遺憾的是，此書寫到第十集，臥龍生便生病輟筆，而《成功晚報》亦要停刊，此後被出版家看中，由黃玉書代筆續完，交由玉書出版社出版單行本。

《飛燕驚龍》到《玉釵盟》

《風塵俠隱》雖然中途輟筆，但臥龍生這位「少俠」，卻已下定出道江湖的決心，因爲處女作的意外成功，堅定了他創作武俠小說的信心。而寫作武俠小說的稿費收入，對他則更是一大誘惑：當時，在報紙上每天載一段，可以得到十元稿費，月收入便是三百元，而當時少尉軍官的月薪才不過一百五十元。更不用說，給報紙寫武俠小說，不僅比蹬三輪車掙錢更多、更容易，而且，對於讀過書、當過軍官的年輕少俠臥龍生來說，當然更體面，可以名利雙收。

於是，他與蹬三輪車的計畫告別，也與台南縣告別，遷居台中，決定以寫作武俠小說爲生，台中比台南更適合他的發展，這是一個更大的舞台。臥龍生的第二部小說《驚虹一劍震江湖》在台中的《民聲日報》上連載，再一次引起轟動，進一步鞏固了他的信心。爲他帶來了更多的稿費，更大的名聲的同時，也激起了他的更大的雄心：到台北去！到更大的舞台上去！到真正的大都市及其文化中心去！

一九五九年，臥龍生來到台北。不久，他的第三部小說《飛燕驚龍》在台北《大華晚報》上連載，再一次獲得驚人的成功。而這一次的成功，與前兩次有著根本不同的意義，因爲這是在台北，且《大華晚報》的發行量、名氣、影響，均遠非《成功晚報》、《民聲日報》等地方區域性的報紙可比。尤其，《飛燕驚龍》的寫作，臥龍生已由初試進入熟練階段，由摹仿進入自創階段，其成就自比前兩部要大得多。《風塵俠隱》未完成而由別人代筆完成，《驚虹一劍震江湖》亦是如此，《飛燕驚龍》是臥龍生真正完成了的第一部書。因而，這部書被習慣性的看成是臥龍生的成名之作。從此之後，臥龍生變成了「飛龍」。

一九六〇年，臥龍生的第五部小說《玉釵盟》在《中央日報》上連載，使他的名聲達到了一個高峰。一時之間，島內的大小報刊紛紛找上門來「訂貨」，海外的約稿信也如期而至，香港的、新加坡的、馬來西亞的、泰國的、東南亞的華文報紙紛紛刊登臥龍生的小說。一九六〇年，臥龍生的月收入已達五萬元之巨，是少尉軍官收入的三百餘倍。而這一年，臥龍生恰好三十歲，而立之年，真正的立起來了。而且，是立在台灣武俠小說的最高峰上，一時無出其右者。

武俠小說的黃金時代

此後的二十年，即六十年代至七十年代，是港、台新派武俠小說的黃金時代，也是臥龍生武俠小說創作的黃金時代。他的絕大部分武俠小說，都創作於一九六〇——一九七九年這二十年中。而六十年代中期至七十年代末，又恰恰是台、港武俠電影的黃金時代，隨著張徹導演的《獨臂刀》、胡金銓導演的《龍門客棧》等功夫名片一炮打響，中止了港台影壇的「黃梅戲時代」或「陰柔時代」，而開始了功夫片時代，從此狂潮迭起，一浪高過一浪。這又給臥龍生提供了新的機遇，他的《飛燕驚龍》、《玉釵盟》、《雙鳳旗》等作品被搬上銀幕，使臥龍生的名氣、影響、收入又更上一層樓，反過來又更進一步的刺激了他的武俠小說創作及其銷路，形成了絕妙的良性循環。

七十年代以後，接著又是電視的影響和刺激，臥龍生的《飛燕驚龍》、《玉釵盟》、《神州豪俠傳》等名作被改編成電視連續劇，進入了千家萬戶，真正使臥龍生之名家喻戶曉。

後來，連臥龍生本人也被捲進了電視圈。台灣中華電視公司請他做節目製作人，這是臥龍生當兵、寫作之後的另一份正式職業，一幹就是八年，製作了不少電視節目，以電視連續劇為主，有的非常叫座，如講述一個家族成敗興衰的《洛城兒女》，講述清代乾隆皇帝逸事的《江南遊》和《長江一條龍》等等。臥龍生不僅有講故事、編情節的才能，又有很好的人緣，還有家喻戶曉的名聲，這使他具有特殊的號召力，製作的節目當然能保持較高的收視率。臥龍生在電視公司工作期間，仍舊在業餘時間寫武俠小說，只是數量相對減少，而質量也相對降低，寫作風格也有所改變。以至於有人懷疑那一段時間所出版的署名臥龍生的小說，未必是臥龍真品。（參見葉洪生：《冷眼看現代武壇——透視四十年來台灣武俠創作的發展與流佈》（上）台灣《文藝月刊》六十二期；牛哥：《臥龍生坎坷江湖行》，《中國時報》一九九〇年第十二期。）依據台灣出版社業中武俠小說出版的實際情況，以及臥龍生的具體為人情況，這種懷疑自是有一定道理，而並非空穴來風。

臥龍生與古龍、諸葛

臥龍生拚命工作，數十年間創作了數十部長篇武俠小說，共計百幾十冊之多，以其銷量計，僅是小說的版稅，足以使臥龍生成爲千萬富翁。但臥龍生卻始終並不那麼富有，原因恰恰是由於他的「貪心」，即不斷的拿自己的版稅投資實業，包括電視業、出版業及至工商業，結果大多數是打了水漂，有去無回，在台灣那樣的商業社會中，這是完全可以理解的。這使人想起法國大作家巴爾札克，勤奮寫作了一生，而又貧窮了一生，原因恰恰在於他的投資辦實業的熱情大於他的才力和財力。這也使人對這樣的作家產生了同情感與親近感，投資失敗對這樣的作家來說應該是正常的，因爲他們的才能和心思不可能都花在這方面；更因爲從事實業經營不合他們的人品與性格。臥龍生這幾十年來到底有過多少次有去無回的投資，又有過多少次成爲作家企業家的夢想和衝動？無人知道，只怕連臥龍生本人也無法一一記起了。至少，他不願意多談這方面的事。這倒不僅僅是因爲投資的失敗。當然臥龍生並沒有因之而一貧如洗，他還可以在台北過上較爲富裕的退休生活。

另一方面，臥龍生在名利雙收之後，也不免常常要「花天酒地」，平日每天要寫六七千字，煙就抽得很兇。而諸葛青雲、古龍等朋友一來，必會調侃玩樂，必會一醉方休，必會將舞場酒店之門拍遍。免不了一擲千金，酒色財氣佔全，因爲他們志同道合，才華橫溢，不僅要借此「放鬆」自己，而且也是一種「名士」風度，重要的是他們又還都有這樣的經濟實力，從而選擇了拚命工作、拚命玩樂放鬆的生活方式。這叫做「李白斗酒詩百篇，千金散盡還復來，古

來聖賢皆寂寞，唯有飲者留其名」。後來，古龍這位天才與飲者就是因為這樣而英年早逝！

再後來，一九八八年左右，身強力壯的臥龍生也終於倒下，住進了醫院，經診斷，結論是心力衰竭，病情危重。大夫認為已無多大的治療價值了，甚至謝絕他住院治療。這當然主要是因為臥龍生一生拚命工作，將身體累垮了；同時，與他年輕時的放鬆與放縱，煙酒無度的生活方式亦有必然的因果關係。很少有人知道臥龍生在「等待大限來臨」的那一段時間裡，心裡想了些什麼，是不是像當年等待部隊發放退伍身分證那樣沮喪與急迫？那一次等待，臥龍生創造了一個小小的奇蹟，使他時來運轉，牛鶴亭變成了大名鼎鼎的臥龍生，叱吒風雲幾十年。這一次等待……親友們不知從哪兒弄來一種偏方，說是專治此類疑難雜症，對症下藥，可見奇效，臥龍生雖並未抱什麼希望，但不忍傷親友之心，將藥喝下，沒料到居然真的再一次出現了奇跡！他的康復，讓醫生及醫院感到無比驚訝！——中國的民間偏方當真有這麼奇妙！人的生命當真有如此的神秘！臥龍生福大命大？抑或是還有心願未了？——一年之後，人們在報紙上又看到了臥龍生的新著《袁紫煙》的連載，這一系列竟一直「連續」到一九九四年！

一九五七年到一九九四年，臥龍生的武俠小說創作延續了三十六、七年之久，這恐怕是新派武俠小說家中的一項紀錄。而他的最後心願，就是修訂出版自己的作品全集，要從自己的作品中精選出三十部左右加以修改、整理，並蓋上「臥龍生真品」的印章，還臥龍生以其真實面目！

《飛燕驚龍》引人入勝

《飛燕驚龍》講述的是崑崙派年輕弟子楊夢寰的成長奇遇，及與沈霞琳、李瑤紅、朱若蘭等女性之間的情愛糾葛。本書的主人公楊夢寰同時又是一種情節引線或敘事導遊，真正的情節

主線是（一）奪寶故事，武林群雄爭奪武功秘笈《歸元秘笈》，以及萬年火龜等寶物；（二）爭霸故事，武林九大門派與天龍幫的衝突。

天龍幫主李滄瀾一心爭霸武林，引起了九大門派的不滿，以致於不斷的——從奪寶時就開始——發生正邪之間勢不兩立的衝突與決戰。

台灣武俠小說研究專家葉洪生先生對《飛燕驚龍》一書的評價是：

「雖然由於作者寫楊夢寰之種種『不近人情』而拖累全書、令人扼腕；但因故事情節曲折離奇，波瀾起伏，幾無冷場，故能成為當時台灣最暢銷的武俠小說，並開創了一代武俠新風。今撮要歸納於次：一、臥龍生善於繼承並運用前人武俠遺產，將還珠樓主《蜀山劍俠傳》中的神禽異獸，靈丹妙藥及各種玄功絕藝、奇門陣法、與鄭證因《鷹爪王》中的幫會組織、風塵怪傑及獨門兵器共冶於一爐；再揉合王度盧小說之『悲劇俠情』，朱貞木小說『奇詭佈局』，乃至『眾女倒追男』戀愛模式，兼容並包。因而形成了博採眾長、最具傳統風味的新時期武俠小說風格，被目為一代『武林正宗』。二、臥龍生所倡導以武學秘笈掀起江湖風波、群雄逐鹿以及正、邪雙方大會戰的寫法，成為六十年代台灣武俠小說新模式。同輩或後起作家競相摹仿效尤，不知伊於胡底！三、臥龍生所創武林九大門派等說法，亦被同行普遍採用；而『爭霸江湖』幾乎變成武俠小說家共同的創作主題了。」

葉洪生先生的評價非常中肯到位。《飛燕驚龍》確實寫得氣勢宏大，情節複雜，奇峰迭起，引人入勝。

進而，這部小說的成功，既有小說之內的原因，亦有小說之外的原因。葉洪生先生明確的說，臥龍生的《飛燕驚龍》「開一代新風」，同時又將臥龍生列爲「傳統派」，其奧妙就在於，對於彼時的台灣讀者，（一）傳統（武俠）的魅力無可取代。（二）臥龍生博採眾長而自成一家，讓人看到傳統諸家之長亦看到共冶於一爐之新。從而，（三）看到小說既有逃避現實之樂，亦省懷念舊情之寄托。

一　桃源驚變

「漁舟逐波愛山春，兩岸桃花夾古津，坐看紅樹不知遠，行書清溪忽值人……」

「當時只記入山深，青溪幾度到雲林？春來遍是桃花水，不辨仙源何處尋。」

以上兩折樂府，是唐代大詩人王維所作，用來描述天下聞名的桃花源。

這片人間樂土，在湘北沅陵和桃源之間，由洞庭湖乘船沿沅江逆水而上，過常德、桃源，經張家灣到水溪，棄舟登岸，滿山桃林掩映著一座規模宏大的廟宇，那是後世修道人所建立的玄都觀。

這正是陽春三月，桃花怒放時節，沅江岸畔，玄都岸外，遍地桃花盛開，如錦如繡，忽然由桃林深處，走出一位白衣少女，左手捧著一束桃花，右手輕提白綾羅裙，碎步輕盈，繞林而出，緩緩向江邊走去。

白衣女本來長得就美，再襯著一身雅淡白裝，愈覺著迥出塵表，清眼高華，人面花影，相互映照，玉貌珠輝，容光絕世，真個是洛水的神妃，出浴的太真。

白衣女走近江邊，凝眸望著那急湍江流，嘴角邊淺笑盈盈，意態甚得，忽見她把手中桃花，摘下幾瓣，投入江心，被急浪漩流一捲，立時逐水沉浮而去，白衣女微微嘆一口氣，笑容忽斂，一張勻紅嫩臉上，浮現出淡淡的幽怨神色……

這當兒，突然由上流急馳來一葉小型漁舟，江水急速，小舟如箭，不大工夫，已可見那小舟上站著一個慈眉善目，六旬開外的灰袍僧人，白衣少女看清舟上人後，立時又浮出一臉淺笑，嬌聲喊道：「師父……」把手中一束桃花盡投水中，跟著蓮足一點，白衣飄風，一個嬌小玲瓏的身子，直向那湍急江流投去，雙腳微在水面那束桃花一點，兩臂一張，二次躍起，直向那漁舟上僧人身邊飛去。

老和尚一聲笑道：「十七、八歲大姑娘啦，怎麼還這樣頑皮。」

說著話，右手抓起漁舟鐵錨，猛向岸上投去，老僧臂力實在驚人，鐵錨出手，宛如流星飛矢，白衣女不過剛剛落到船上，那鐵錨已深入岸上土中，船身被急流向下一沖，人如弩箭離弦，橫躍過兩丈五、六的水面。

老和尚回頭望著那白衣少女，也向岸上躍來，身到中途，似乎力盡，由空中直墜下來，眼看就要落入水中，猛見她雙臂向上一抖，人又飛高八尺，白裙又變成一個車輪大小的圓圈，嬌笑聲中，落到那和尚身邊，說道：「師父，你看我這個燕子穿雲縱的功夫，是不是有了進境？」

老和尚點點頭道：「進步是有了一點，只是火候還差，如在強敵環攻之中，不能分心，你就不能這樣得心應手了。」

白衣女聽老和尚不贊揚她，反而說她火候不夠，心中很是不樂，小臉蛋兒緊緊一繃，嘟著嘴不再說話。

老和尚慈眉一皺，微現慍色，心中暗想：再這樣對她放縱下去，那還得了，不如趁機責罵

幾句，殺殺她的野性，爾後才好管教。回頭見她傍花玉立，粉臉上薄帶嗔意，手握辮梢兒，一派嬌憨之態，那神情和她母親生前兒時，一般模樣，三十年前塵如夢，往事舊情齊湧心頭，一陣傷感，哪裡還忍心責罵出口，不自禁低聲感道：「琳兒，你過來。」

白衣女正自負氣，猛聽師父低喚，轉頭一看，只見老和尚身子微顫，目含淚光，心中一驚，啊呀一聲，猛向和尚撲去，跪在地下，抱著師父雙膝，哽咽著說道：「師父不要氣惱，琳兒以後不敢再氣您老人家了。」

老和尚挽著她一隻右臂，扶她起來，笑道：「玄都觀主，一陽道長，是崑崙三老之一，分光劍法天下無雙，為造就你，我特地和他約定，各以絕藝互授傳徒，他傳你分光劍法，我傳他徒弟十八羅漢掌法，只望你將來能有所成，親手替你父母……」

說到這兒，倏然而住，慈眉愁鎖，怔神不語，浸沉在往事回憶中。

白衣女看師父神色淒然，不禁大急，拉住老和尚一隻手，撒嬌地說道：「師父，不要再傷心啦，琳兒說過，以後不再惹你生氣了嘛。」

話未說完，猛然想起一件事來，接口問道：「師父剛才提到琳兒父母，這件事多年來一直縈繞在琳兒心頭，師父就是不肯告訴琳兒身世，可憐我連生身爹娘，什麼樣子都記不得，師父不告訴我，琳兒真要痛心死了。」

說罷，粉臉上淚珠一顆接一顆滾下來。

老和尚肅穆的臉上，也浮現出悲傷神色，輕拂著白衣女秀髮，說道：「這件事將來總要告訴你的，現在時機還未成熟，你要好好的用心學一陽子師叔的分光劍法……」

老和尚講到這裡，瞥見桃林幽徑中，走出來一個丰神如玉的少年，青綢長衫，粉底薄履，

文雅中透著剛健，玉面朗目，映花生輝，繞林而來，衣袂飄風，他走近老和尚躬身一禮，說道：「家師知澄因師伯今天要來，派弟子迎接觀外，不想師伯佛駕早到了。」

老和尚笑道：「三月來琳兒叨擾寶觀，不但妨礙你師父清修，恐怕也累你武功進境了。」

那少年慌忙垂手答道：「霞琳師妹，聰明絕頂，又已得澄因師伯武學絕傳，家師常說她將來成就不可限量，弟子愚劣之質，三月來得和霞琳師妹切磋武技，使弟子獲益不淺，怎能說是叨擾呢？」

白衣少女聽那少年贊她，心中高興已極，不由眉飛色舞，嘴邊笑意復現，把剛才的愁眉苦臉一掃而空，側頭凝睇，深情款款地望著那青衣少年，可是那少年卻目不斜視，垂手靜立，一派拘謹。

老和尚看到眼裡，暗暗嘆了一口氣，心想：琳兒自前年和他見過一面後，常常鬧著我要到玄都觀來，雖然她說喜歡這裡的桃花，但這無非是藉口之詞，看這樣子對他一往情深，但人家冷漠神色，似乎對琳兒毫無情意……憶起自己兒時一段情海風波、幾乎鬧成埋骨荒山，雖然機緣湊巧，得遇高人，因禍得福，學成一身出奇武功，可是回首前塵，恍如噩夢，醒來猶覺情恨孅孅，揮之不去，二十年面壁拜佛，仍不能消除這點癡念，每當午夜夢迴，腦際仍然浮現她的音容笑貌……如今她已經遭人毒手送命，臨死前傾吐愛意，含淚托孤，琳兒是她唯一骨肉，如果再讓她重蹈覆轍，抱恨一生，叫自己如何對得起她娘的在天之靈……想到這裡，頓覺頂門上冒出冷汗，抬頭看，西斜春陽，透過桃林照射在霞琳臉上，眉間嘴角，似笑非笑，嬌癡無邪，出神地看著那青衣少年，再看人家臉色凝重，渾如不覺，心中暗想：一陽子收這徒弟，真是與眾不同的人物，琳兒嬌美無匹，玉容如花，他竟是視若無物，這人真是天地間的奇男兒了。

正當老和尚想得出神，那青衣少年又躬身一禮道：「家師候駕丹室，請師伯移步觀內吧！」

老和尚點點頭，轉身繞桃林幽徑，向玄都觀中走去。

三人剛剛轉身走了幾步，突聞幾聲淒厲的嘯聲傳來，那聲音恍如傷禽怒嘯，夜梟悲鳴，尖銳刺耳，聽得人毛髮倒豎，澄因大師兩道慈眉一皺，轉頭見青衣少年和霞琳卻停住了腳步，並肩而立，略一沉吟，逕向觀中走去。

那嘯聲愈來愈近，已聽到呼喝叱吒的聲音，驀的嘯聲忽停，隱隱傳來了金鐵交鳴之聲，想是雙方已交上手。

青衣少年劍眉一鎖，心想：這玄都觀外，沅江水面上一向平靜，這聲音聽來似乎在岸邊，難道真有強盜敢在玄都觀外面打劫商族不成，這倒不能不去看看了，心念一動，立時轉步向江邊走去。

霞琳童心未泯，最愛熱鬧，一見青衣少年向江邊走去，哪裡還能忍耐得住，嬌喊一聲：「楊師兄等等我，我們一塊兒走！」

那青衣少年聽她叫得親熱，停步回頭，見她如飛跑來，滿臉歡愉，嬌憨可愛，心中一陣感嘆。

就在這刹那間，前面桃林幽徑上跑過來一個滿身血污的大漢，手中提著一柄單刀，身後緊追著兩個老者，三人來勢都快，疾如流星飛矢，不過轉眼工夫，已近兩人，猛見追得較前的那位老者，揚手打出一蓬銀芒，全中那滿身血污提刀大漢背上，那大漢雖中暗器，仍是拚命急

跑，一眼望見攔在路上的一男一女，立即高聲喊道：「快去請玄都觀主。」

那大漢說話時，腳下略慢一步，已被身後兩個老者追上，四掌齊出，直似排山倒海一般，那大漢一個身子，被震飛起七、八尺高，砰然一聲，摔在地上。

口中鮮血直噴出來，路旁兩株碗口粗細的桃樹，也吃那兩個老者掌力震斷，滿天桃花瓣直灑下來，猶如降下一片花雨。

青衣少年看那兩個老者掌勢這等威力，也是心驚，不過聽那大漢在中掌之前，叫他去請玄都觀觀主，想必和師父有些淵源，動了救人之念，無暇想到利害，兩足在地上一蹬，飛身而起，橫落在那兩個老者前面，擋住去路，這時兩個老者看那提刀大漢，連中龍鬚針和排山掌力，已倒栽在地上，也不再怕他逃走，青衣少年縱身一擋，兩人也就同時收起腳步。

這青衣少年名字叫楊夢寰，是玄都觀主一陽子的愛徒，一陽子是崑崙三老之一，以分光劍法和天罡掌馳名武林，楊夢寰追隨一陽子十二寒暑，已得崑崙派大部真傳。

楊夢寰縱身擋住兩人，定神一看，不禁嚇得一跳，見兩人都是五十以上的年紀，靠東面一個生得八字眉，三角眼，一張陰陽臉左面黑，右面白，留一頭三寸多長的蓬髮，西邊一個面色倒是很白，只是沒有一點血色，好像死過幾年的人還魂復生一樣，頸下留著一綹黃鬚，令人望之而生寒。

霞琳一見楊夢寰縱身攔擋，怕他一人吃虧，也跟著一躍而上，等她看清兩人生得怪模怪樣後，嚇得啊啦一聲！向楊夢寰懷中偎去。

那張陰陽臉的怪人，冷笑一聲問道：「你們兩個男女娃娃，是玄觀道主的什麼人？快些閃開，不要礙事！」

楊夢寰心思機敏，見剛才兩人掌震桃樹的威力，心知這兩個形狀醜怪的人，不是江湖上頗負盛名的大盜，就是風塵俠隱之流，目前摸不清人家來路，自是不便開罪，何況自忖非人對手，只有先用話穩住對方，耽延時刻，等候師父到來再說，心念已動，立時低聲對倚偎身邊的白衣女道：「琳師妹快去請師伯、師父。」

霞琳點頭翻身向觀中跑去，楊夢寰卻躬身向兩個怪人一揖說道：「晚輩是玄都觀主弟子，請問兩位老前輩大名尊號，好讓晚輩通稟家師迎客。」

哪知兩個怪人已看透了楊夢寰的心意，同時嘖嘖兩聲怪笑，陰陽臉的怪人笑聲落後，冷冷地答道：「你這娃兒倒很工於心計，大概你認爲一陽子的威名，可以震懾住我們……」他話未說完，西邊那面色慘白的怪人接道：「老大，你和這娃兒囉嗦什麼，我們先把東西拿到手再說。」

說著話，身形一晃，直向那中掌倒地垂死大漢撲去，這種情形下，楊夢寰不出手是不行了，看人家來勢如離弦弩箭，快速已極，只得潛運功力，施出天罡掌法中「橫江截斗」橫裡一擋，只聽砰的一響，如擊敗革，楊夢寰整個身子被震飛五、六尺遠，那面色慘白的怪人，也沒想到楊夢寰功力這樣深厚，出其不意，也被這一擋之力，震退出三、四步遠。

楊夢寰身子落地，只覺得一陣頭暈眼花，幾乎昏倒，勉強定住神，再看那受傷臥地大漢，帶著滿身血污，著地滾過來八、九尺遠，怒睜著兩隻大眼，口鼻中仍不停向外流著鮮血，這不過是一刹那的工夫，那兩個怪人已分左右猛撲過來，陰陽臉的怪人，口中還說道：「你這娃兒找死，可別怪你王大爺心狠手辣了。」

楊夢寰剛才擋了一下，已感不支，現在兩人同時撲到，其勢更是凌厲，只要自己再當其

鋒，輕則重傷，重則殞命，可是他已看出那受傷大漢，必懷有極重要的物件，說不定這物件和自己恩師有著切身關係。事情已到這一步，楊夢寰無法再顧生死危險，兩臂一張，全力迎去，楊夢寰剛一發動，突聞一聲斷喝：「寰兒快退，你不要命了嗎！」

楊夢寰聽出師父聲音，百忙中急收前衝勁力，施展出「燕青十八翻」的身法，猛一提丹田真氣，在半空中橫裡一翻，饒是楊夢寰應變夠快，仍是略慢一步，只覺得一股強勁無比的潛力，擊中全身，一個身子如斷線風箏般直飛起來，一時間氣血翻湧，心裡一迷，恍惚裡身子被人接住，同時一陣香風撲面，覺得胸前有一隻手在替自己推拿。

就在楊夢寰身子被兩個怪人內家掌力震飛的同時，桃林樹頂上破空落下一僧一道，雙掌齊出，同時打出內家掌力，兩道強猛的勁道一接，立時捲起一陣勁風，只吹得附近幾株桃樹上花葉紛飛，這一僧一道同覺微微一震，那兩個怪人被震得落地後，連退了三、四步才拏樁站住。

玄都觀主一陽子，回頭看愛徒似乎傷勢不輕，不由長眉一揚，對著兩個怪人喝道：「你們天南雙煞，和我玄都觀一向井水不犯河水，何以到這裡取鬧，又下這樣毒手，打傷我門下弟子，貧道雖已封劍多年，不問江湖是非，但你們這種欺人太甚的行徑，是不是逼我啓劍出手？」

天南雙煞還未及答話，那滿身血污大汗突然挺身坐起，指著自己前胸，大聲說道：「師父，《歸元秘笈》……」

可惜他話未說完，那臉色慘白的怪人，揚手一飛刀電射而出，一陽子沒想到雙煞會突上毒手，警覺要救，已來不及，九寸長的一柄雙刃飛刀透胸而過，那大漢已中了一把龍鬚針，再吃內家掌力震傷內腑，本已難支，全憑幾十年內功火候，和他未完心願所生出的一種精神力量，

勉強支持著不即死去，那裡還能再受這致命一擊，大叫一聲，倒地氣絕。

一陽子細看那死去大漢，竟是二十年前自己逐出師門的大弟子蔡邦雄，不由心中一陣難過，激起這位世外高人怒火，冷笑一聲，還不及發作出來，瞥見那陰陽臉的怪人，一晃身捷如飛鳥，凌空撲來，攫搶蔡邦雄的屍體。

一陽子這時有了準備，哪還容得他得手，大喝一聲，一招「風雷交擊」猛劈過去。澄因大師也因天南雙煞對一個滿身重傷的人，再下這樣毒手，不由也激起了無名怒火，袍袖一拂「流螢舞空」，向那面色慘白的怪人攻去。

一陽子是當代武林中頂尖的人物，這時又含忿出手，蓄勢而發，內勁外吐非同小可，那陰陽臉的怪人又只顧去搶蔡邦雄的屍體，待覺掌風襲到，閃避已是不及，只得右掌向後一揮，硬接掌力，只聞一聲悶哼，一條右臂，已被震斷，身子也被打出七、八尺遠，撞在一株桃樹上，花葉繽紛中，樹身一折而斷。

澄因大師搶攻那面色慘白的怪人，也是用了全力，借袍袖一拂之勢，集全身功力打出，看似輕逸，實則凌厲，那面色慘白的怪人雙掌推出一接，立覺被自己打出之內力彈回，心知不好，趕忙後退，然已過遲，只感到前胸驟似千斤鐵錘一擊，一躍坐在地上，張嘴噴出一口鮮血。

天南雙煞陰陽判官王玄，勾魂無常李通，各接了一陽子和澄因大師一招，都受重創，不過雙煞武功都非平庸，負傷雖重，尚不致命，立時一躍而起，陰陽判官王玄仰天一聲狂笑道：「玄都觀主，澄因大師，兩招恩賜沒齒不忘，我兄弟如有三寸氣在，此仇必報。」

說完後，雙煞各發一聲厲嘯，聲如荒野鬼哭，其聲難聽已極，厲嘯聲中，身子在桃林中閃

了幾閃隱沒逸去。

一陽子掛念夢寰傷勢，澄因不願多造殺孽，均未追去，眼看著天南雙煞留下兩句狠話，狼狽逃走。

一陽子回頭看夢寰臉色逐漸好轉，放下心來，移步到蔡邦雄屍體旁邊，看他臉上傷痕累累，滿是暗器，上下衣褲盡被鮮血浸透，想起過去一段師徒情份，不覺黯然神傷，垂首一聲長嘆，緩緩蹲下身子，在胸前一摸，屍體早已冰冷，剛想站起，猛然憶起他在中刀身死之前，幾句未完遺言，心中一動，伸手一陣搜摸，果然在他胸前找到一個小巧玉器，上面滿是血跡，所幸尚未損破，打開一看，裡面是一塊尺來長的方形白絹，畫著一幅山水畫。

三座高峰，兩前一後排成品字形，一道瀑布由正中一峰頂倒瀉而下，山勢雄奇，意境深遠，一陽子看了半晌，仍是不解，不由把白絹一翻，看背面似是經過人工縫連，心中犯疑，兩指一搓，原來是雙層白絹，經人工縫連一起，一陽子兩手輕輕撕開一看，立時一陣傷心，兩眼淚落。

一陽子低頭望著蔡邦雄屍體，怔怔出神，良久後，又一聲長嘆道：「可憐你一番苦心，竟難如願以償，你雖身死，仍返師門，列入崑崙派弟子！」

玄都觀主這種舉動，看得澄因大師站在一邊發愣。

再說楊夢寰為阻擋天南雙煞攫拿負傷大漢，捨命攔截，幸得玄都觀主及時趕到，喝令退避，才未接實雙煞掌力正鋒，但仍被雙煞掌風餘力擊中，人由空中直摔下來，恰巧霞琳趕到接住他身子，替他推穴活血。

楊夢寰在閃避雙煞掌力時，已運內功護住要害，人並未重傷，經霞琳替他推宮過穴，血脈一暢，人便清醒過來，睜眼看自己上半身偎在霞琳懷中，心中一陣感愧，趕忙躍起，霞琳見他躍起時快速矯健，心裡一喜，問道：「楊師兄沒有受傷嗎？」

楊夢寰點頭答道：「一時閉氣，尚無大礙，有勞師妹救護了。」

沈霞琳搖搖頭，一笑答道：「這樣我就放心了。」說過話，覺得不對，羞得雙頰泛紅，低下頭玩弄衣角。

楊夢寰看她對自己如此關懷，心中又是感激，又是難過，暗暗嘆息一聲，別過頭去，正見師父抱起那大漢滿身血污的屍體，趕緊跑上前，說道：「師父，這人是誰，讓弟子抱吧？」

一陽子見他未受內傷，心中略慰，沉聲答道：「他是你入門師兄蔡邦雄，快行大禮！」

楊夢寰聽得一怔，因為一陽子門下就他一個徒弟，平時又未聽師父談過還有其他弟子，怎麼會憑空多出一個師兄來呢？看師父臉色凝重，那裡還敢多問，師父既叫行大禮，只得對那具滿身血污屍體，恭恭敬敬叩了一個頭，雙手接過屍體。

一陽子回頭對澄因道：「讓我先葬了徒弟，今晚咱們再挑燈夜談，我還要有事和道兄相商，你和琳兒請先回觀中一步吧！」

澄因大師被他鬧得莫名其妙，又不便開口追問，只好帶著霞琳，繞桃林先回玄都觀去，這邊一陽子帶著楊夢寰把蔡邦雄屍體用火化去，裝入瓷罈，葬在觀後，一陽子運用大力金剛指神功，在墓碑上寫道：「崑崙派一陽子入門弟子蔡邦雄之墓」。

葬好蔡邦雄，已到酉時，東方天際，明月初升，清輝似水，映照著萬樹桃花，一陽子滿懷

沉痛，緩步回觀，數十年恩怨往事，齊湧心頭，忽然他回頭說道：「徒兒，你師兄當年因一時氣忿，誤傷了少林派門人，幾乎傷了兩派和氣，被我逐出門牆，但他事後思過向善，千方百計想再返師門，三度跪求丹室，均被我拒絕，當時他指天立誓，泣血苦求說，只要我准他再返崑崙門下，不管我出給他什麼難題，他都能辦到。當時我答道，除非他尋得武林奇寶藏真圖，否則今生不要再作此想，哪知我一句氣忿戲言，他卻認真起來，二十年來竟被他找到此圖，準備進獻求我再收門下，可憐他到了玄都觀的門外，卻被天南雙煞追蹤擊斃，你以後技成出師，對好人固是不可妄傷，但對那些江湖中爲惡之徒，儘管施下辣手吧！」

楊夢寰聽得半懂不懂，只是含含糊糊地答應，師徒兩人，緩步明月回到觀中，已是初更天氣，澄因大師本自等得不耐，原想發作幾句，可是玄都觀主一臉肅穆沉痛，倒使他不好再出口，呆立丹室一角，看著老友反常情態出神。

一陽子移步在案前，開了抽斗，取出一個紅漆木盒，恭放案上，先肅容跪拜一禮，然後打開，取出一幅圖像掛在案後壁上，楊夢寰抬頭細看，只見黃緞底面上，用白線繡著一個道裝老人，背插長劍，栩栩欲活，楊夢寰正覺奇怪，陡聞一陽子喝道：「徒兒快來參謁祖師遺像，拜領崑崙派鎮山劍法。」

澄因大師心中一凝，趕忙雙掌合十向壁上圖像一禮，輕輕拉著沈霞琳退出丹室，楊夢寰卻對著壁上圖像行了三跪九叩的大禮，一陽子等他拜畢，收好祖師圖像，鄭重地說：「武林中都誤以爲崑崙派分光劍法只有九十六式，其實大謬不然，這套劍法共有一百另八招，其中有十二式爲全套劍法的精華，故又稱追魂十二式，變化神奇異常，因爲我和你兩門師叔相約有言，非經三人同意，這十二招殺手，不傳下代弟子，今夜破例讓你參拜祖師遺像，決意授你追魂十二

劍，從明天起，我每天傳你一招……」

說著一頓，嚴肅的面色中，略帶凄然，嘆了一口氣又道：「出去，請你澄因師伯進來，今夜月色很好，可和琳兒一起練一會拳腳，沒有呼喚，你和琳兒都不准涉足丹室一步。」

楊夢寰雖覺出事非尋常，但卻不敢追問，躬身一禮，退出丹室，澄因正在大殿跨院中，指點琳兒練拳，楊夢寰轉告了師父的話，自個兒和琳兒去觀外練習拳劍，沈姑娘一聽夢寰要陪她習劍，高興地臉上酒窩憨笑，那裡還有心去問老和尚的閒事。

且說澄因大師步返丹室，一陽子正全神注視玉盒中所藏的白絹圖案，玉鼎中香煙裊裊，氤氳縹緲，桌上兩支紅燈燭，光耀如晝，澄因走近身側，低頭一看，不禁竟是一驚。

桌案平攤著那幅白絹，絹上橫題著三個褪色大字「藏真圖」，下面四句似詩非詩的偈語，寫的是：

萬功歸秘元，一劍神州寒。

蒼松篩明月，石上流清泉。

偈語下面畫著幾座連綿的山峰，挾持著一道幽谷，谷內峰迴路轉，曲折盤旋，幽谷盡處，蒼松林立，一松特高，宛如撐傘，一道清溪繞過松下巨石，直向一個深澗中流去，溪水不大，如一條水簾下垂，只是那深澗深不見底，圖上也沒有顯示出洞底景物，一陽子回頭望澄因一笑說道：「這帖藏真圖是天下武林人物心目中第一奇寶，百年來爲尋這藏真圖，不知道毀掉多少

江湖高手性命，我卻不勞而獲。」

說著，又憶起逐出蔡邦雄的一段往事，不覺面色淒然。

澄因大師慈眉一聳答道：「武林中傳言藏真圖，歸元秘笈一事，我不過略有耳聞，而且傳說紛紜，你們崑崙三子，位列武林名宿，享譽江湖數十年，見多識廣，必知其中真相，敢請一道其詳，老和尚洗耳恭聽！」

一陽子微微一嘆道：「提起歸元秘笈，應回溯三百年前兩位奇人，玄機真人和三音神尼，兩人一個皈依三寶，一個入了玄門，同懷絕技，世無匹敵，內外功夫都達登峰造極，當時武林中門派分立，少林、武當兩派最盛，弟子眾多，華山、崑崙、點蒼、崆峒、雪山、青城、峨眉七派次之，其餘名門名派雖亦各有獨特武功，但均無法和以上諸派相提並論，是時九派均出奇材，集中國武術人才一時之盛，九派掌門人各以正宗自居，相約比劍於中嶽少室峰頂，各以獨門功夫以決名次。」

一陽子接著說：「天下英雄無不存一睹為快之心，少室峰前集武林空前絕後之盛會，九派各推好手三人出場，循環比賽，以定勝負，比劍七日，各派好手各有傷亡，華山、點蒼、崆峒、雪山四派首遭淘汰，少林、武當、崑崙、青城、峨眉五派再作決賽，五派人選都是當代精華，一人傷亡，不知要使多少絕技失傳……」說著一頓，又嘆了一氣。

澄因大師急於要聽下文，接口說道：「那比賽結果，究竟是哪一派勝了呢？」

一陽子道：「如果該次論劍結果，真的決了勝負，定了名次，當時雖然要傷亡幾位前輩，失傳一部分武學，或許仍能換得日後太平，偏巧在五派高手將要動手之際，玄機真人及時趕到了少室峰頂，力勸罷手息戰，不過五派各代掌門人，數百年來都為這事苦惱，好不容易，集

各派精英一決名次，哪肯就此罷手，玄機真人見勸解無用，立時以一雙肉掌挑戰五派高手，少林、武當、崑崙、峨眉、青城，都存爭勝之心，看他如此狂妄，邈視五大宗派，果然聯手攻他，哪知玄機真人武功早已化入境地，在五百招內憑一雙肉掌打敗五派高手，榮獲天下武功第一的尊號，五派論劍決名次的爭執也就此打消，中嶽少室峰比劍之會，就這樣半途而散。」

澄因大師點點頭道：「那玄機真人可算做了一件大善事，使你們五大武林宗派之元氣精華都能保留下來，才會有現在武林中這樣鼎盛氣象。」

一陽子微笑道：「那次中嶽比劍被玄機真人技服五派，半途而散，可是五派對名次之事，並未就此息念作罷，相反地更是各自積極鑽研本派武功之長，並派弟子混入別派，偷學他派武學，以備將來二次比劍爭名之用，這樣一來，各派對收徒一事，都是謹慎非常，資質、稟賦固然重要，身世來歷更要查明，以免被別派弟子混入，騙學武功，幾百年來這種明爭暗鬥，無時停止，致形成各派主腦人物均不敢以絕學授徒，可是各派武功卻因此日益精進，可惜只是三、兩主腦人物通其精要，門下大多數弟子，不過略學過一點皮毛而已。」

一陽子嘆息一聲說：「即使是選傳下一代衣缽弟子，也必慎重再三，選了又選，才從千百弟子中選出一、二，開壇拜祖，先讓他們立了重誓，永衛師門，才肯傳以絕學，數百年來，代代如此，各派武學自少室比劍之後，雖然突飛猛進，日益精深，但會的人卻是愈來愈少了。」

澄因大師合掌宣了一聲佛號道：「名氣二字害人不淺。」

一陽子又一聲嘆息：「就拿我們崑崙派說吧！那次少室山比劍之後，上幾代長老，苦心鑽研用盡心血，才創出分光劍法和天罡掌法，可是分光劍法中最精要的追魂十二劍，卻不准傳授弟子，目前本派除了我和師弟師妹之外，找遍天下武林同道，只知我崑崙派分光劍法有九十六式、全套共有一百另八招，但那不准授徒的十二招才是全套劍法的精華，我們師兄弟妹，相約有言，必要經三人相商之後，選出繼承本派的衣缽弟子，才能把追魂十二劍授他，不過我已經改變了心意，違背我們三人約定，決定把追魂十二劍授予夢寰，這孩子天資、稟賦都是上上之選，更難得的是他人雖聰明機智，但心地卻很醇厚，十二年來已盡得我所學，如再學會了追魂十二劍後，我這師父也沒有什麼可傳的本領了。」

澄因大師聽了一怔問道：「你雖是一片愛護他的心意而私授追魂十二劍，可是你們崑崙三子相約有言，以後你如何對師弟、師妹交代呢？」

一陽子放聲大笑，其聲直似龍吟虎嘯，震得丹室內燈焰搖擺，澄因大師聽老友笑聲特異，似有極度的悲壯，也有著無限的歡樂，老和尚聽了一皺眉頭，還未來得及說話，一陽子忽然停住笑聲說道：「事情的關鍵就在這幅藏真圖了，五派論劍中途而廢，名次未決，雖都心念未息，可是玄機道人技服五派高手之後，臨去留下警句說：武術之道，萬流歸宗，紅蓮白藕一家人，何苦用來作名、氣之爭，自相殘殺，今後哪一派再存有比劍爭名之心，他絕不袖手旁觀，他本是一片善意，哪知卻給他本人招惹來一場麻煩。」

澄因大師聞言問道：「像他那樣的武功，還會有麻煩不成？」

一陽子答道：「天下之大，無奇不有，玄機真人出奇武學，據聞是從一本拳書上得來，既無師承，也無人教授，他的身世經歷，也沒人知道，九派比武中嶽少室峰之前，江湖上也沒人聽過他，自那次技服五派高手之後，聲名震動了大江南北，受武林推崇爲天下武功第一，這個天下武功第一的尊號卻害了他。」

澄因大師奇道：「怎麼天下武功第一的尊號會害了他呢？」

一陽子搖搖頭道：「武林中人，就算內功武學到了超凡入聖的化境，視利祿富貴珍寶古玩如糞土草芥，甚到無我無相，看破情關，靈台淨明，但對這名頭仍難掙脫，玄機真人以一雙肉掌力服五大宗派高手，名聲震天下，固然是暫時壓服了五派爭名之心，消弭了一場殺劫，保留下一些精英元氣，其實說穿了，還是爲了爭一個名號。」

「他天下武功第一的尊號，引來了那時代一位蓋世奇人的眼熱，那人不但是個女人，而且還是一名沙門弟子，法號三音，佛家講無我無相，無嗔無念，可是她仍難拋卻嗔念二字，在玄機真人掌服五大宗派高手的第三年，這位三音神尼萬里迢迢從阿爾泰山出發，找上了浙西括蒼山青雲岩，要和玄機真人一較武功，青雲岩因而開啓了一場驚天地動鬼神的惡鬥，兩人武功真如進了仙境，力拚三天三夜，對拆五千餘招，仍是難分勝負，第四天之後繼續各以上乘內功相拚，到最後鬥了一個兩敗俱傷，兩人受傷都重，對坐運功調息，這時候兩人都知難再久於人世，大徹大悟後化敵爲友，兩人又都沒弟子，遂把彼此絕世武學合錄成三本秘笈，藏在括蒼山一座石洞中，命名爲《歸元秘笈》，意思是說天下武學，萬流歸一宗，萬變不離其宗，秘笈完成後，又繪了一幅藏真圖，埋藏在兩人交手的青雲岩上。」

「這件事流傳到今已三百餘年，武林各門各派，都在挖空心思，欲得《歸元秘笈》，就是超然於門派之外的隱俠高人，江湖上一班綠林大盜，也都竭盡全力，尋找秘笈，聽說這幅藏真圖百年前爲一位江湖獨腳大盜尋得，可是凶殺慘禍立至，偷覷《歸元秘笈》的人太多，任你武功如何高強，只要一被人聞知風聲，必難免凶殺慘禍，此圖輾轉流落百年，不知傷了多少人的性命，迄今未聞《歸元秘笈》被人尋得，蔡邦雄不知從哪尋得此圖，天南雙煞想必是爲奪這藏真圖，追他到玄都觀來。」

說罷，又是一聲長嘆，面上神色淒然。

澄因問道：「藏真圖現已落你手中，你準備怎麼辦，也要去尋那《歸元秘笈》？」

一陽子答道：「我把追魂十二劍私授徒兒，就是準備把這堆老骨頭，葬送在括蒼山裡，三百年來各派之所以和平相處，其實都在集全力搜尋《歸元秘笈》，不管哪派尋得，武林殺劫立起，近百年來華山派一支獨秀，自八臂神翁聞公泰接掌門戶之後，更是能人輩出，日漸強大，對少室比劍之辱，無時忘懷；天龍幫崛起黔北，短短幾年其勢已及江南，天龍幫主李滄瀾與其屬下紅、黃、藍、白、黑五旗壇主，本都是息隱風塵的奇人，嗔念一動，竟置數十年清修之身不顧，組織天龍幫，網羅江湖上無門無派高手，企圖在江湖九大門派外，另樹一支，目前江湖局勢，表面上看風平浪靜，其實骨子裡劍拔弩張，看來三次比劍定名之爭，為期當在不遠，這《歸元秘笈》關乎今後武林命運，萬一所得非人，後果的悲慘實難想像，為著這一關係，我不得不上括蒼山一盡人力，是成是敗自難預料，不過這件事非我一人力量能辦，有心約你一行，可是你這和尚自命清高，不知是否願冒這次風險，如果你不願去，我也沒法強你所難，等我傳過寰兒追魂十二劍後，就要動身，現在聽你一句話，是不是願去？」

澄因大師低頭沉吟了一陣，答道：「此事有關武林日後劫運，老和尚自難推諉，再說我活了六十多年，生死早算不了什麼，只是霞琳這孩子我放心不下，既孤苦無依，又身負血海深仇……」

澄因大師說到這兒，一陽子微笑接道：「琳兒的事，我已代你籌謀，如果你願讓她投入崑崙派中，可由我具筆薦入我師妹慧真子門下，天南雙煞負創逃去，藏真圖風聲已洩，玄都觀勢難久留，不出一月必有人找上門來，在我們動身之前，必先讓這兩個孩子離開。」

澄因大師笑道：「她能投入崑崙門下，造化不淺，老和尚埋骨括蒼山，死而無憾，不過話得說前頭，霞琳身世牽扯到一件江湖仇殺恩怨，她娘臨死留下血書，要她長大後手刃元兇，這件事我不能瞞她一輩子，勢必要讓她知道，父母之仇，不共戴天，將來要是給你們崑崙派惹上麻煩，可不要怪我老和尚事先沒有說明。」

一陽子正色問道：「沈姑娘是不是藍衣秀士沈士朗的女兒？」

老和尚面色一變道：「怎麼，你……知道這件事？」

一陽子嘆息道：「十五年前沈士朗夫婦遇害潛山的一檔事，江湖上早有傳言，不過我勸你最好不要讓她知道身世，害死沈士朗夫婦的百步飛鈸齊元同，已投歸天龍幫內，現掌紅旗壇，報仇這件事只有等待機緣，妄動不得，你早告訴她，是害她。」

澄因大師慈眉一展，雙目神光閃動，接道：「這麼說，只有我老和尚替她出面，鬥鬥齊元同了。」

一陽子微笑道：「你鬥齊元同，我不信你會失敗，問題在天龍幫人多勢眾，海天一叟李滄瀾確為近代武林中傑出怪才，你大概聽說過他一拐服四醜的事吧！川中四醜在鄂、蜀一帶綠林道上算得上最難惹的人物，武當、峨眉、青城三派弟子，屢次圍殲均難如願，為此三派還傷了不少高手，李滄瀾路過鄂西，無意中遇上了四醜，一夜工夫折服了四個魔頭，把他們收羅到天龍幫中，這件事三年前曾盛傳於中原武林道上，照目前情勢發展下去，天龍幫實大有凌駕於九派之上的趨勢，如果我看法不錯，十年內武林中必有大變化，也許各派精英都要毀在這次浩劫之中，沈姑娘報仇之事，何必急在一時，她如已入崑崙門下，我們崑崙三子自是不會坐視。」

老和尚長長地嘆口氣道：「本來我已是世外之人了，因為琳兒這一點恩怨糾纏，竟自無法

擺脫，看來一個人真想要到無嗔、無念的地步，談何容易，既不能躲避塵世，還談什麼飄然世外，我這就回遮陽寺打點一下，老和尚要是死在那括蒼山，總不能讓遮陽寺沒有了住持方丈，三天後我再來玄都觀，藉機把我壓箱底的十八羅漢掌，最後幾招傳給你徒弟。」

說畢，霍然離座，兩隻寬大袍袖一抖，人已離了丹室，接著一個騰步，宛如巨鳥凌空而去。

三天後澄因大師果然又來，只是手中多了一柄禪杖，一僧一道盡半月工夫，把追魂十二劍和十八羅漢掌，傳授給楊夢寰。

因爲那追魂十二劍是崑崙派中最精妙的招數，沈霞琳在未拜列崑崙門牆之前，一陽子自是不能傳授。

十八羅漢掌，沈霞琳早已學會，所以這半月中最忙的還是楊夢寰一個，白天習掌，晚上練劍，那追魂十二劍雖只有十二個招式，卻是繁雜異常，一招出手，後面十一招變化都藏在那一招之中，楊夢寰學了半月，才算勉強學會。

一陽子急著要趕去括蒼山，無暇再待徒兒習練純熟，就把夢寰和霞琳喚入丹室，取出兩封信，交給夢寰說道：「你已追隨我十二寒暑，也該回家一趟看看你爹娘，省親之後不必再到玄都觀來找我了，把這封信送上崑崙山金頂峰三清宮，親交你兩位師叔拆閱。」

楊夢寰接過信，拜伏丹室，十二年師恩似海，一旦別離，不禁悲從中來，伏地流淚不止。

一陽子笑喝道：「天下沒有不散的筵席，你這樣哭哭啼啼哪裡有丈夫氣概，快起來吧！」

楊夢寰只得站起，垂手靜立一側。

澄因大師撫著霞琳秀髮道：「你一陽子師伯憐你孤苦無依，已準備你列身崑崙門牆，此去金頂峰拜師，要好好用心學習武功才好。」說過幾句話，慈眉微鎖，一臉黯然神色。

沈霞琳聽得一怔，兩隻圓圓的大眼睛裡，湧出兩眶淚水，問道：「怎麼，師父不要琳兒了麼？」

澄因大師勉強一笑道：「你能拜在崑崙門下，是天大的造化，怎麼這樣大的孩子了，連一點世故都不懂。」

霞琳又問道：「那麼琳兒要一個人去崑崙山了？」

一陽子微笑接道：「和你楊師兄一塊兒去！」

小姑娘一聽說和夢寰一起走，笑顏頓開，站一邊不再說話。

一陽子從澄因大師手中接過一個白布小包，交給夢寰說道：「此物必須珍藏，親交你三師叔手中。」

楊夢寰接過藏入懷中，一陽子又吩咐道：「你到家後，可留住一月，再趕赴崑崙山金頂峰三清宮去，一路上要好好照顧你沈師妹。」

楊夢寰躬身答應，一陽子立即催促兩人動身啓程，兩人當天上午就離開了玄都觀。

楊夢寰和沈霞琳走後不久，一陽子就將觀中幾個道人叫到了丹室，這玄都觀規模雖大，香火卻是不盛，除了桃花盛開時節，偶有遊人來此賞玩之外，平時就很少有人到此，觀中除了一陽子和楊夢寰師徒之外，就只有四、五個打雜的香火道人，玄都觀主交代了他們幾句，旋即和澄因大師飄然直奔浙南括蒼山去了。

且說楊夢寰和沈霞琳，拜別了一陽子和澄因大師，離開了玄都觀，乘小舟沿沅水而下，這一帶河狹流速，小船如箭，楊夢寰掌著舵坐在後梢，低頭看著水面上幾朵桃花，逐波浮沉，沈霞琳站在他側面，回顧那漸漸消失的萬株桃樹，臉上掛一份微微的笑意，眼眶裡卻含著兩滴淚水，似有無限的歡愉，也有著無窮傷感。

直到船過翦家溪，玄都觀景物全失，她才慢慢轉過頭看著楊夢寰問道：「楊師兄，你到過崑崙山嗎？」

楊夢寰搖搖頭答道：「十二年來除了師父帶我回過兩次家，探望爹娘之外，就沒有離開過玄都觀。」

沈霞琳嗯了一聲，貼著他身邊坐下，說道：「我不大記事的時候，就被我師父帶到遮陽寺，十幾年除了遮陽寺和玄都觀，我就沒有去過別的地方，師父又一直不告訴我的身世，我想我的爹娘一定是不要我了，要不，這麼多年來，他們爲什麼不來看看自己的女兒呢？」說過話，抬起頭，望著天上悠悠白雲，兩行淚珠兒簌簌落下。

船如奔馬，勁風拂面，沈姑娘身上幽香襲人，楊夢寰面對玉人，感慨萬千，看她一臉戚苦神情，不禁心動，很想勸慰幾句，又不知從哪裡說起才好，一時也怔在那兒，說不出一句話來。

沈霞琳緩緩低頭，猛見楊夢寰發愣模樣，不由一驚，連忙說道：「楊師兄！我說錯了什麼嗎？」

楊夢寰先是一怔，繼而一笑說道：「沒有。」

霞琳又問道：「那你爲什麼出神發愣呢？」

夢寰道：「我想勸慰你幾句，可是不知道說什麼才對。」

霞琳嫣然一笑，愁容盡斂，用衣袖抹去臉上淚痕，伸手把住舵說：「你休息一會兒，讓我掌舵吧？」

楊夢寰不忍拂她好意，只得讓她。

天色已快要入暮的時候，已到了洞庭湖中，看煙波浩翰，帆影千葉，停泊湖中的漁舟，晚霞裡炊煙裊裊，漁家女布衣赤足，坐船頭補網談笑，沈霞琳哪見過這等景物，眉飛色舞，她玉腕搖櫓，單從那停泊漁舟最多處，穿繞而過，她看人家，別人的目光也都集中到她的身上，覺得一個嬌柔美麗的小姑娘，哪來那麼大臂力，搖櫓裂波，其快如飛，沈姑娘小時候就被澄因大師送入遮陽寺，很少和生人接觸，心潔如玉，雖然千萬道目光齊注視著她，她竟是毫不畏懼，仍然運櫓拔水，穿繞漁舟而走。

驀地裡，兩隻梭形快艇，分左右急駛而來，猛向沈霞琳和楊夢寰所乘小船，小姑娘正玩得高興，猝不及防，眼看右邊快艇就要碰上小船，楊夢寰猛的伸出右臂，單掌迎著急來快艇，潛運真力，一擋一撥，梭形快艇被一撥之力，把個旋斜過一邊，沈霞琳也自驚覺，右腕用力搖櫓，翻起一個水花，小船驟然衝起八尺，裂開了一道水痕，避開左邊快艇，耳聞快艇中傳來幾陣冷笑，破浪如飛而去。

沈霞琳目視兩艘快艇走去，越想越覺氣忿，掉過船頭，就要追趕，楊夢寰卻低身說道：「算了，他們船快，我們追不上！」

沈霞琳茫然問道：「我們又沒有招惹他們，他們爲什麼要欺侮我們呢？」

這一問，問得楊夢寰瞪著眼答不出話，爲什麼？連他自己也不明白，怔了一怔答道：「我常聽師父說，江湖無奇不有，這算不了什麼大事，我們還是趕路吧！」

霞琳點點頭一笑，掛上風帆問道：「寰哥哥，我們往哪裡走呢？」

楊夢寰聽她越叫越親熱，乾脆由楊師兄變成了寰哥哥，不禁呆了一呆，心想：看樣子她對我情意愈來愈深，師父叫我好好照顧她，話中含意深刻，這位小師妹本來生性嬌蠻，連她師父澄因大師都不怕，對自己卻是處處遷就，絲毫不肯違拗，可是自己心目中早有愛侶，勢將辜負她一片深情……他心裡想著，抬頭看霞琳正低頭望他，秀目裡情思無限，一陣感傷，低聲應道：「往東走，今晚上如果風順，明天就可以到我的家了。」

沈霞琳轉舵揚帆，小船破浪東進，她卻在夢寰對面坐下，皺著眉頭問道：「寰哥哥，你家裡都有什麼人，不知道伯母會不會喜歡我，我從小就沒有爹娘管教，變成個野丫頭了。」

楊夢寰聽得一凜，淡淡答道：「我媽媽最是慈愛，她一定會喜歡你！」

霞琳雙眉一展，笑道：「真要這樣，我就變得最聽話，不要讓她生一點氣。」說過話滿臉笑容，轉身伏在船上玩水，楊夢寰只看得心中冒上來一股寒意。

洞庭湖縱長三百餘里，碧波如鏡，茫茫無涯，風帆蕩漾，船行頗速，沈霞琳意怡神快，縱目四望，蒼茫暮色中漁舟如梭，不少船上已燃起燈火，乍明乍暗，如千百萬隻流螢舞空，楊夢寰卻無心欣賞暮色湖景，抱膝坐在船頭，心潮洶湧，起伏不定。

忽然，一艘雙桅巨船，揚帆而來，不大功夫，已追近楊夢寰和霞琳所乘的小舟，同時右側又急駛過來四艘梭形快艇，沈霞琳從艙中取出兩把寶劍，一把遞給夢寰，說道：「寰哥哥，你看他們又來了，這一次不給他們一些顏色看看，他們還以爲我們好欺侮呢！」

就在霞琳說話間，四艘梭形快艇，已一字排開，攔在小船前面，每艘快艇頭上都站著一個短裝大漢，楊夢寰也有點冒火了，接過沈霞琳手中長劍，冷笑一聲，問道：「楊某人和各位素不相識，我們又不是腰纏萬貫的商族行賈，各位這樣苦苦相逼，卻是為何？」

左首第二艘快艇上，一個四旬左右的大漢笑應著：「二位如果是富商行賈，我們犯不著這樣勞師動眾，請問朋友你一聲，和玄都觀主一陽子是怎麼樣稱呼？」

楊夢寰面色一變，厲聲答道：「玄都觀主是我恩師！你們要怎樣？」

那大漢又笑道：「一陽子老前輩威震江湖，對他老人家弟子怎麼樣，我們還不敢，不過我們總舵主久聞崑崙派劍術天下無敵，想借機和二位交個朋友！」

楊夢寰看人家話說得很客氣，一時間也沒法子發作，皺下劍眉答道：「楊某人初離師門，不懂江湖上的規矩，貴總舵主既願折節下交，楊夢寰當得拜見。」

那大漢點點頭道：「大俠高足，確是不凡，楊兄看起來倒不像初涉江湖，我們總舵主不敢有勞大駕，他已親自趕來了！」

那大漢說著話，伸手向右邊一指，楊夢寰轉頭看去，只見一艘雙桅大帆船上，船門大開，裡面燈光輝煌，耀如白晝，艙門外對站著四個彪形大漢，清一色密扣對襟短裝，白裏腰倒趕千尺浪，懷抱著厚背薄刃鬼頭刀，艙中間虎皮金蛟椅上，坐一個身軀修偉，五旬上下蒼白長髯拱手一笑，道：「無故攔舟，驚擾清興，請過艙中吃杯水酒，聊謝失禮之罪！」

處此情形，楊夢寰自是推辭不得，回頭低聲對霞琳道：「佩上寶劍，我們一起過去。」

說畢，首先一躍登上大船，沈霞琳緊跟在夢寰身後也落上船頭。

長髯老者望著四艘快艇上大漢，說道：「你們看好客人船隻，如果稍有損壞，就不准再見

我！」四個大漢當胸一立，對老者一躬身，快艇立時散開，長髯老者才回頭對楊夢寰道：「屬下無知，言語開罪之處，望勿見怪，艙中已備水酒，請入內小飲幾杯如何？」

楊夢寰長揖答道：「晚輩初涉江湖，不懂規矩，承蒙邀宴，何幸如之，敢請教老前輩上姓尊名，以便就教？」

那老者手捋長髯哈哈大笑道：「老朽二十年前和一陽子有一面之緣，承他仗義相助，我才多活了這幾十年，我們先進艙中喝幾杯，我還有事請教。」抱拳肅客。

楊夢寰步入艙內，四個抱刀大漢躬身行禮，看艙中布置得金碧輝煌，華麗已極，紫檀雕玉花八仙桌，早已擺好香茗細點，兩個青衣童子垂手侍立一邊，長髯老者讓夢寰和霞琳落了座位，望著沈霞琳笑道：「這位姑娘也是崑崙門下弟子麼？」

霞琳大眼睛一轉，答道：「怎麼不是！我和夢寰哥哥都不會喝酒，你有什麼話快些說完，我們還急著趕路呢。」

楊夢寰聽得一皺眉，長髯老者卻掀鬚大笑道：「好啊！姑娘快人快語，不失爲巾幗俠風，二位行止何處，我順便奉送一程，這樣既不耽誤二位行期，又可長夜清談。」

楊夢寰接口答道：「我們準備在岳陽登陸，只是不敢有勞大駕。」

長髯老者搖搖頭笑道：「一葉風帆，何勞之有。」說過話，吩咐艙門外四個抱刀大漢，張掛雙帆直放岳陽，又令兩個青衣童子收了茶點，換上酒菜，和夢寰、霞琳對酌起來。

楊夢寰和沈霞琳都不會喝酒，喝了幾盅，停杯不吃，長髯老者也不硬勸，只管自己酒到杯

乾，一連喝了有百杯以上，才放下酒杯，和夢寰談些江湖奇聞，絕口不提一句正事，楊夢寰忍了又忍，到最後還是忍不住，問道：「老前輩邀晚輩登舟時，曾說過有要事賜告，現已酒足飯飽，願洗耳恭聽教言？」

長髯老者嘆了口氣道：「令師對我有救命之恩，二十年愧無一報，日前傳言令師得了武林奇寶藏真圖，致引起各派高手雲集湘北，風聲初傳，來人已是不少，大概這幾天中，就要掀起一陣爭奪藏真圖的風波，爲了這幅寶圖，百年來不知葬送了多少武林高人的性命，江湖恩怨仇殺，常常要波及數代，你既是崑崙弟子，難免不被波及，此事真相如何，我也不敢斷言，實不相瞞，老朽也是爲藏真圖奉命而來，二位早離是非之地，不失上策，令師一代劍俠，必有自保，不過二位今後行藏，應求隱密，炫技自露，無疑是自尋煩惱，江湖機詐，一言難盡，爲求達目的，其手段慘酷已極，我能奉告二位的也只有這些，咱們再見面時敵友難料，我送二位這一程，談不上報答令師恩德，只能算聊表寸心，如不是機會巧，被我屬下先察覺兩位行蹤，要落在別人手中，不但會給令師增加無窮痲煩，二位恐怕也要吃苦頭了。」

長髯老者一席話，聽得楊夢寰又驚又急，憶恩師近半月神態，確實有異，想必和那死去師兄蔡邦雄身上搜出的白絹有關……再想師父要霞琳和自己離開玄都觀的神色，似很急促，前後想，這件事八成是實，抬頭看霞琳正睁著大眼睛看著他，臉上卻是一種茫然無措的神色，似乎她把一切禍福都信托在自己的身上。

楊夢寰想了一陣，劍眉微挑，一臉堅毅神情，笑道：「承蒙老前輩如此愛護，楊夢寰銘感肺腑，家師是否得到藏真圖一事，晚輩實無所知，恕難奉告，各派高手雲集湘北，準備對付家師和晚輩，那是別人的事，晚輩幼稟恩師慈訓，素無犯人之心，但是崑崙派門下弟子，卻也不是貪生怕死的人，事情如迫到頭上來，縱然是刀山劍海，晚輩也無所懼，老前輩奉命到此，求藏真圖，留晚輩同舟夜談有所不便，我這就告辭了。」說過話，起身一揖和霞琳向艙外走去。

猛聽那長髯老者縱聲笑道：「一陽子豪氣干雲，楊老弟盡承師風，崑崙門下果是不凡，老朽佩服得很，難得這一夜清談，何以竟決求去，順風揚帆，天亮前可達岳陽，今宵一別，日後敵友難分，我們再有碰面機會，說不定我要討教老弟分光劍法，無論如何請二位受老朽相送一程，也讓我聊盡一點心意……」一說至此攸而住口，長髯顫動，面色淒惶，似有著無限傷感。

楊夢寰知他此刻心中難過已極，既圖報師父當年救命之恩，又不能逆命行事，看他滿臉痛苦神情，倒不便執意而去，微笑著重返艙中，落座說道：「老前輩留客情切，晚輩們只好叨擾了，武林中偶伸援手，本屬尋常小事，老前輩盡可不必爲家師當年相助小惠，感到左右爲難，再說就是老前輩放心不問藏真圖事，別人也不會放過晚輩師徒，不過這藏真圖是否真的落在家師手中，晚輩確未聽家師說過！」

長髯老者嘆口氣道：「楊老弟見識不凡，幾句話確不是平常人所說出口，老朽又有幸看見一代人間偉丈夫……」

說道一頓，又道：「不管怎麼樣，老朽總是愧對令師，天龍幫規令禁嚴，來的人又不止老朽一個，二位多珍重！」說完，端起桌上酒杯，一飲而盡。

此後，兩人都不再提藏真圖事，秉燭對坐，盡談些江湖怪聞，沈霞琳坐在夢寰身側，時而靜聽那長髯老者講話，時而秀目含情，凝注著夢寰微笑，燈光下看她，愈覺得秀美絕倫，這丫頭胸無城府，心若瑩玉，她見寰哥哥談笑自若，竟也是無憂慮神色。

二　險谷劍影

雙帆張風，舟行快速，到東方曙色微露時已抵達岳陽岸邊。長髯老者送夢寰、霞琳登岸，回頭看，那四艘梭形快艇，如飛而來，左右一艘快艇上後面繫著夢寰和霞琳原乘小船，長髯老者直待那小舟靠岸後，才拱手作別，笑道：「老弟多珍重了！」

楊夢寰想說幾句感謝的話，還未開口，人家已跳上大船，揚帆而去，四艘梭形快艇，緊隨後面，不大工夫，已消失在茫茫煙波之中。

楊夢寰檢點小舟上的隨帶衣物，果然絲毫未動，略一收拾，和霞琳棄舟而去。

這時天色尚未大亮，行人絕跡，兩人展開輕功飛縱身法，快逾狂奔怒馬，不過一頓飯工夫，已走了二十多里，抬頭看，只見三面淺山環抱著一座小村，村前面一溪清流，水聲瀑瀑，村西邊山根下，佳木蔥蘢中隱現出一堵紅牆，楊夢寰遙指那紅牆笑道：「那紅圍牆中就是寒舍，家父二十年前宦海隱退，就在這東茂嶺中安居下來。」

霞琳轉頭一笑答道：「這地方很好玩，我們沒事的時候，就到那條小溪裡去捉魚好嗎？」

兩句話，聽得楊夢寰臉上變色，心裡一陣疼痛，表情呆滯，半天說不出話來，眼前立即湧現出兒時和表姊玉娟捉魚溪中的情景。玉娟比他大三歲，很早就死了父母，夢寰母親以姑媽身分收養了玉娟，兩人從小就在一起長大，竹馬青梅，朝夕一塊兒遊戲玩耍，玉娟對夢寰愛護得

無微不至，夢寰對玉娟那更是言聽計從，從牙牙學語到略通人事，吃飯讀書一步也不肯離開。玉娟秀慧過人，在夢寰小心眼裡成了天人。赤子心中情苗早植，當夢寰八歲時被一陽子帶到玄都觀中學藝，這一別就是十二寒暑。雖然這期間夢寰還也回來過兩次，但這兩次他都是和師父同來，小住兩天就走，和玉娟見面談話的機會實在太少。第二次回家是前年，那時楊夢寰十八歲，玉娟已二十一歲，小丫頭變成了大姑娘，愈覺著閒雅秀逸。她趁夢寰初回之夜，一陽子和姑丈在客廳挑燈夜話，差小婢銀瓶請表弟會晤深閨。兩個人都大啦，見著面反而覺著有點靦腆忸怩，相對無言，默坐良久，最後還是楊夢寰吞吞吐吐地說出來想念深情，玉娟含羞流淚勸表弟要用心學習武功。她說，一陽子乃世外奇人，能遇得這樣好師父的千載良機，不要為想念她分了心神，不管楊夢寰哪一天藝滿還家，十年、百年她都會耐心等待。這句話不啻說出以身相許，楊夢寰是聰明人，哪裡還會不明白。

半宵清談，才許下了山盟海誓，第二天楊夢寰又隨恩師回到了玄都觀去，如今和霞琳一道回來，恐怕要引起玉娟誤會……他想得神往，站在那裡忘了走路。

沈霞琳看夢寰停步出神，覺著奇怪，走到他身邊叫道：「寰哥哥，你在想什麼？」

楊夢寰低頭看她勻紅嫩臉上滿是關懷神情，心裡又是一跳，淡淡笑道：「我在想師父……」

話未完，霞琳接道：「嗯！還有我師父，將來我投在崑崙派門下，就不能再叫他師父了，那要叫什麼？」

夢寰笑道：「叫師伯。」

沈霞琳點點頭，又是一笑，跟在夢寰身後，向那堵紅牆走去。

兩人越渡了小溪，又穿過一段草坪，翠竹佳木環繞中現出一座莊院，大門上橫題著「水月山莊」四個大字。一個五旬左右老僕正在打掃庭院，回頭看見夢寰，高興地丟了手中掃帚迎上來，笑道：「少爺回來了！老爺昨天還提起少爺，明天正好是娟姑娘的周年忌辰，你們從小在一塊兒長大……」

那老僕話還未完，楊夢寰已聽得全身冷了半截，轉頭問道：「楊福，你說什麼？我娟表姐死了？」

楊福搖頭嘆氣道：「皇天無眼，可憐如花似玉的娟姑娘，她倒比老奴先死了！」

楊夢寰打個踉蹌，抓住楊福右臂問道：「她怎麼死的？」

楊夢寰功力深厚，此時驟聞噩耗，寸心痛碎，不覺抓住楊福右臂，老僕人哪裡承受得住，只覺骨痛欲裂，鼻涕眼淚一齊流，如何還能答得出話，霞琳站在一邊，看得又擔心，又難過，她本是嬌稚無邪的大孩子，一時間也不知該如何勸解才對，瞪著眼站在一邊發愣。

這當兒，大廳裡走出了一個長衫福履，氣度高華的老者，留著雪白短鬚，出了廳門，厲聲喝道：「寰兒快些放手，你瘋了嗎？」

這一喝，楊夢寰由神智昏沉中醒了過來，轉頭看父親背著手卓立廳外，鬆了楊福，拜伏地上道：「寰兒給爹爹請安。」

老者卻先問楊福道：「你受了傷嗎？」

楊福用袖子擦了下臉，強笑道：「不要緊，老奴還撐得住。」

老者點點頭道：「你去休息一下吧！」

楊福答應著退去，那老者才看著跪在地上的楊夢寰，叱道：「你二十歲啦，怎麼還是這樣

莽撞？我要再遲出來一步，楊福一條右臂還要不要？」

夢寰又叩頭道：「孩兒驟聞娟表姐死訊，一時情急失常，實非有意。」

老者嘆息一聲，道：「娟兒正當青年，死得的確可惜，我和你娘都已盡到最大心力，天不假年，人力豈能挽回，你起來！」

說完話，一眼看到霞琳，又低聲問道：「那白衣少女是誰？」

夢寰起身答道：「是孩兒師妹，她叫沈霞琳，兒奉師父令諭送她到崑崙山去！」

說著話，霞琳已走過來，夢寰低聲對霞琳道：「這就是家父。」

沈姑娘嬌喊一聲：「伯父。」

便盈盈跪拜下去，老者含笑還了半禮，道：「沈姑娘快起來，怎麼可以行這樣大禮。」

霞琳叩個頭站起後，也不知說什麼話，望著老者一笑，退到夢寰身後站著。

夢寰的父親，叫楊漳，本是明武宗年間御史，因宦官劉瑾弄權，乞休歸田，隱居岳州東茂嶺，建「水月山莊」閉門講書。夢寰四歲時在溪邊玩耍，被一陽子看見，認爲是天生異質，惟恐被別派中人發現帶走，隨借代募之名，求見楊漳。楊漳看一陽子仙風道骨，知非常人，隨延入客廳侍茶。兩個人愈談愈投機，訂作方外之交，此後一陽子每年總來「水月山莊」和楊漳盤桓幾天。

漸漸地楊漳知道了一陽子是位博通六藝，胸羅萬有的奇人。一陽子四顧「水月山莊」時，楊夢寰已經八歲，一陽子直告楊漳，說夢寰骨奇神清，秀逸不群，但非宦海中人物，楊漳笑道：「我厭倦宦海生活，才隱居於此，根本就沒有望子成龍名於仕途之心，你如果真喜歡他，就收他做個徒弟如何？」

這句話正對了一陽子心意，也不再虛偽客氣，立時一口答應下來。二天後就帶夢寰回玄都觀而去。

單說楊漳帶夢寰、霞琳進了大廳，落座後問道：「你師父這一次沒有同來嗎？你準備哪一天再回玄都觀去？」

夢寰答道：「師父命弟子回家侍奉爹娘，一月後，送沈師妹西行到崑崙山拜師，不再回玄都觀了。」

楊漳笑道：「你既已是崑崙派門下弟子，一切自應遵從師父吩咐，我和你娘都到了垂暮之年，什麼事都看淡了。自你娟表姐死後，你娘更是萬念俱灰，每天守住養心堂面佛唸經，連我也不准去打擾她。受她影響，我也動了斬絕塵緣，面壁潛修的念頭。你娘雖是出身大家，又跟著我宦海浮沉多年，但她是個慧根深厚的人，我能從名利中醒悟過來，急流湧退，還是得你娘的勸告。過去你娘常對我說，娟兒美慧薄命，相屬早夭，恐難活過二十五歲，果然不幸言中。去年娟兒死於天花，你舅父過去歷任州縣正堂，做了很多糊塗事情，本身遭了報，又禍及娟兒。因果輪迴之說，看來倒不是無稽之談了。你到後面養心堂去見你娘，明天備點祭品，去祭奠你表姐靈墓。至於你今後行動，我也不願過問，你師父胸羅玄機，他說的大概不會有錯，說不定我遇上了機緣，就遁蹤世外了。」說畢，起身對霞琳點下頭，緩步出廳而去。

楊夢寰只聽得兩眼發直，呆若木雞，看父親緩步逕去，頭也不回，不禁落下來兩顆淚珠，霞琳送給他一方絹帕，柔聲慰道：「寰哥哥，你不要傷心好嗎？」

夢寰接過絹帕，擦去淚痕，笑道：「走！我們去見我娘。」

楊夢寰帶著霞琳，繞著竹林曲徑，走進養心堂。那只是三間茅舍，竹几木椅，打掃得纖塵不染。正中一張白松八仙桌邊，坐著一位青布裙的美麗中年婦人，雙目微閉，口誦大悲經。楊夢寰緊走兩步拜伏地上，道：「娘，寰兒回來啦！」

楊夫人慢慢睜開眼睛，莊嚴的臉上露出一絲慈愛的微笑，摸著夢寰頭頂道：「你回來得正好。你娟表姐死了，明天是她周年忌辰，她死前還惦念著你，明天叫楊福帶你去她墳上祭奠祭奠，她就葬在西山根下，那是你們小時候常玩的地方。」

楊夢寰流淚答道：「可憐娟表姐死時，兒連她最後一面也沒有見到！」

楊夫人扶起夢寰，肅穆慈愛的臉上，也泛露出悲傷神色，嘆惜一聲，道：「娟兒人雖聰慧，只是生來薄命，她死了倒免去日後受罪，人世間因果累報，強它不得，你也不要太過傷心。對了，那位白衣姑娘是誰？」

楊孟寰還未及回答，沈霞琳已拜倒在地下答道：「伯母，我叫沈霞琳，和楊師兄同屬崑崙門下。」

楊夫人探身扶起她，拉到身邊，看她嬌稚無邪，一派純真，心裡甚是喜愛，微笑問道：「你是夢寰的師妹麼？今年幾歲啦？」

沈霞琳點頭答道：「我十七歲。」

楊夫人把她輕攬懷中又問道：「你家住在什麼地方？你娘好嗎？」

這一問，問得沈姑娘一陣傷心，倚偎在楊夫人懷裡，潸然淚下。她幼失母愛，十幾年來在

澄因大師扶養下長大，老和尚雖對她百般愛護，但這無法和女人天賦中潛藏的母愛比擬，楊夫人問她娘好，又正觸到她傷心之處。

沈霞琳一邊哭，一邊答道：「琳兒命苦，從小就沒有了娘親，師父告訴我叫沈霞琳，可憐琳兒連爹娘什麼樣子都記不得。」

她哭得婉轉，說得清脆，字字血淚，句句斷腸，楊夫人那深沉的定力，也聽得感傷萬千，撫著她一頭秀髮勸道：「好孩子，不要哭啦！你媽媽就是活著，也不能跟著你一輩子。」

沈姑娘收了眼淚，無限淒傷地抬頭問道：「伯母，你看琳兒是不是早夭之相，我會不會和楊師兄的娟表姐一樣很早就死去？」

她孩子心性，想到就問，也許她問得無心，楊夢寰站一邊，卻聽得心裡直冒寒氣，楊夫人高宣一聲佛號笑道：「生生死死，本有定數，孩子，你怎麼會想到這些。」

沈霞琳眨眨大眼睛，幽幽答道：「我也不知道爲什麼，我想到了，就問伯母！」

楊夫人仁慈的眼光凝視霞琳良久，笑道：「不會的，你很有福氣，不像娟兒那樣薄命。」

沈霞琳愁苦的臉上，透出一分安慰的嬌笑，得意地轉過頭瞅了夢寰一眼。這孩子就是這樣天真，楊夫人幾句話，竟給她無限的安慰。

這神情，看得楊夫人也覺感動，兩道慈愛的眼光，轉盯在夢寰臉上說道：「你父晚年慕道，心誠志堅，他本久歷宦海，詭譎風波，一旦悟道，心若止水，萬念俱灰。最近我看他已到了摒絕一切塵緣的境界。娘雖研讀了數十年佛學，但仍無法切斷一縷情懷，常常以你爲念，母子天性，這也難怪。不過一個人的遇合不同，修行全在自己，娘是不能管你許多，你天資雖厚，但不是空門中人，多生妄念，害人害己。」說罷，閉上眼睛，又恢復莊嚴神色。

楊夢寰不敢再多打擾，輕扯霞琳衣角，退出了養心堂，老僕楊福早已替少爺打掃好了臥室，沈姑娘有過去伺候玉娟的小婢銀瓶招呼安置。

第二天一早，楊福備了三色祭品，帶夢寰去憑弔玉娟靈墓。這時旭日初升，山色如畫，淺山崖下，小溪岸旁，綠草地上兀立著一座孤塚，老僕楊福擺好祭品，回過頭滿蘊老淚說道：「老爺，這座孤塚裡，就埋著娟姑娘，回想過去老奴常陪少爺和娟姑娘來這裡玩耍，你們在溪裡捉魚，玩得高興的時候，連飯也不肯回家去吃。往事歷歷如在目前，如今景物依舊，娟姑娘卻死了一年了。」

楊夢寰抑制著無窮感傷，對楊福道：「你先回去吧！我要一個人留在這裡。」

楊福昨天吃過苦頭，也不敢再多言招災，只勸道：「人死不能復生，少爺不要太過傷心，哭壞了自己身體，老奴等一會兒來接少爺回去。」說罷自去。

楊福走後，夢寰再也沒法克制滿腹悲痛，星目中簌簌淚下，傷心過度，他反而哭不出聲，跪對青塚，無聲低泣。這種哭法，最是傷神，不大工夫，淚盡血流，楊福跑來見夢寰如醉如癡，喚了兩聲少爺，夢寰渾然不覺，看他星目圓睜，眼角裡竟淚出血，只嚇得丟魂失魄，一路狂奔回「水月山莊」。

楊璋一大早就出去，行蹤無定，楊夫人正在養心堂閉目參禪，他不敢驚動，沒法子找到了霞琳姑娘。沈霞琳沒有聽完話，已如飛奔去，玉娟墳墓距「水月山莊」也就不過一里多地，沈姑娘心急如焚，片刻到達，見夢寰果然跪對青塚一動不動，如不是兩眼角有血流出，直似石雕一般。

沈姑娘一陣心痛，撲到夢寰面前，哭喊道：「寰哥哥……寰哥哥……」她一連哭喊數聲，夢寰直似未聞。小姑娘驚痛之餘，伸手抓住夢寰一隻左腕，哪曉得這一抓，立時如焦雷擊頂，嚇得她啊呀一聲，鬆開手仰栽地上。這一瞬間她腦中空空洞洞宛如一張白紙，足足一杯茶的時間，她才清醒過來，抬頭望天，日已近午，山風拂面，水聲淙淙，霞琳緩緩站起身子，自言自語道：「寰哥哥死了，我還能活嗎？」

兩臂一張，猛向夢寰抱去，口裡喊道：「我也不能活了。」

驀地裡，一陣勁風直向霞琳撞去，同時一個宏亮熟悉的聲音響道：「住手，你真的不想要他活了嗎？」

變起倉促，沈霞琳本能地向旁一閃，定神看去，面前站的，正是洞庭湖中遇到的長髯老者。

老者不待霞琳開口，先嘆口氣，道：「他悲慟過深，傷了中元，全身真氣凝聚不散，你此刻如果貿然動他，他內腑凝聚的真氣無法疏散，必然凝結成了內傷，內功愈深，受傷也愈重，縱然不死，亦必終身殘廢了。」

沈霞琳流淚問道：「這麼說，就沒法救了嗎？他要是死了，我也不能活啦。」

長髯老者看霞琳粉臉上淚痕縱橫，秀目裡無限淒惶乞憐，望著自己，心中一軟，說道：「好吧！我先把他救過來再說！」

說罷，緩步走近夢寰，右掌向他背心「命門穴」拍去，左手用推拿手法，活動夢寰「當門」「肺海」兩股血道，果然不大工夫，聽夢寰長長吁一口氣，慢慢轉過頭來，霞琳心中一

喜，顧不得對那老者道謝，叫了一聲：「寰哥哥。」便兩臂齊伸扶起夢寰，她也不管身側有人，很自然地用雪白衣袖，擦拭他眼角血跡，臉上淚痕未乾，嘴角間笑意復現。

楊夢寰見霞琳情出衷誠，倒也不忍拒絕，只得由她。轉眼瞥見湖中所遇的長髯老者，肅容卓立身側，輕輕推開霞琳，躬身一禮笑道：「老前輩幾時到此，恕晚輩未迎大駕。」

他這一說，霞琳才想起給人家道謝，也盈盈萬福笑道：「謝謝你啦老伯伯，你救了我寰哥哥。」

長髯老者還了夢寰、霞琳一禮，一臉肅穆接道：「我本無救人之心，只是不願乘人之危，楊老弟說過，武林中偶伸援手，本屬平常小事，其實你師妹照樣可以救你，只是她閱歷欠缺，又在情急之下，一時間不知如何下手罷了。」

楊夢寰聽得一怔，轉頭看霞琳，她更一臉茫然不解，瞪著水汪汪的大眼睛出神。

楊夢寰是聰明透頂的人，略一沉思，便完全了然，朗聲笑道：「即承示警，又蒙救命，老前輩對我已仁至義盡，足可抵家師昔年援手小惠，老前輩還有什麼教言，儘管吩咐，楊夢寰洗耳恭聽。」

老者手捋長髯哈哈大笑道：「楊老弟說得不錯，我們天龍幫和崑崙派素無恩怨，不過那藏真圖真的是武林中第一奇寶，不管哪一門派都存有必得之心，洞庭湖的艙中一席清談，我已對老弟推腑直告，再見面便要領教老弟的分光劍法。」

楊夢寰微微一笑，道：「老前輩所以追尋到此，無非志在藏真圖。姑不論藏真圖真的是否落在我們崑崙派中，但晚輩身上確無此物。」

長髯老者面色一變，冷冷接道：「那只有委屈你老弟一趟，去見見敝幫幫主了。」

楊夢寰劍眉一揚答道：「這麼說，老前輩是準備把晚輩擒押貴幫做為人質了。」

老者一拂長髯笑道：「幫規森嚴，老朽做不得主，只有請你楊老弟原諒了。」

楊夢寰仰起臉大笑道：「崑崙派門下弟子，還不敢這樣沒有出息，老前輩想得不錯，但恐怕事實上不如你想得容易。」

長髯老者冷冷一笑道：「令師俠名蓋世，楊老弟自是不凡，我先領教幾手高招試試，咱們再談。」

楊夢寰笑道：「晚輩質愚才淺，所學有限得很，老前輩既不吝賜教，當得藉機學習學習，只是我們兩度會面，晚輩還不曾請教老前輩尊姓大名，既是要過招動手，難道老前輩還不願以姓名賜示嗎？」

長髯長者微一沉吟答道：「天龍幫長江總舵尤鴻飛，還有個不大入耳的渾號叫長江神蛟，老弟接招啦。」

說罷右手閃電般向夢寰抓去，楊夢寰一閃身避開來勢，驟見白影一閃，沈霞琳已自出手。小姑娘武功不弱，一出手連著三招快攻，一雙白玉般的小手，直似蝴蝶飛舞；尤鴻飛吃她一陣急攻快打，竟被迫連退三步，沈霞琳卻收掌說道：「你救了我寰哥哥，我很感謝，但是你要打他，我就不感謝你啦。」

長江神蛟鐵青著臉答道：「姑娘武功不錯，但我尤鴻飛還不願和女孩子動手，姑娘請站在一邊替你師兄助威，我還是向你師兄請教。」

沈霞琳笑道：「我寰哥哥本領比我大多啦，你怎麼打得過他呢？」

一句話，激得尤鴻飛心頭發火，哼了一聲，怒道：「你一定要替你師兄出頭，說不得我先

領教姑娘的武學了。」

霞琳答道：「這樣最好不過，我要打敗了，我寰哥哥自然要出手救我。」

說畢，回頭望夢寰一笑，白衣飄風，雙手齊發，上取雙目，中打前心，掌風颯颯，迅快已極。尤鴻飛長笑一聲，右手箕張而出，反扣霞琳右腕脈門，右手掌緣斜切，猛截霞琳左臂。小姑娘不待兩招用實，嬌軀一轉，招式已變，左掌一翻，「葉底偷桃」點向「曲池穴」時，右腕疾沉，化爲「白鶴亮翅」反斷左臂。尤鴻飛似乎沒有估到沈霞琳變招如此快速，幾乎被點中穴道，心中大怒，雙掌連環劈出，其勢直似排山倒海一般，掌風呼呼，一連搶攻了八招。

沈霞琳遭尤鴻飛全力搶攻，一時間應變不及，手忙腳亂，連連被迫後退。尤鴻飛八招攻過，她緩過來一口氣，立時拳腳齊施，全力搶攻！尤鴻飛見八招急攻，奈何對方不得，暗裡吃驚，看不出這玲瓏可人的小姑娘，還真是有幾下子，哪裡還敢大意，雙掌展開，和沈霞琳打得難解難分。

楊夢寰冷眼旁觀，見兩人已打入生死關頭的局面，尤鴻飛雖中了霞琳幾掌，但他功力深厚，還可支撐，可是他一出手，霞琳就必須閃避，只要中上一擊，不死也得重傷。

夢寰心知讓兩人再打下去，必將兩敗俱傷，立時一錯雙掌，飄飄長衫，投入了兩人掌風之中，施出天罡掌中「分浪斷流」，兩臂一分，把兩人隔開，笑道：「二位素無怨仇，何必一定要拚死活，尤老前輩功力深厚，再打下去，沈師妹必敗無疑，不如就此收住吧！」

尤鴻飛心知夢寰幾句話是故意對他客氣，小姑娘越打越快，真的拚下去，尤鴻飛自問無致勝把握，楊夢寰幾句話，聽得他心裡一陣難過，臉色微微一紅，答道：「崑崙派武學，真個不凡，今天如果我是和令師妹比武試招，那就得甘心認輸，不過今天不是比武試招，這倒很難分

出勝負了。」

楊夢寰微笑道：「一個拳精，一位功深，扯直拉平，銖兩悉稱，老前輩如肯替晚輩留步餘地，就此罷手，俟楊夢寰西行歸來之後，定當隨老前輩走一趟，去拜謁貴幫的龍頭幫主，說明藏真圖的誤會，免傷兩家和氣，如果老前輩一定要動手，晚輩不得不替師門保留聲譽，還請尤老前輩三思。」

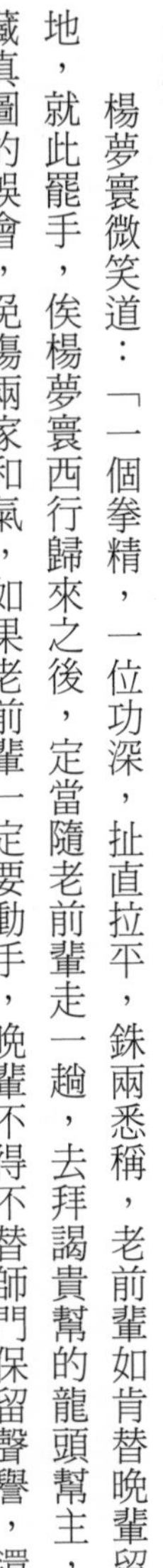

長江神蛟眼中神光如電，注視夢寰良久，點點頭道：「楊老弟說得不錯，尤鴻飛也自知非敵，不過我奉命而來，作不得主，只有請老弟原諒了。」

楊夢寰劍眉一揚，道：「這麼說起來，是非要動手不可了？」

尤鴻飛還未答話，突聞幾聲長嘯傳來，楊夢寰抬頭看去，四條人影沿小溪飛奔而來，不大工夫，已近三人，楊夢寰隱約辨認出，這四人正是在洞庭湖中分乘梭形快艇攔路的人，此時全身勁裝，佩帶兵刃，攔在一側。

楊夢寰打量了四個大漢幾眼，轉臉望著尤鴻飛道：「老前輩早有安排，看樣子是非迫晚輩就範不可了。」

長江神蛟不理夢寰的話，向那四個大漢問道：「總堂的人都到了嗎？」

右邊爲首一人一躬身答道：「紅旗壇齊壇主和黑旗壇崔壇主，已聯袂趕往玄都觀去，總堂護法李香主也到了洞庭湖，她可能會趕來此地。」

尤鴻飛一皺眉道：「怎麼，連幫主的愛女也出動了？」

那人又躬身答道：「據李香主說，幫主對此事重視異常，可能會親自趕來。」

尤鴻飛哦了一聲，臉上隱現憂戚，回頭看夢寰氣定神閒，若無其事，暗裡嘆惜一聲，憶起

過去一陽子救命之恩，心中感愧無限。

楊夢寰本不願和長江神蛟動手，見他站著仰臉出神，不知在想些什麼，輕聲對霞琳道：「我們走吧！」沈姑娘點頭一笑，隨在夢寰身後，兩個人緩步向「水月山莊」而去。

四個虎視一側的大漢，剛要移步攔擊，被尤鴻飛搖手阻止，十隻眼看著兩人一前一後，逐漸消失，長江神蛟才對四個大漢說道：「兩人盡得崑崙武功真傳，監視兩人，不讓他們脫梢逸走就行了。」

這四個大漢都是天龍幫長江總舵轄下高手，他們對總舵主估敵過高的看法雖覺不服，但天龍幫幫規森嚴，倒是不敢出言頂撞，右首第二人只問了句：「要不要去請李香主早來一步？」

尤鴻飛點點頭代替了回答，那人一躬身如飛而去。

長江神蛟和另三個大漢，也轉過身子向「水月山莊」走去，他們剛轉身走了幾步，突聞一聲陰森森的冷笑，起自背後，尤鴻飛回頭看去，不知什麼時候，那青塚旁邊，站著一個瘦骨嶙峋的老者，雞皮鶴髮，白髯如銀，穿一件黑香紗長衫，打扮得僧不僧，道不道，手提著一支烏黑油光，上端形如蛇頭的手杖，站在那裡動也不動。這人並不怎樣難看，只是他那穿著打扮，和手裡握的一支蛇頭手杖，看得人心生寒意。

尤鴻飛久走江湖，閱歷極深，這人一身怪打扮似乎聽人說過，只是一時間想不起來，低聲約束三個部下道：「不要招惹他，我們走。」

四人轉身走了幾步，再回頭看，那怪人已不知去向，尤鴻飛心裡暗想：好快的身法，看來追尋到「水月山莊」的人已是不少，楊夢寰固然是強敵環伺，步步危機，但本幫想劫持楊夢寰做爲人質的計畫，也要遭到強力阻撓，這樣看起來那藏真圖，實在是害人的東西了。無限感慨

中，繞過一片竹林，他們四個人就在「水月山莊」外面埋伏起來。

再說楊夢寰到了家裡，楊滰正坐在客廳看書，見兒子和霞琳並肩歸來，抬頭問道：「奠祭過你娟表姐的陵墓了嗎？」

夢寰答道：「奠祭過了，兒想早點趕到崑崙山去。」

楊滰笑道：「很好，最好現在就走，你娘那裡我代你說一聲，我已經讓楊福給你們準備好了行李。」說畢，用手指大廳一角笑道：「你們看還少些什麼？」

夢寰心裡一陣感傷，但他知道目前形勢緊迫異常，晚走一步，就多一分危機，說不定也要替爹娘招來慘禍，移步取過長劍，揹上包袱，跪地流淚拜道：「兒不孝，不能承歡雙親膝下！」

霞琳問道：「不要去看看伯母嗎？她很喜歡我。」

夢寰苦笑一下，搖搖頭道：「不要啦，我們得快點走，再晚了，恐怕走不了。」

霞琳眨了兩下大眼睛笑道：「什麼事我總是依你。」

楊夢寰佩上長劍和霞琳離開了「水月山莊」，回頭望故園惆悵無限，這次回家，來去匆匆，前後還不到兩天時間，可是這兩天中，就好像經過兩年一樣，娟姐的死傷透了夢寰的心，父親慕道，萬念俱灰，母親學佛，心若枯井，看上去爹娘連他這唯一的兒子也不放在心上了，最可怕的還是藏真圖的牽纏風波，但願師門這些恩恩怨怨，不要波及雙親……他一面走，一面想，只覺著萬感交集，心緒如潮，這滋味說不出是苦是恨。

沈姑娘看夢寰俊臉上神情變化不定，不由皺起柳眉問道：「寰哥哥，你在想什麼心事，說給我聽聽好嗎？」

夢寰轉過頭，看她粉臉上渴望的神情，心想：「這孩子純真如此，倒不能太傷她的心，目前處境又危機四伏，一步失錯，連她也要跟我受罪。」想到這裡，精神一振，暫時掃除了一腔愁懷，笑道：「有很多江湖上厲害的人物，要和我們作對，我們必須盡快離此，只要出了湘北，就脫了他們的包圍。」

霞琳笑道：「這個我也知道，只要你和我在一起，我什麼也不害怕。」

說完話，秀目中淚光瑩瑩，嫩臉上微笑如花，這神情有感傷，也有愉快，看得楊夢寰怦然心動，拉著她一隻手笑道：「那我們就快些趕路吧！」

霞琳一眨眼滾下了兩顆晶瑩的淚珠道：「我不想上崑崙山了。」

夢寰奇道：「為什麼，難道你不喜歡投入崑崙派的門下嗎？」

霞琳搖搖頭答道：「不是，我怕到了崑崙山，你走了，留下我一個人在那裡，我就見不到你啦。」

楊夢寰聽得異常感動，微笑著道：「你怎麼想得這麼多，我以後會好好地看待你的，快趕路吧！」

霞琳一笑又問道：「那你答應我，要我一輩子跟著你？」

楊夢寰心裡一凜，道：「我像自己妹妹一樣看待你。」

沈霞琳一來年幼，二來純潔，她只知道自己喜歡楊夢寰，只要能和他在一起就好，聞言又道：「你答應啦！」

楊夢寰點點頭，沈霞琳放心一笑，飛一般向前跑去。

兩人走了一頓飯工夫，已到了東茂嶺的出口，下了這座土嶺，就是去岳陽的官道。這當兒去路上迎面爭馳來三匹快馬，轉眼間闖到了山口，最前面一匹馬上，坐一個青衣少女，肩上斜揹著一支長劍，後面兩匹馬，坐兩個勁裝大漢，最後一個，正是霞琳力鬥長江神蛟尤鴻飛時，後來的那四個大漢之一。

青衣少女馬行到夢寰、霞琳身前，一收韁繩，馬勢緩了下來，最後一匹馬上大漢已高聲喊道：「李香主，就是這一對男女。」

青衣少女停住馬，據鞍打量夢寰和霞琳一陣，微笑問道：「二位都是崑崙派一陽子老前輩的高足嗎？」

楊夢寰淡淡答道：「不錯，我們兩人都是崑崙派門下弟子，姑娘橫騎攔路，有什麼教言吩咐？」

青衣少女翻身下馬，星波如電，注視著夢寰笑道：「崑崙派分光劍和天罡掌名震武林，我怎麼敢攔兩位去路，只是想和你們商量一件事情。」

楊夢寰看那青衣少女年約二十一、二，雙頰淡紅，眉目如畫，櫻唇菱角，瑤鼻通梁，襯著纖纖柳腰，算得上是絕色美女，只是眉目間透著一種逼人英氣，她一面答著話，一面逼近夢寰身邊。

楊夢寰退幾步問道：「姑娘有話只管請說……」

青衣少女截住楊夢寰的話道：「我說出來，要是你不答應呢？」

楊夢寰聽她語氣逼人，心中冒火，劍眉一揚，答道：「答應不答應，這自然在我，難道你還敢強迫我不成？」

青衣少女一聲嬌笑，道：「你倒是很橫，你認爲我不敢嗎？別說是你，就是你師父我也照樣敢。」

楊夢寰被她激得怒火萬丈，冷笑一聲，答道：「你是誰？好大的口氣。」

青衣少女，柳眉一聳，滿臉冰霜，喝道：「藏真圖是否落在你們崑崙派手中，如果帶在你身上，那就趁早拿出來，免傷和氣。」

楊夢寰冷冷答道：「如果藏真圖不在我身上，或是我不願拿出來，你怎麼樣？」

青衣少女握劍笑道：「那你今天就不要出這山口，不信就闖闖看。」

楊夢寰看情勢不動手是不行了，回頭對霞琳低聲說道：「跟著我闖！」

話出口，健腕一翻，三尺長劍出鞘，一個騰步躍出去一丈多遠，耳際響起青衣少女銀鈴般清脆的嬌笑，眼前青衣飄動，青衣少女已仗劍攔在夢寰面前，楊夢寰心裡一驚，暗道：這少女好快身法，他心中驚悸未定，青衣少女已橫劍笑道：「再想想，是不是一定要和我打。」

夢寰長劍一推，厲聲喝道：「你簡直欺人太甚，難道我真的怕你不成。」

話出口長劍隨發，一招「寒月滄波」，劍尖銀芒顫動，直刺過去，青衣少女橫劍一架，雙劍交擊響起一陣龍吟虎嘯聲。楊夢寰只覺右臂一震，長劍幾乎脫手，再看那青衣少女也是滿臉驚疑之色，秀目深注在夢寰臉上，怔了一會兒神，才出手還攻。

那邊沈霞琳早已和隨同青衣少女來的幾個大漢交上了手，小姑娘不似夢寰沉穩，一出手全力求勝，手中劍展開一陽子授的分光劍法，左蕩右掃，有如出水神龍。一剎那劍氣若虹，光密

如幕。崑崙派分光劍法爲武林中劍術一絕，出手變化，快捷如電，凌厲劍風中虛實莫測，十回合之後，幾個大漢已被霞琳迫得險象環生。

夢寰志在脫身不願久戰，看青衣少女劍招精奇，短時間難分勝敗。心裡一急，施出追魂十二劍中連環三招，「起風騰蛟」、「朔風狂嘯」、「霧斂雲收」三劍回環猛攻，直似風雷並發。

追魂十二劍威勢非同小可，青衣少女被迫得連連後退，楊夢寰逼退敵人後，一個騰步躍到霞琳身側，出手一劍震飛一個大漢手中單刀，低聲對霞琳道：「跟著我闖出山口。」

沈霞琳點頭一笑，右手劍「分花拂柳」，青芒閃閃，向幾個圍攻大漢刺去。幾個大漢早就被沈霞琳劍光逼得心慌，此際又被楊夢寰用內力震飛一人手中單刀，如何還能阻得住霞琳。長劍過處，三人紛紛退避，沈霞琳趁勢一縱，躍出去一丈多遠，和夢寰一前一後，如飛而去。

青衣少女橫劍呆立山口，看兩人背影消逝，長長地嘆息一聲，回頭對幾個大漢說道：「你們去通知尤總舵主一聲，就說人家已經闖出了山口，叫他暫回洞庭湖去吧！」

說罷逕自上馬，一抖韁繩，獨自向夢寰和霞琳去路追趕。

幾個大漢看青衣少女粉臉上冷若冰霜，哪裡還敢開口多問，瞪著眼看她縱騎而去。

且說楊夢寰和霞琳一陣急步，回頭不見有人追來，才放慢了腳步，霞琳抬頭看天，陰雲四合，不禁叫道：「寰哥哥，要下雨了。」

一語甫畢，狂風陡起，接著一道閃光，雷聲大作，夢寰打量四周形勢，不過出了東茂嶺三四里路，距岳陽還有一段路程，看天色驟變，大雨在即，不由皺著眉答道：「這附近一望野坡，四無村舍，恐怕我們要遭雨淋了。」

霞琳遙指東方笑道：「你看那面樹林中隱透屋角，我們先到那裡避下雨好嗎？」

楊夢寰順霞琳手指望去，果見一里外幾株大樹環繞之中，隱見屋脊透出，點點頭笑道：「你很細心，要不然我們恐怕得被雨淋成落湯雞了。」說話間，幾滴黃豆般大小的雨點，已打落在兩人臉上。

楊夢寰喝聲「快走」，兩人都展開迅捷無匹的身法，恍似出塵飛隼，掠波海燕。一會兒工夫，已進樹林，看那林中房舍，原是一座久絕香火的廟宇，門漆剝落，亂草雜生，殘瓦枯簷，異常淒涼。幸好大殿房頂還是完好如初，神案後幾座高大神像，法身殘損，已分不出供奉的是什麼神位，兩人剛進大殿，外面已大雨如注，雷似連珠，風若海嘯，這場雨狂暴已極。

霞琳和夢寰坐在殿側一角，看雨出神，忽然她轉過頭望著夢寰問道：「寰哥哥，你是不是真有藏真圖？」

夢寰搖搖頭笑道：「沒有。」

霞琳嘆口氣道：「這些人真是不講理，你沒有藏真圖，他們為什麼還找我們打架呢？」

楊夢寰聽她問得天真，不禁嗤地笑出了聲，霞琳瞪大眼又問：「怎麼？我說得不對嗎？」

楊夢寰笑道：「我沒有說你說得不對呀！」

霞琳滿臉迷惘看著夢寰，秀目中含蘊著兩眶淚水，她把頭靠在夢寰肩上，道：「我知道，很多事我都不懂，你不要笑我，將來我長大了，什麼事都會明白，那時我就不再問你了。」

楊夢寰輕拂著她的秀髮答道：「那不是笑你，而是覺得你說的話好笑，他們都希望從我們身上追出藏真圖的下落，所以就處處截擊我們。」

霞琳眨眨眼笑道：「那他們太笨了，你既沒有藏真圖，他們截擊我們有什麼用。」

楊夢寰道：「他們準備擒住我們做人質，好逼著我師父獻出藏真圖。」

霞琳又問道：「這麼說，藏真圖是在一陽子師伯那裡了？」

夢寰道：「這個我也不大清楚。」

沈霞琳滿意的笑笑，又把頭靠在夢寰肩上，殿外風聲狂吼，大雨傾盆，殿裡卻是春意盎然。沈霞琳依偎在楊夢寰懷中，柔肌軟滑，溫香襲人，任你楊夢寰心若鐵石，也不由得心旌搖搖，周身俱覺有些異樣，低頭看霞琳，柳眉舒展，星目微閉，面露笑容，如花盛放，但意態之間，聖潔已極，毫無異樣感覺。

楊夢寰本來想推開她，忽地心中一凜，暗想：她只是一片純情，倚在我懷中是一種很自然的舉動，我怎可對她一位聖潔的孩子心存邪念。趕緊收斂心神澄清雜念，一任霞琳偎倚懷中。

驀地裡，雷聲中傳來一聲長嘯。楊夢寰推開霞琳，一躍而起，就這一剎那工夫，大殿外已有人笑道：「這場雨恐怕要下上一二個時辰，你看大殿屋頂還好，我們先進去躲躲雨再說。」

楊夢寰急拉霞琳，躲到神像後面，兩人剛剛藏好身子，殿門口一前一後進來了兩個人。

第一個道家裝束，黑袍椎髻，身軀高大，紫臉長鬚，環眼重眉，年約在五旬以上，肩上斜揹一柄似劍非劍，帶有雙鉤的怪兵刃，第二個是位四十上下的中年儒生，此人白面無鬚，方巾藍衫，腰中微微隆起，似是帶著軟兵刃。

兩人進了大殿後，先把衣服上水滴抖去，然後對面坐下，中年儒生先開口道：「玄都觀主也不是好纏的人物，那藏真圖必要經過一番慘烈爭奪，據我這兩天觀察所得，各方面來的高人確實不少，實力最大的是天龍幫和華山、崆峒兩派，其他如武當、少林、峨嵋、青城等各派，雖也有弟子趕來，但他們主腦人物，還都未到，自不足畏，可怕的還是華山派和天龍幫兩股，實力最大，聽說華山派由八臂神翁聞公泰親率領門下高手趕來。天龍幫海天一叟李滄瀾本人雖沒有來，但屬下紅、白、黑三旗壇主，都已到了湘北，崆峒派來的什麼人還不清楚。掌門師兄未到，憑我和師兄的力量，似不足和天龍幫及華山派抗衡。」

那道人點點頭道：「三弟顧慮甚是，不過事情做法不同，天龍幫和華山派來人雖多，但主要人物卻都集中到玄都觀去，一陽子劍術武學決不在八臂神翁聞公泰之下，他們去人雖多，縱然可合力擊敗一陽子，但如果想生擒他，決辦不到，我們避實就虛，先擒住他的弟子，然後堂堂正正到玄都觀去找他，以他弟子做人質，我料他必肯屈服，那藏真圖就可以得到手了。」

道人話剛說完，殿外突然傳進來一聲大笑，接著殿門口出現一個童顏鶴髮的老者，灰布長衫，白髯如銅，手握竹杖含笑而入，進門後連渾身積水也不抖一下，兩道眼神似電，望那道人和中年儒生笑道：「兩位雅興不淺，到這古廟裡談起天來，令師兄沒有來嗎？」

兩人細看來的這位老者，正是華山派掌門人，八臂神翁聞公泰，心裡一驚，拱手作禮，齊聲答道：「掌門師兄忙於派中瑣務，很少下山，我兄弟山野閒人，經常在江湖上走動，不想在此遇上聞兄。」

聞公泰捻鬚笑道：「點蒼派自令師兄接掌門戶之後，聲威大振，這固是令師兄領導有方，但二位輔助之力，功不可沒，老朽對你們點蒼三傑，素來敬佩，久欲赴滇拜訪，恨無機緣一行，此時此地，得遇二位，真是人生何處不相逢了。」

黑袍道人接口道：「聞兄掌華山門戶，俠名滿天下，這次大駕親臨湘北，不知為了何事？」

聞公泰掃了兩人一眼，冷笑道：「你這話問得可是出自由衷嗎？兩位來意如何，難道還用我說？」

那中年儒生淡淡笑道：「彼此心照不宣，深究無益，聞兄，我們還是談些別的事吧？」

聞公泰冷冷接道：「這麼看起來，我們華山、點蒼兩派倒是有緣先會了。」

那中年儒生重眉一揚，道：「聞兄彈指金丸，素有武林一絕之稱，也許我們點蒼雙雁這次有機會親仰絕技了。」

八臂神翁哈哈一陣大笑，笑發丹田，聲如龍吟，只震得屋瓦作響，笑聲一落，道：「點蒼三雁，名滿江湖，老朽得會其二，總算不虛湘北之行了，美中不足的，是令師兄沒有同來，不能齊會三雁，這一點老朽倒略感遺憾。」

黑袍道人笑道：「這個大可不必，就是三雁聚齊，也不定要一一奉陪聞兄。」

八臂神翁面色一變，雙目神光閃動，道：「這麼說，老朽倒是定要領教二位的武學了。」

中年儒生笑道：「現在還言之過早，總得碰上節骨眼才行，到那時候誰想推辭也推辭不掉，事情沒有擠到頭上，我們總不應該先來個自相殘殺，讓別人坐收漁利。」

聞公泰點頭笑道：「這話不錯，天龍幫來的人比我們都多。」話到這裡，猛聞殿外傳來陣陣哨聲，八臂神翁手提竹杖步出殿外，仰天兩聲長嘯，和那哨音遙遙呼應，一刻工夫，大雨中飛奔來兩個大漢，低聲對聞公泰說了幾句話，八臂神翁立刻冒雨而去。

聞公泰剛走，中年儒生對那黑袍道人笑說：「聞公泰這老兒，必是接到了門下的報告，我們盯著他看看去。」黑袍道人點點頭，站起來和那中年儒生，一塊兒出了大殿，也冒雨追去。

楊夢寰和霞琳藏在神像後面，把三人對話，聽得清清楚楚，三人走後，霞琳問道：「寰哥哥，剛才那三人也是找我們的，若是碰上了，一定又得打架。」

楊夢寰聽三人談話口氣，知都是各派宗師高手，一旦遇上，恐怕非人敵手，而且還不知有多少強敵在暗中環伺，目前處境，真是步步危機，想了一陣答道：「我們就在這廟裡等到天黑再走吧，盡一夜工夫緊趕一程，只要出了湘北，就會擺脫他們的包圍了。」

沈霞琳是從不反對夢寰的意見，兩個就在大殿上席地而坐。

這場雨直下到初更過後，到雲散天晴已是皓月當空，夢寰帶霞琳步出大殿，清光流輝中夜風微寒，兩人放開腿不避泥水向前急趕，不大工夫，已走出十幾里路，離開東茂嶺連綿淺山，楊夢寰停住步，看霞琳白衣上盡是泥漿，不由笑道：「看，你要變成泥娃娃了。」

霞琳答道：「我不是娃娃啦，我大了。」

楊夢寰笑道：「好，就算你大了，那你……」

楊夢寰話未說完，驀聞背後一聲冷笑接道：「二位雅興不淺，還有心情說著玩呢！」

楊夢寰回頭看，又是白晝和自己在山口動手的少女，不過這時候已改穿一身黑色勁裝，姿態欲仙，兩隻大眼中秋波如電，脈脈深注在夢寰臉上。

楊夢寰看她似無惡意，笑著問道：「姑娘何苦步步追迫我們，我們彼此素無仇恨，難道連一步餘地都不肯留嗎？」

黑衣女淡淡一笑道：「我們、我們的叫得很親熱，她是你什麼人？」

夢寰臉一熱，微怒答道：「你說話要有點分寸，她是我師妹，你要逼得我沒路可走，楊夢寰也不是怕事的人。」

黑衣女格格一陣嬌笑道：「你兇什麼嘛！分光劍法我已經領教過啦，要是真的拚上命，我

也不見得就一定輸給你，你師妹很漂亮，我也喜歡她。」

話答得不著邊際，楊夢寰還真是沒有辦法，瞪了人家一眼，轉臉對霞琳道：「我們走！」

走字剛出口，猛見黑衣女嬌軀凌空施出「八步趕蟬」輕功絕技，落在兩人面前，笑道：「百里以內，到處是攔截兩位的高手，要闖出去談何容易？」

楊夢寰怒道：「這些事不用你管，你要再不讓路，休要怪我硬闖！」

黑衣女臉上顏色一變，道：「你以為我真的怕你嗎？你打聽打聽，無影女李瑤紅怕過哪個，我好心好意給你通風，你倒是越來越橫了。」

說完話，面色又變緩和，眼神中隱含著無限柔情。

楊夢寰怔了一下神，笑道：「如此說來，是我楊某人錯怪姑娘了，姑娘自稱姓李，可是天龍幫李幫主的女公子嗎？」

李瑤紅滿臉驚奇地問道：「我沒有告訴過你，你怎麼會知道呢？」

楊夢寰心想：我不過是聽長江神蛟一句無心之言，想不到倒是猜對了。他心裡想著，嘴裡卻道：「李姑娘大名遍傳遐邇，楊夢寰聞名已久，傳警盛情留待日後報答，再見啦！」

說畢拉著霞琳，急奔而去。

李瑤紅被夢寰拿話一扣，一時間倒是不好再攔兩人，看他們攜手急走，背影逐漸消失在月光中。這位一向縱橫江湖，天不怕地不怕的女魔王，此刻心中忽然湧起了一種說不出的滋味，抬頭望明月，清光瑩瑩，不自禁幽幽一聲長嘆。

三　江湖風暴

且說楊夢寰拉著沈姑娘一陣急走，轉過兩個彎，前面有一片樹林，夢寰放慢腳步，繞林而過，剛剛轉過一個林角，猛見路中間站著一個骨瘦如柴、白鬚黑衫的老者，手握蛇頭手杖，矗立月光下，動也不動，夜風吹得他鬚髮和黑衫飄蕩，看上去愈覺著陰氣森森。

饒是楊夢寰膽子夠大，也不禁嚇了一跳，沈霞琳更是嚇得把身軀直向寰哥哥身上倚靠。

楊夢寰定下神，拉著霞琳想從路邊繞過，猛聽那老者陰森森一聲冷笑，說道：「我也懶得和你們兩個娃兒家動手，只要你們能老老實實的告訴我，那藏真圖究竟在什麼地方，我不但不加害你們，而且還可以護送你們離開湘北，天龍幫派在水月山莊附近監視你們的埋伏，都被我點了穴道，要不然你們早就碰上了麻煩，不過在這岳陽百里以內，仍散佈著很多攔劫你們的高手，大部分都是武林中極厲害的人物，就憑你們兩個娃兒家，決闖不過，生死兩條路，隨你們自擇一條。」

楊夢寰心裡暗想，這瘦弱白鬚老頭，看上去陰氣森森，兩眼卻神光如電，手裡握那根蛇頭怪杖，月色中閃著烏光，一望即知是用精鋼鑄成，口氣又很托大，自然不是等閒人物。他心裡風車般打了幾轉，立時笑道：「藏真圖是什麼樣子，我都沒有見過，如何能說得出在哪裡？」

白髮老者又一聲陰慘慘冷笑，道：「你說沒有見過藏真圖也許是實話，不過藏真圖落到玄都觀主一陽子手中，也是千真萬確的事，你那牛鼻子師父可能不會告訴你……」

說罷一頓，慢慢逼近夢寰又道：「那我就先把你兩個娃兒活捉住做爲人質，再叫你牛鼻子師父以圖換人。」

楊夢寰退後一步，厲聲答道：「你是什麼人這樣狂妄……」

夢寰話未說完，老頭一聲怪笑接道：「你還不配問我老頭子的名號。」

一句話甫落，遙聞長嘯傳來，月光下一個黑影捷逾流星飄風，刹那工夫，已近三人，楊夢寰細看之下，心裡叫苦，來人正是在荒廟中所見的八臂神翁聞公泰。

聞公泰手提竹杖，先看那手握蛇頭怪杖的老者一眼，冷冷說道：「邱兄好長命啊，你倒是還沒有死？」

瘦老者皮笑肉不笑地答道：「好說，好說，聞兄的耳目很靈，竟也聞風趕來，咱們緣份不淺，想不到在這裡會碰上頭。」

聞公泰不理瘦老者的問話，轉頭看著楊夢寰和霞琳問道：「二位可是崑崙派一陽子道長的門下嗎？」

楊夢寰在荒廟神像後面，聽他和點蒼派雙雁對話，知他是華山派掌門宗師，抱拳一禮，答道：「晚輩正是崑崙門下，老前輩可是華山派的八臂神翁嗎？」

聞公泰聽得一怔，暗想，這娃兒還真有點邪門。只得點點頭道：「不錯，老朽就是聞公泰，你倒是怎麼會認識我？」

楊夢寰審量目前情勢，不得不暫且權變，笑道：「老前輩一派宗師，晚輩常聽家師談起老前輩的豐儀，家師和晚輩對老前輩都很敬仰。」

他幾句話說得聞公泰滿臉歡容，呵呵大笑道：「這就難怪了，老朽和一陽子道友有過數面之緣，華山和崑崙兩派都是武林中的正大門派。」

說至此，又轉過口氣問道：「風聞傳言，令師得到了藏真圖，可有這件事嗎？」

楊夢寰知此刻如果推說不知，可能要招怒聞公泰，那就更不好辦，想了一陣，答道：「據晚輩所知，家師最近確得到一個精巧玉盒，不過盒裡是不是藏真圖，那就不曉得了。」

聞公泰又問道：「令師離開玄都觀，到哪裡去了？」哪知道楊夢寰未及答話，那瘦老者已暴喝一聲：「好啊！你敢騙我，我先打發了你再說。」

話出招發，蛇頭杖「飛瀑流泉」猛點過去，聞公泰竹杖「攔江截鬥」架開蛇頭杖，冷笑一聲，道：「憑你蛇叟邱元在武林的輩份，這樣對付一個晚輩，不怕叫人齒冷嗎？」

邱元怒道：「你不要盡講好聽話，你千里迢迢跑到湘北，爲的還不是要搶藏真圖。」

聞公泰大笑道：「這個倒是不錯，藏真圖誰都想要，不過能得到手的只有一個，一陽子去處不明，他的徒弟正好可做人質，崑崙派分光劍法和天罡掌馳譽武林，你邱元自信能勝得過崑崙三子嗎？依我說，不如你賣個交情，讓我把這兩個娃兒帶走。也免傷我們和氣！」

邱元陰森森地冷笑一聲，道：「聞兄話說得很輕鬆，只怕事情不如你想得容易！」

聞公泰道：「怎麼？你真敢攔我不成？」

邱元一舉手中蛇頭杖道：「這個倒不一定，你認爲我不敢？」

聞公泰大怒道：「那你就試試看？」右手竹杖一招「迅雷擊頂」迎面劈下，邱元蛇頭杖「腕底翻雲」架開竹杖，趁勢橫掃過去，聞公泰長笑一聲，縱身而起，竹杖展開快攻，只見一團碧影，挾著雷霆萬鈞之勢，猛向邱元打去，要知聞公泰是華山派掌門人，一派宗師，武功自

是不凡，此時又急欲求勝，怪招連綿，招招狠辣異常，別看只是一支青竹杖，在他手中聲勢卻非同凡響，上下飛舞，丈餘內勁風逼人。

可是蛇叟邱元亦是江湖中出類拔萃的人物，手中蛇杖自成一家招數。兩人二十年前就動過一次手，蛇叟敗在聞公泰的手下，邱元認爲這是畢生奇恥大辱，因此潛藏九華山中，苦苦研究武學，功力較二十年前精進很多，聞公泰八十一招伏魔杖法，天下武林名家很少能接他十招，此時一連搶了二十多招，竟是奈何蛇叟邱元不得，不由大怒，青竹杖愈發攻打得迅猛無匹。

蛇叟邱元一支蛇頭怪杖，也是奇招百出，縱送橫擊，隱隱有風雷之聲。

楊夢寰看兩人越打招術越怪，杖風也愈來愈強，心知兩人由拆招換式，漸漸把內家真力貫在杖上火併。此時夢寰本可趁機逃走，但這兩位武林中罕見高手過招，攻拒之間，神妙異常，楊夢寰看得神往，哪裡還想得起逃走的事。

忽然，他覺得右側衣角有人牽動，心想必是霞琳，隨手抓去，果然握到一隻滑膩的小手，只覺柔若無骨，軟滑似玉，同時幽香撲人，耳邊響起低脆嬌音，道：「你發的什麼呆、還不趁機逃走，等一下還走得了嗎？」

夢寰聽出不似霞琳，回頭一看，不禁羞得俊臉發熱，趕忙鬆了握著人家的一隻手，紅著臉，吶吶地講不出話。原來那人不是沈姑娘，卻是無影女李瑤紅。

楊夢寰本想說句告罪的話，但李瑤紅卻脈脈深情地看著他微微搖頭，楊夢寰神志一清，也感覺目前處境危險，轉頭看霞琳也自警覺，這位嬌稚丫頭見剛才攔路的黑衣少女，此際卻一臉溫和神色，站在她和寰哥哥之間，心中覺著奇怪，正想發問，楊夢寰已拉著她的手，低聲道：「不要說話，我們快走！」霞琳用著迷惘的眼光，看看李瑤紅，人卻被夢寰拉入林中。

無影女看夢寰對霞琳親切的樣子，心裡不由生出一縷妒恨。

轉身看聞公泰和蛇叟邱元，已打入緊要關頭，雙方都用內功真力發招互拚，周圍數丈內潛力激盪逼人，李瑤紅看雙方功力都達這等威勢，心裡暗暗吃驚，如再不見機逃走，要等他們一分勝敗，再想走也不容易了，說不定還會因楊夢寰的逃走，遷怒自己身上，哪知她心念剛動，聞公泰已發覺夢寰走了，大喝一聲，竹杖橫掃，逼開邱元的蛇頭怪杖，左掌呼的一聲，打出劈空掌力，一股強勁罡風猛向邱元劈去，這一擊直似江河堤潰，力道何止千斤。

蛇叟邱元知道，如果硬接這一記劈空掌勢，雙方就得立判生死存亡，只得縱身一拔，凌空而起，避開掌勢，一陣急猛勁風，直撞入身後林中，罡風過處，斷枝紛飛。

八臂神翁聞公泰一掌打出，逼開蛇叟邱元，人卻橫裡一躍，攔住李瑤紅的去路，冷冷問道：「你這女娃兒是什麼人？剛才那一對男女哪裡去了？」

李瑤紅心裡暗想：楊夢寰剛走未久，如果告訴他去的方向，憑此老腳程不難追上，這人武功卓絕，世所罕見，看樣子足可和自己父親海天一叟李滄瀾一爭長短，他要追上夢寰，自是凶多吉少，一時間她心中湧出愛和恨兩種味道，沉吟良久，答不出話。

聞公泰見黑衣女只管沉思，不答自己問話，怒道：「怎麼，難道你這女娃兒也是崑崙門下的弟子嗎？再不回答我的問話，可莫怪我老人家欺侮你們後輩了？」

李瑤紅回頭一看，邱元手橫蛇頭杖攔在身後，八臂神翁和蛇叟邱元拚了半天命，卻因楊夢寰乘機溜走，而敵意全消，一前一後擋住了李瑤紅。

無影女看情勢心知無法逃脫，定下神，淡淡答道：「我也是在追尋崑崙派門下的弟子，看

你們兩人打架打得很熱鬧，所以停足觀戰，現在你們不打了，我也該走了啦。」說罷，緩步向前走去。

聞公泰乃一代門派宗師，見李瑤紅對自己毫無禮貌，輕輕鬆鬆答了幾句話，就想走路，不由激起怒火，冷笑一聲道：「好橫的女娃兒，你走得了嗎？」

說完話，右掌一推，一股潛力逼去，李瑤紅閃身一避，讓開掌勢，她在海天一叟李滄瀾百般愛護下長大，一向嬌縱，哪受過別人的欺侮，明知非敵，亦不服氣，翻腕抽出長劍，揚著柳眉厲聲答道：「你攔我去路，是何用心？你要再不讓路，我就要硬闖過去！」

八臂神翁一聲大笑道：「好大的口氣，你就試試看能不能闖得過去？」

李瑤紅嬌叱一聲，長劍橫掃，聞公泰左掌疾出「手揮琵琶」，彈力震劍，李瑤紅剛才見過他劈空掌的威力，心知長劍如被他內功彈上，不撤手就得傷腕，立時沉腕變招，「鐵騎突出」劍風下卷，斜劈雙腿。

聞公泰袍袖一拂，膝不彎曲，腳不移步，只覺颯颯微風，人已逼到無影女李瑤紅身側，右手握竹杖始終不動，左手運勁若鋼，「揮塵清談」，又向長劍拂去，八臂神翁要保持掌門的身分，不肯出手向李瑤紅還擊，只想用內功震飛她手中兵刃。

這一來無影女占了不少便宜，長劍展開李滄瀾傳授的絕學，剎那間冷芒如電，連攻了二十幾劍。

聞公泰原想在三、五招內必可震飛她手中兵刃，哪知對拆了二十多招仍是未成，面上實在有點掛不住，何況還有蛇叟邱元在一旁觀戰，心裡一急，呼！呼！呼！搶攻三掌。

李瑤紅猛覺長劍被一股潛力吸住，脫手欲飛，心知不妙，不撤手丟劍，就得傷及右腕，只得一鬆手，三尺長劍若斷鳶飛到七、八丈開外，才力盡劍落。

聞公泰冷笑道：「你還有什麼本領？」話出掌到斜肩劈下。

李瑤紅順著打來掌勢，猛力向前一躍，這一掌雖未打實，卻被掌風餘力掃中，震得她嬌軀亂晃，幾乎栽倒。聞公泰雙足微頓，飛鳥般的又追到身後，右手並食中二指直點「風府穴」，瑤紅吃掌力震得血翻氣湧，哪裡還能閃避，眼看八臂神翁二指要點到無影女「風府穴」上，突然兩條人影破空而下，人落地雙掌齊出，掌風颯颯，勁道奇猛。八臂神翁聞公泰不願傷敵，縱身一閃，避開掌風，定神看去，離自己大約七尺遠近，並肩站著兩人，都是五旬開外的年紀，全著一身黑色疾服勁裝，一個腰圍軟索三才鎚，一個揹負青鋼日月輪，這兩人都是江湖上極負盛名的人物，揹負雙輪的是大龍幫紅旗壇壇主，百步飛鈸齊元同，腰圍軟索三才鎚的是黑旗壇壇主，開碑手崔文奇。

齊元同搶前兩步，扶住李瑤紅搖搖欲倒的身子，開碑手崔文奇冷冷說道：「好威風啊！一派掌門宗師，竟對一個年幼弱女子下這等毒手，你八臂神翁還有什麼臉見天下英雄？」

聞公泰聽得臉上一熱，道：「我幾次問她姓名，她都不說，只管連下毒手，我一直用一隻左手對付她，二位不信盡可問問一旁觀戰的邱兄，你姓崔的出口傷人，難道我還怕你不成。」

崔文奇冷笑一聲道：「客氣！客氣！咱們誰也用不著怕誰，天龍幫早晚要鬥鬥你們號稱武林九大門派的高人。」說罷，仰起臉一陣狂笑。

齊元同扶著李瑤紅走幾步，低聲問道：「你運下氣看看，是不是受了內傷？」

無影女依言運氣後，搖搖頭道：「不要緊，還沒有傷到內腑。」

齊元同放下了心，轉過臉看聞公泰滿面怒色，望著崔文奇暗運內功，開碑手也是凝神斂

氣，腳踏丁字步，百步飛鈸心知兩人都在潛運功力，準備火併，知道一發之勢，都是兩人畢生功力之所聚，不分生死勢難停住，他爲人陰險，心機深沉，不願在此重要時刻，多作無謂之爭，一上步，站在兩人中間笑道：「二位且慢準備動手，聽我齊某人一言如何？」

聞公泰和崔文奇都已到蓄勢待發之境，聞言各斂功力，四目齊注百步飛鈸。

齊元同對崔文奇笑道：「聞兄雖然傷了李姑娘，但他不知她是我們天龍幫幫主的愛女，好在李姑娘也未真個受傷，就目前情勢而論，不宜就此動手。」

說罷一陣大笑，轉對八臂神翁道：「聞兄彈指金丸絕技，獨步武林，崔兄和小弟都是久仰大名，好在我們李幫主有柬邀武林九大門派彼此切磋武學的心意，這場武林盛會，爲期當在不遠，到時不但可以領教聞兄的華山派各種絕學，而且其他八大門派中高人也要出手，彼此切磋在即，何必急於一時？我看二位還是免了今夜這場爭執吧！」

八臂神翁一橫右手青杖，笑道：「貴幫主有此雄心，那是再好沒有，我們華山派定當全力促成這場盛會早日實現。至於今夜誤傷貴幫幫主愛女一事，老朽的確是事前不知，二位見著貴幫主時，請代致憾意。」說罷，長嘯一聲，如飛而去。

聞公泰走後，百步飛鈸齊元同轉身對蛇叟邱元道：「你這玩長蟲的老兒，臭架子倒是不小。我們李幫主派人去找你三次，你都避不見面，今晚既讓我和崔兄碰上，你還有什麼話說。」

邱元笑道：「想要我加盟貴幫不難，但必須讓我看點顏色，李幫主既然能使二位拜伏，當然手段非凡，不過我姓邱的一向是不到黃河心不死，等我親會到李幫主再說，反正我三、五年還死不了，急個什麼勁呢？」

崔文奇冷笑道：「你倒是真敢說出來這種大話，再讓你練個五十年，也接不了李幫主的十招，不信我先陪你走幾招試試。」

蛇叟邱元兩道眼神似電，盯在崔文奇臉上笑道：「這樣說，崔兄是也接不下貴幫主十招了。」

開碑手崔文奇又一聲冷笑，道：「天龍幫中五旗壇主，哪一個都不比你姓邱的差，也不過只能和幫主走上個三招五式，難道你那幾下子，還自信比我強嗎？」

邱元面色一變，冷冷道：「好，姓邱的半年之內，必去貴幫總堂親向李幫主領教，我現在沒工夫和你磕牙鬥嘴，咱們老朋友犯不著動手過招，再見吧。」說罷，也轉身而去。

蛇叟邱元走後，齊元同問李瑤紅道：「你見過一陽子的徒弟嗎？」

無影女想了一陣答道：「見是見過一次，只是我截不住他，被他脫梢逸去，一陽子可還在玄都觀嗎？」

崔文齊搖搖頭道：「那牛鼻子早走啦，你怎麼會和聞公泰動上手呢？」

李瑤紅素知幫中五旗壇主，以紅旗壇主齊元同最陰險，心計最多，黑旗壇主崔文奇脾氣最壞，手段最辣，心想告訴他們楊夢寰和霞琳去的方向，只怕他們追上了，楊夢寰要吃苦頭，不說吧，那藏真圖又是父親夢寐以求的奇寶，李瑤紅左右爲難，想了半晌，還是沒肯說實話，淡淡一笑道：「我今天在東茂嶺出口碰上了他們，崑崙派的劍法很兇辣，我打不過他，被他闖過去逃走了。我追尋到這裡，見那姓聞和姓邱的兩個人在此拚鬥，我就站在旁邊看熱鬧，不想他們見了我就停手不打啦，硬指我是崑崙派門下弟子，那姓聞的就和我動上了手。」

齊元同聽完話，轉臉對崔文奇說：「據我想，一陽子已趕赴浙南括蒼山去了，他如真尋到《歸元秘笈》，就是捉到他徒弟，恐怕他也不肯以秘笈換人，倒不如我們回去勸幫主，盡出五旗壇主，趕到括蒼山去截他，一陽子老謀深算，他決不會把藏真圖給徒弟的，就是捉住他徒弟，也無有大用。」

李瑤紅笑道：「齊壇主說得對極啦，二位最好立刻回去面報我爹，免得讓別人搶了先著。」

崔文奇點點頭道：「那你就和我們一塊兒走吧！目前湘北一帶各門高手都有，你脾氣又壞，一言不合，難免要和人動手，要是你受了委屈，叫我和齊壇主如何向幫主交代？」

李瑤紅抿著小嘴笑道：「我不怕，你們先走吧！見著我爹時，就說我半個月後就可以回去啦。」

說罷，也不待兩人答話，撿起被聞公泰震飛的長劍，兩、三個縱躍，走得沒有了人影，齊元同、崔文奇知她刁蠻慣了，再說她也不會聽，只好由她自去。

再說楊夢寰拉著霞琳急急穿過樹林，施出輕身提縱術，全力奔跑，一口氣走出去了二十多里，才放慢腳步，喘喘氣道：「你怎麼不知道拉我走呢？」

霞琳很溫柔地看著楊夢寰笑道：「你正在用心看人家打架，我怎麼好拉你呢？我怕拉你走，你心裡會不高興，所以我就也用心的看起來了。」

夢寰笑道：「我是被他們兩人神妙的招數吸引住了，哪裡是在欣賞人家打架。」

霞琳道：「嗯！那兩人實在打得不錯，有很多的招式我都不懂。」

說罷，忽然想起來一件事，又道：「寰哥哥，我有話問你，不知道你會不會再笑我？」

夢寰看她臉上神情，無限嬌淒，很憐惜地拉著她左臂笑道：「你問吧！」

霞琳道：「那穿黑衣的姑娘，不是要找我們打架的嗎？她爲什麼很和氣的站在你身邊，好像是我們的朋友一樣？」

夢寰嘆息一聲，道：「今晚上要不是她幫我們，恐怕我們就忘了逃走啦。」

霞琳啊了一聲，道：「那黑衣姑娘真好。」

夢寰看她說話神情自然，毫無妒意，不禁低聲說：「你也很好。」

霞琳聽夢寰讚她，心裡高興，嬌媚地一笑說：「我不好，因爲我什麼都要問你，只要你不討厭我，我心裡就快樂了。」說完箭一般向前跑去。

沈姑娘大概是樂瘋了心，月光下快如怒馬狂奔，她跑得太快，猛地一個轉彎，幾乎撞在別人身上，姑娘趕忙收住急行的嬌軀，可是那人出手更是迅若閃電，玉腕揚處，扣住了沈姑娘一條玉臂，這一下也逗發了小姑娘的脾氣，嬌叱一聲，右掌迎面劈去，那人是個二十三、四歲的道姑，烏雲椎髻，柳眉粉面，秋水流波，櫻唇噴火，雖然是出家人，卻長得十分好看，她見霞琳掌勢極快，不敢怠慢，左手一翻，反點姑娘「曲池穴」。

霞琳這一掌旨在分敵心神，其實全身功力都潛運左臂，見人駢指點穴，趁勢撤招，左臂一用力爭脫人手，全身躍退了八、九尺遠，翻腕抽劍，劍如閃電，冷芒捲風，橫掃上盤。

那妙齡道姑，看霞琳出手幾招不凡，倒也不敢大意，縱身讓開一劍，也從背上扯下兵刃，兩柄劍電掣虹飛，眨眨眼拆了八招，八招已過，兩個人心裡都感奇怪，因爲兩人這幾招，全都是分光劍法中的招式，那道姑雖然想停手問問霞琳來歷，無奈沈姑娘劍如冰刨驟落，不容她有緩手說話的機會。

兩人又拆了幾招，楊夢寰已經趕到，看霞琳和人動手，又誤認爲是攔截兩人的高手，心中急謀出路，也沒有細看那人劍法，長劍出鞘，二招疾攻，他功深力大，比霞琳高出許多，用的又是追魂十二劍中「石破天驚」、「潮泛南海」兩道殺手，那妙齡道姑如何能承受得住，吃夢寰兩劍緊迫，逼退了七、八尺遠，這還是楊夢寰手下留情，才沒有震飛她手中兵刃。

夢寰逼退道姑，拉著霞琳向前就跑，剛剛跑出去五、六丈遠，猛見眼前人影閃動，微風撲面，一個羽衣星冠，面目姣好的中年道姑，手執拂塵，背插長劍，滿臉莊嚴，攔住去路，楊夢寰急於脫身，出手一招「白燕剪尾」橫掃過去。

那中年道姑見夢寰一出手就是狠招，臉上微泛怒意，手中拂塵「乘龍引鳳」架開夢寰長劍，「神龍擺尾」、「傍花拂柳」、「開山導流」刷刷刷，一連搶攻三招，別看只是一柄輕盈的拂塵，在那中年道姑手中威力卻是絕大，只震得楊夢寰一條右臂發麻，長劍幾乎脫手。

那中年道姑逼封住夢寰長劍，喝道：「你剛才用那追魂十二劍中幾招，是什麼人傳給你的？」

楊夢寰聽她一下子就認出崑崙派的絕學，不由一怔，收劍答道：「晚輩是崑崙派門下一陽子的弟子，尊駕是什麼人，何以認識晚輩的劍法？」

中年道姑還未答話，和霞琳動手的妙齡道姑已大聲喝道：「既是大師伯的弟子，怎的見三師叔還不下拜？」

楊夢寰還在猶疑，那中年道姑已接著說道：「我叫慧真子，你師父告訴過你嗎？」

楊夢寰疑團盡除，棄劍拜伏地上答道：「弟子奉令西上崑崙，一來去叩候二位師叔金安，

二則奉呈師父密函，不想在此地巧遇三師叔了。」

慧真子打量夢寰一陣，笑道：「想不到大師兄會把追魂十二劍也傳給你了，那位穿白衣的姑娘是不是我們崑崙派門下弟子？」

楊夢寰急拉沈姑娘拜伏在地上，從懷中取出一陽子交付的兩封信，雙手捧上，答道：「弟子拜別恩師時，師父交弟子兩封信，命弟子面呈兩位師叔，一切詳情盡在信中，請師叔過目便知。」

慧真子接過信看，果然是一陽子的親筆，不禁回想起三十幾年前的往事，那時候慧真子還是一個妙齡少女，夾在大師兄和二師兄情愛之間，難作抉擇，師父仙去之後，本該大師兄一陽子接掌門戶，可是一陽子看出二師弟對三師妹情重愛深，已到無法自拔。為了怕傷師兄弟的和氣，留書讓師弟玉靈子接掌門戶，自己飄然出走，一去就是五年，這五年中玉靈子和慧真子找遍了天涯海角，但始終找不到一陽子的去處，玉靈子沒有辦法，只得遵照師兄留書，拜了祖師遺像，接了掌門，哪知玉靈子接了掌門的第二年，一陽子卻返回崑崙山主頂峰三清宮中。

玉靈子本來要把掌門之職讓還師兄，一陽子卻堅辭不受，他說：「既已行過接掌門戶大典，豈可任意再作更換，我已尋得一個去處，等拜過掌門之後就走。」果然一陽子在金頂峰三清宮小住旬日，又離開了崑崙山，安居湖北玄都觀中，很少回崑崙山去，一陽子的心意，是想等玉靈子和慧真子情愛成熟，合籍雙修之後，自己再回三清宮去，可是玉靈子和慧真子都看透了大師兄的心意，兩人也就不好再談兒女私情，何況慧真子那時芳心本屬意於大師兄，但又怕傷了二師兄的心，這種微妙局面一直維持了幾十年，誰也沒有提過一句，可是內心裡都有很深的隱痛，如今慧真子也到了五旬左右的年紀，這些事自然都成為過去，不過這種師兄弟各居一方的微妙局面，卻始終沒有打開，因為誰也不好意思揭穿個中隱密。

慧真子想得出神，可就苦了楊夢寰和沈霞琳，兩人一直跪在地上不敢起來，還是那妙齡道姑看不過去，走到慧真子身邊，輕聲道：「師父，叫他們起來吧？」

慧真子從往事浸沉中清醒過來，看夢寰和霞琳聯肩並跪，淡淡一笑道：「你們起來吧！」一面就在月光下拆開信看。

看完信，面色微變，轉頭問沈姑娘道：「你叫沈霞琳嗎？」沈姑娘點點頭。

慧真子一皺眉又道：「你願意投入崑崙派門下嗎？」

小姑娘又點點頭，轉臉看著寰哥哥，楊夢寰低聲說道：「快些叩拜師父。」

沈姑娘又拜伏地上，答道：「琳兒叩見師父。」

好在一陽子信上已述明沈姑娘出身來歷，要慧真子收列崑崙門牆，這拜師一節，也就不過是個樣子，禮到就算，慧真子扶起霞琳說道：「那位是你師姐，快去見個禮。」

沈姑娘轉身對人家福了一福，叫聲：「姐姐。」

那妙齡道姑也合掌還了一禮，握著霞琳一雙手道：「妹妹，我叫童淑貞。」

楊夢寰不待慧真子的吩咐，搶一步躬身一揖，也叫聲：「淑貞師姐，小弟叫楊夢寰。」

淑貞還給他一個微笑，道：「你看上去像比我大些，又是大師伯的弟子，還是稱我師妹吧？」

夢寰笑道：「恐怕我沒有你入師門早？」

淑貞眼圈一紅道：「我是無父無母的苦命人，三歲時被師父救上崑崙山去，算起來十八年啦。」

夢寰道：「那我還是得叫你師姐，我從師才十二寒暑。」

沈霞琳嗯了一聲，接道：「貞姐姐，我也沒有爹娘，和姐姐一樣可憐。」

慧真子心中正在盤算如何處理當前的大事，因為一陽子的信上告訴她得到了藏真圖，並決定和遮陽寺澄因大師結伴到浙南括蒼山，去尋《歸元秘笈》，要夢寰、霞琳留在金頂峰三清宮中。他如能尋得《歸元秘笈》，立時就回崑崙山去。並囑玉靈子和慧真子不要到括蒼山去找他……一陽子作夢也沒有想到，慧真子會到湘北來看他。

慧真子想了一想對夢寰道：「你師父確已得到了藏真圖，而且已趕奔括蒼山去了，這幾天風聞傳言，還不深信，恐怕傳言有誤，現在證實是千真萬確的事了，今晚上如果不是巧遇你們兩個，我還得跑一趟玄都觀。」

慧真子頓了一頓接著又說：「本來你師父信上意思，是讓你和霞琳都留在三清宮中，可是目前形勢不同，你師父沒有想到我會來湘北，此地距崑崙山遙遙萬里，藏真圖風聲又洩，你們雖都學了十幾年武功，但卻沒有一點江湖閱歷，讓你們自己上崑崙山我更不放心，不如我們一起上浙南括蒼山去找你師父，也可助他一臂之力。」

幾句話提醒夢寰，立時把兩天來連續遇上各派高手截擊之事，很詳細地說給慧真子聽。

慧真子剛聽完夢寰的敘述，一轉臉星波電閃，望著三丈外的一棵大樹，問道：「哪位高人駕到，為什麼要藏頭露尾，難道慧真子不配迎接大駕嗎？」

一語甫畢，大樹上枝葉茂密處傳出來一聲大笑，月光下一團黑影飛起，晃如巨鳥沖天，直飛起三、四丈高，半空中身子打旋，快逾隕星飛瀑，腳落地已停在慧真子五、六步外，童顏鶴髮，白髯如銀，身穿灰布長衫，手提竹杖，微笑著答道：「老朽聞公泰，山野草莽，談不上什麼高人，何足以和崑崙三子相提並論。」

楊夢寰見來人就是八臂神翁，怕他突起發難，手握劍把，暗中戒備，慧真子卻淡淡笑道：「原來是華山派掌門宗師，貧道失迎了，大駕是一人到此嗎？」

聞公泰哈哈大笑道：「不敢，不敢，崑崙三子果然是名不虛傳，雖然還有兩位，不過那是監視我老頭子的。」

慧真子大聲笑道：「何不請出來大家見見？」

五丈外暗影處，又傳出兩聲大笑，笑聲中兩條人影如箭，一陣颯颯風聲，現出來一道一俗。道人身軀高大，紫臉長鬚，環眼重眉，年約在五旬以上。另一個儒生裝扮，白面無鬚，方巾藍衫，看上去頗似教書的先生。

八臂神翁笑道：「我來給三位引見引見，這兩位是名震雲貴，點蒼三雁中的老二老三，這位是崑崙三子中的慧真子。」

慧真子微笑道：「久仰點蒼三雁大名，今幸得會其二，貧道緣遇不淺。」

那中年儒生雙手一拱答道：「崑崙三子，俠名滿武林，天罡掌和分光劍法，並絕江湖，我兄弟有幸得很，想不到在湘北能碰之俠駕。」話中，雙掌一揮，一股潛力直逼過去。

慧真子柳眉一揚，右手拂塵一擺，左掌當胸一立，躬身笑道：「過獎了，貧道當受不起。」借躬身之勢，發出內家真力，兩股強猛力道，暗中一陣激盪，慧真子羽衣波動，那中年書生雙肩晃了兩晃。

聞公泰微微笑著說道：「兩位都太客氣，咱們括蒼山再見吧。」說罷，左掌平推而出，又一股力道，從兩人中間穿過，人卻轉過身子，幾個縱躍，如飛而去。

那中年儒生轉臉望著聞公泰背影，叫道：「聞兄慢走一步，咱們結伴同行如何？」說畢，又轉頭對慧真子笑道：「後會之期不遠，別讓聞老兒搶了先著，我兄弟也要先走一步了。」說完話，一拉那紫臉黑袍道人，聯袂疾奔而去。

慧真子看三人走遠，仰天嘆息一聲道：「我一時大意，幾句話無疑給他們指明了大師兄的去處。」

說時，低頭對夢寰道：「我們也快趕路吧。」

括蒼山在浙江東南部，距湘北達數千里路程。慧真子念大師兄安危，不分晝夜趕路，她久走江湖，閱歷豐富，由她領頭，沿途自用不著楊夢寰再多操心，沈姑娘初涉旅途，處處感到新奇，可惜幾人趕路太快，不能飽覽沿途風光。

經過了二十多天的行程，已入浙江仙居縣境。仙居縣是括蒼山脈中一個山城，地方談不上繁華，但客棧酒店倒是樣樣都有，慧真子帶夢寰等人，選了一家最大的客棧住下。

慧真子吩咐店夥送上一桌精美的素菜，吃完飯對楊夢寰等人說道：「明天我們就要進山，括蒼山連綿千里，奇峰如林，危壁深壑，險阻重重，要找人自是不易，不知要在山中走上多長時間，你們今夜好好休息一下，我們明天一早就入山。」說罷閉目靜坐，楊夢寰等也各自回到臥室休息。

這二十多天行程裡，沈霞琳都是和童淑貞住在一起，沈姑娘胸無城府，一派純真，她把什麼話都告訴了童淑貞。

這晚上因爲住店較早，吃過飯天還不過是剛剛入夜，淑貞和霞琳都無睡意，秉燭對坐，品

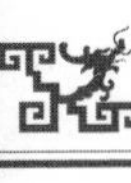

茗閒談，小姑娘問淑貞道：「姐姐，我投入了崑崙派中，將來要不要同姐姐一樣做道姑呢？」

淑貞笑道：「那不一定，要看你自己是不是願意，不過我們崑崙派門下弟子，大都是道家裝束。」

霞琳嘆口氣道：「我本來是很想出家的，可是當了道姑就不能常和我寰哥哥在一起玩了，所以我又不願意出家。將來師父逼我改裝道姑時，姐姐替我說說情好嗎？」

淑貞看她說話神態認真，臉上情愛橫溢，不由心中一動，拉著她一隻手，笑道：「姐姐一定幫你這個忙，不過師父決不會逼你出家。」

霞琳點頭一笑，又問道：「寰哥哥人最好，姐姐喜歡他嗎？」

這一問，問得淑貞粉臉上泛起兩頰紅暈，但她心知霞琳童心嬌稚，想到什麼就說什麼，並非有意取笑，責怪她她也不懂，怔了一會兒神，微微笑道：「你寰哥哥人確實很好，要是他和別的女孩子好了，你不會感到難過嗎？」

霞琳似乎根本沒有想到過這個問題，聽完話不由一呆，兩隻圓圓的大眼睛，怔怔地盯在淑貞的臉上，好半晌才慢慢地說道：「要是他還和我要好，我就不難過，他要是真的變了心，不再喜歡我，那我就不要活啦。」說著話，眼眶湧出兩行淚水，直滴在她白裙上面。

淑貞見兩句玩笑話，她竟流下淚來，暗裡嘆息一聲，輕輕抱著她，附耳低聲道：「我們睡吧！你寰哥哥是好人，他不會變心的。」

第二天一早，四個人就離開仙居縣，向括蒼山走去。慧真子雖然是久走江湖，但此刻也好像一艘汪洋中失舵的小舟，括蒼山千峰萬嶺，幽谷深壑，數不勝數，這千里荒山，想尋人談何

容易，一陽子又未說明在山中何處，任是慧真子機智絕倫，也不禁望著那連綿奇峰發愁。

山路愈走愈崎嶇，羊腸小徑盤繞而上，初還見三、五樵夫，漸漸地人蹤絕跡，連那小徑也沒有人了，好在四人都有極好的輕功，認定入山方向，攀藤附葛，縱躍繞越於危峰絕壁之間。

翻越過十幾道峰嶺，已是夕陽斜照，慧真子還看不出什麼，但楊夢寰、沈霞琳和童淑貞已是頂門見汗、微微喘氣了。

慧真子讓三人拿出帶的乾糧，在一塊大山石旁休息食用，自己卻施展出絕頂輕功，向右側一座峭壁排雲的山峰上攀去，只見她快如喜鵲移枝，疾似飛隼出塵，在那如峭絕壁上遊行揉升，一瞬工夫，已躍升數百丈，霞琳看得無限羨慕，道：「師父的輕功真好，我要能練得跟師父一樣就好啦。」

夢寰接口笑道：「你要想學好本領，就不要貪玩，好好用心苦練，自然會有成功的一天。」

童淑貞點頭笑道：「霞琳師妹內外功夫都已有很好的基礎，又長得嬌小玲瓏，最適宜練飛行輕功，如果她真肯用心去學，三年內可得師父大部分絕學，就是不知道她肯不肯用心，我想楊師弟如果肯督促她，她決不會負你所望。」

童淑貞有心取笑，說罷話看著楊師弟眨眼微笑，夢寰只覺著臉上發熱，想不出什麼話答覆人家，只好紅著臉，轉過頭向左邊一條深谷裡看，沈姑娘倒無所謂，抬頭望天際白雲浮動，意態間甚是愉快。

楊夢寰目注深谷，原爲害羞，哪知他定神一看，立時啊呀一聲驚叫，童淑貞和霞琳不約而同，四道眼神齊向那深谷中看去。

原來那百丈深壑中，有一條四，五丈長的大蟒蛇和一隻巨大白鶴在搏鬥，那蟒蛇通體如墨，鱗片在日光下閃動耀目，白鶴也大得出奇，要比普通的大二十倍，鶴頂紅冠如火，盤空飛舞，旋撲下擊，那蟒蛇下體盤成一圈，上身挺正蛇頭隨著飛舞在空中的鶴身亂轉，每當巨鶴向下撲擊時，必張口噴出一團毒霧迎去，還不時發出怪叫。

這一鶴一蛇足足鬥了有一刻工夫，那黑鱗蟒蛇口中毒霧越噴越稀，幾次要趁那巨鶴在吸收毒霧時趁機逃走，但巨鶴靈巧異常，只要蟒蛇挺立上身一收，立時捨棄吸收毒霧，迅猛撲下，蟒蛇逃走不得，只好再挺立上身迎敵。

楊夢寰細看那巨鶴，似是在故意逗那墨鱗蟒蛇噴出毒霧，然後牠繞著毒霧飛行，長喙連張，慢慢地把蟒蛇噴出的毒霧吸在腹中。

那蟒蛇大約又支持一刻工夫，毒霧愈發淡薄，巨鶴卻似意猶未盡，不時下撲，逗蟒蛇噴出毒霧。

驀地，那墨鱗蟒蛇全身暴起，箭一般向那巨鶴撲去，大口盆張，紅舌閃動，那巨鶴也發神威，右翅閃電下去，雙爪猛向蛇頭七寸抓去，一迎一撲，勢子極快，鶴、蛇略一交接，那墨鱗蟒蛇便由空中摔下來，僵臥在地上不動，大概已被那巨鶴傷了七寸要害。

巨鶴傷了蟒蛇之後，毫不客氣地用雙爪抓起蟒蛇，翻轉過肚子，長喙一劃一啄，吃了蛇膽，然後振翅一聲長嘆，長頸一伸，直線上升，轉眼工夫，便高出深壑數丈，猛地鶴身翻轉，在夢寰等三人頭頂丈餘處盤旋，雙翅展開足足有八、九尺大小，童淑貞久居崑崙山中，見過不少怪獸巨鳥，但像這種巨鶴也是初見。看牠通體鶴羽如雪，頂上紅冠，長喙若鋼，利爪似鉤，怕牠傷人，暗裡貫注全神戒備，哪知巨鶴盤飛一陣，破空向東飛去。

沈霞琳一直仰臉看那巨鶴沒有了影兒，暗裡嘆口氣，心想這隻白鶴真大，要是牠肯讓我騎，我就可以飛上天啦。

夢寰正在用心想著剛才鶴、蛇相鬥時幾種迎撲姿勢，霞琳忽然想起應該把想騎那大白鶴的事告訴寰哥哥，轉臉看夢寰正微皺著眉沉思，不由覺得奇怪，輕聲問道：「寰哥哥，你也在想騎大白鶴嗎？」哪知夢寰正在思解巨鶴剛才雙爪抓那蛇頭七寸的方法，全神貫注沒有聽見沈霞琳的問話。

霞琳看夢寰不理會自己，正想再叫，猛見他左臂高舉，右手平伸，互相撲擊，心裡更是不解，不由自主伸出右手去拉夢寰，驀地裡伸過來一隻玉腕，輕輕扣住沈姑娘右手，耳際響起女人的聲音道：「不要打擾他！」

霞琳回頭見是師父，不由低聲問道：「師父，他在做什麼？」

慧真子微笑答道：「他在練功夫，你師兄悟性很高，確是難得的奇質異稟，無怪你大師伯把追魂十二劍也傳了給他，下一代掌門非他莫屬，我們崑崙派將來能不能光大門楣，恐怕全在他身上了。」

慧真子幾句話有感而發，沈霞琳哪能完全明白，不過她心裡知道師父在稱讚寰哥哥，心中高興，跳起來笑道：「師父，寰哥哥人最好，他什麼都比我強，我有什麼不明白都去問他。」

慧真子看她笑得天真可愛，臉上嬌癡無邪，不禁微一皺眉頭，暗裡嘆息一聲，這又使她想起自己一段往事，巧的是楊夢寰是大師兄的弟子，霞琳又被大師兄薦入了自己門下，一陽子本是她心目中最敬愛的人，為了顧全大局，她不能和大師兄合籍雙修，三十年好夢難醒，寸心中仍留下一片悵恨，如今自己這個弟子又愛上了她的師兄，幾十年的創傷隱隱使一代俠女慧真子

動了個奇怪念頭，她想盡力促使沈霞琳和夢寰這一對花好月圓，上一代夢空成恨，不要再使下一代落個抱恨終生。她有了這種想法，不禁更對嬌稚的沈霞琳生出惜愛，再說沈姑娘也實在生長得好看，當然最大的原因，還是慧真子和一陽子餘情甘露，惠及夢寰和霞琳身上，不過天下有很多事實非人所能謀算，慧真子雖然有一片好心，可是仍難使這一對小兒女稱心人間，後日裡情海中萬丈深浪，只打得楊夢寰頭暈目眩。

且說慧真子把霞琳拉到身邊，低聲道：「不要講話，好好地看你楊師兄練功夫。」

楊夢寰雙手交相撲擊一陣，似仍難體會出個中奧妙，嘆息一聲，放下雙手，回頭見師叔卓立身側，道袍仙風，一塵不染，慧真子雖近五旬，但因內功精湛，看上去只如三十許人，楊夢寰全神思解武學，慧真子什麼時候到他身後全然不知，這就趕忙一揖笑道：「弟子只顧思解武學，致失禮儀，望師叔恕罪。」

慧真子笑：「你剛才練的功夫，看上去很像天罡掌中赤手搏龍一招，但又有些不像，似是比赤手搏龍更深奧，你在哪裡學得的？」

夢寰答道：「剛才深壑中鶴、蛇搏鬥，弟子看那巨鶴雙爪攫蛇，一擊成功，頗似我們天罡掌中赤手搏龍一招，弟子思解演習半晌，只是體會不出訣竅。」

慧真子沉吟一陣，道：「可惜我沒有看見，一時間也難說得出來，赤手搏龍是天罡掌中三記絕招之一，你能觸類旁通，稟賦確實超人，剛才我看你雙手互相撲擊時，中間確含有深妙道理，只要能再用心練習下去，必可創出一著奇招，天罡掌三十六式，每一式都費了本派前輩長老們不少心血，如能在你手中，創加一招，將來也可使你幾位同門師兄弟，心服口服。」慧真子話中含意，已隱隱透出舉薦楊夢寰接掌下一代掌門心意，只是語意含蓄，楊夢寰領會不到。

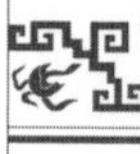

童淑貞這時候也轉過身子，插嘴接道：「師父，你看那深壑裡大蟒，是不是墨鱗鐵甲蛇？剛才牠和一隻巨鶴搏鬥時，口中不斷噴出毒霧。」

慧真子凝神看了一陣，心裡暗暗吃驚，那深壑巨蟒形態，確和墨蟒鐵甲蛇無異，只是這樣長大，不要說沒有見過，就是想也不會想到，心裡拿不準，只好笑道：「我們下去看看。」要知墨鱗鐵甲蛇，是極難得遇上的奇珍，慧真子自是不肯放過。

四個人看準落腳地方，縱身而下，踏著崖上雜出松石，直落谷底，慧真子伏身撿起一塊山石，運足腕力，抖手打去，石若流星，正中蛇身，如擊鋼鐵，只打得蛇身翻滾，山石碎飛，但那蛇身鱗片卻是絲毫未損。

慧真子帶三人走近死蛇身邊，笑道：「這也算是千古奇遇，我們無意中得此奇寶，你們抽出劍來，看看是不是能斬斷蛇身。」

楊夢寰不知墨鱗鐵甲蛇的皮可避刀劍，聞言長劍出鞘，健腕一揮劈去，哪知連砍三劍，蛇身片鱗未損，那三尺精鋼劍鋒，卻砍得缺口斑斑，不禁一呆，站在那裡說不出話。

慧真子接過夢寰手中長劍，翻轉蛇身，劍鋒沿蛇肚上一條白線而下，蛇身奇腥，中人欲嘔，好在四人內功都好，趕忙閉氣，剝下蛇皮，在谷底山泉中，洗滌乾淨，才笑對夢寰等道：「這墨鱗鐵甲蛇是一種罕見的毒蛇，性殘嗜殺，不管人獸，遇上牠無一倖免，這蛇產於大山中陰暗地方，口中可噴毒霧，中人立即昏厥，據說這種毒物是由不同類型毒蛇雜交而成，故而產量極少。蛇雖奇毒，鱗皮卻是難得奇珍，不過這種毒蛇都很小，像這樣大的蛇更是前所未聞，今天讓我們遇上，而且又是不勞而獲，可算是曠世奇緣，這鱗皮經滾醋浸煉柔軟之後，製成軟甲，可避一切毒掌刀劍，崑崙派得此奇珍，足可傲視江湖，抗拒各門派歹毒的掌力暗器。」

說罷，折疊好帶在身上，攀上崖壁。

四個人又向那萬峰連綿的重山中走去，剛才慧真子登峰瞭望，見山勢形態，東南方疊峰凝翠，氣勢雄偉，心裡想起藏真圖埋藏在白雲岩上的傳說，既稱白雲岩，大概必是一座高入雲表的山峰，這推斷不一定對，但總比瞎走亂撞強些，東南方重山峻嶺，她想白雲岩可能在東南方，就帶著夢寰三人向東南方走去，沈霞琳卻一直在想騎那大白鶴的事，一語不發。

楊夢寰看她神態間若有所思，心中甚覺奇怪，不禁問道：「你在想什麼？」

霞琳長長地嘆口氣道：「我想騎那大白鶴，我知道你也沒有辦法，所以我就不問你啦！」說完活，淒苦一笑，神態間竟是有無窮感懷。

楊夢寰看她那嬌淒模樣，呆了一呆，暗想：這孩子素無牽掛，什麼事也不多想，此刻想的心事雖覺可笑，但她卻甚是認真，只好笑慰道：「這並不是什麼難事，等我們再遇上大白鶴時，我就捉給你騎。」

霞琳笑道：「牠飛得那樣快，你怎能捉得住牠？」

沈霞琳兩句話，聽得楊夢寰臉泛愧紅，他本心只是想安慰霞琳，隨口而出，並未深思，哪知沈霞琳反問兩句，使夢寰深覺惶愧不安。霞琳說得不錯，即使再遇上那隻大白鶴，他也沒法子捉得住牠。愣了一陣，才說：「不錯，就是再見到那大白鶴，我也捉不住牠。」

霞琳回頭見夢寰神情有異，先是一怔，繼而走近他身邊，笑道：「寰哥哥，你不要發愁，我不騎那白鶴玩啦。」

夢寰笑道：「等幾天我捉一隻小的給你玩。」

霞琳深情地望著他點頭道：「捉兩隻，你也要一起玩。」說罷一笑，滿臉歡容。

四人當夜就在荒山中露宿一晚，天一亮又繼續趕路。這時四人已進入括蒼山脈腹地，眼看山勢越發奇險，絕峰插天，危崖壁立，山風中松濤如嘯，瀑布雷鳴，不時還夾雜著幾聲猛獸怒吼，這地方人跡罕至，萬徑斷絕，四人走的都是斷崖立壁，幸得崖壁上生有矮松老藤和很多突出的怪石，常人固是望而卻步，無法越渡，但在輕功飛行術造詣極深的人看來，並不算什麼難事，只是一座又一座的山峰，接連不斷，不知有多深多遠。

慧真子口雖不說，心中卻在發愁，白雲岩不知在何處？難道真要把千里連綿的山峰都走遍不成？驀地裡一聲悶雷般的獸吼，只震得深山幽谷中一片回鳴。慧真子轉頭看去，峰側一角，緩緩走出一隻黃毛黑紋的獅子，一隻怪眼圓睜，仰首望著四人，沈霞琳心裡害怕，一把拉著童淑貞，問道：「姐姐，這老虎真大，牠咬人嗎？」

童淑貞笑道：「這不是老虎是獅子，你怕嗎？」

霞琳點點頭道：「我有點怕，不過怕得不厲害，牠要是來咬我們，我就打死牠！」

這當兒，慧真子等四人，正停身在一個斷崖突岩上，距崖底約有數十丈高，那巨獅注視四人一陣，伏身又一聲大吼，猛地一躍，竄起來丈餘高，快如閃電流星，撲到四人停身的突岩下面，慧真子暗運功力，蓄勢以待，只要那巨獅一向突岩撲擊，立即用劈空掌力打去，同時夢寰、霞琳、童淑珍都翻腕抽出背上長劍，聯肩並立，三支劍在日光下耀眼欲眩。

哪知巨獅到了突岩下面之後，忽又轉過身子緩緩向來路撲去，慧真子心覺奇怪，因爲這種百獸之王兇猛至極，性最嗜殺，既然發現了人，決無自動退走的道理。正自思索不解，忽聞高空裡傳來一聲鶴鳴，抬頭看，雲層下一點白影，似隕星飛瀉而下，不大一會兒功夫，已可見鶴頂紅冠，霞琳高興地拍手叫道：「寰哥哥快看，那大白鶴又來了。」

巨鶴到距地百丈時，猛地雙翅一展，貼著崖壁繞峰而去，奇怪的是，鶴、獅去路相同，都隱沒在右側峰壁盡處。

慧真子心覺有異，凝神靜聽，果然那嘯聲中夾雜一縷簫音。

那簫聲雖然不大，柔音裊裊中卻似含蘊著無上威力，慧真子聽一陣，只覺心神不寧，幾乎要隨那簫聲起舞，不由大驚，趕緊收斂心神，氣沉丹田，神聚靈台，微閉星目，運起內功。

這時楊夢寰等人，也被那簫聲吸引住了，三人功力較淺，感應更烈，慧真子心裡一急，正想出手點住三人穴道，那簫聲卻倏然停住，餘音裊裊散入高空。

楊夢寰清醒之後，問道道：「師叔，這簫聲有點怪道，音律靡靡，動人心魄，弟子以本門內功心法，仍難制止心猿意馬，幾隨簫聲起舞。」

慧真子沉吟一陣，道：「剛才簫聲，是武林中一種極高內功。據我所知，天下有此功力的人實在不多，莫非那玉簫仙子也趕到了括蒼山來了嗎？真要是這個女魔來了，你師父處境，實在危險極啦。」

楊夢寰追問道：「那玉簫仙子是什麼人，難道比八臂神翁聞公泰、天龍幫主李滄瀾等還厲害嗎？」

慧真子點點頭，道：「玉簫仙子是什麼樣子，沒有人能夠說得出，因爲很少人見過她，但她那柔靡的簫聲卻經常在江湖上出沒，有不少武林高手，就栽倒在她那玉簫聲中。因爲那簫音聽起來極盡柔韻嬌婉，江湖上就送她一個玉簫仙子的綽號。傳說玉簫仙子是一個愛穿黑衣的女人，臉上也經常蒙著黑紗，她就是這樣一個出沒無常的怪人，但她究竟是什麼樣子，還沒有人見過她的真面目。」

慧真子話剛說完，又遙聞幾聲鶴鳴獅吼傳來，這次聲音越發淒厲刺耳，慧真子心中一動，道：「我們過去看看。」說罷首先躍下突岩，帶著夢寰等向左面峰角繞過去。

拐過幾個彎，眼前境界突然一變，一道深谷繞著山峰，曲折伸延而入，谷底足足有三、四丈寬，地勢平坦，奇花雜出，山風拂面，香氣襲人，兩邊山色凝翠，谷地碧草如茵，風景如繪，那一獅一鶴卻是不知去向。

四人施出輕功，沿谷底奔跑一陣，繞過幾十座山峰，天色已經不早，慧真子見夢寰和霞琳等人臉上都微現倦容，遂停住步回頭笑道：「這谷底溫暖如春，風景又好，我們先在這裡休息一下再走！」

這時候太陽已快下山，晚霞流照，迴光反射谷底，蒼松翠柏，吃夕陽一照，愈覺得青翠鮮凝。霞琳仰臥在草地上看著天上紅雲變幻，嘴角笑意盈盈，不知在想什麼。慧真子卻是星目四顧，默察四周山勢，不時用手在草地上畫來畫去，忽然一躍而起，走近崖邊，提聚丹田真氣，脊背貼在石壁上，一個身子蛇一般向那千尋削壁上升去，百多丈立壁斷崖不過一盞熱茶工夫，已然升上峰頂。

楊夢寰低聲向童淑貞道：「三師叔壁虎功實在不錯，一口氣能猱升百丈，我只能上三、四十丈就不行了。」

童淑貞笑道：「那你比我強多了，我大概只能升二十多丈。」

夢寰正待答話，霞琳忽然叫道：「寰哥哥，有人來了。」說著話，挺身坐起，童淑貞、楊夢寰一齊轉過頭看去，果然東邊走過一個青衣少年，步履輕逸，看上去走得很慢，其實速度驚人，眨眼功夫，已到三人身後。夢寰連人家面貌都還未看清，只聽一聲冷笑，青衣人已從三人

身後過去，三個人都不覺轉過頭去看那青衣少年背影，這一留神細看，楊夢寰、童淑貞都嚇得心裡一跳。

原來那青衣少年，兩腳並未落在實地，只踏在谷底青草上面，這草上飛行功並不算太難，楊夢寰自信也能來得，難在人家一口氣走這樣遠的距離，因爲草上飛行的功夫，全憑丹田中一口真氣，功夫好的一口氣也不過走個三、五十丈遠近，而這青衣少年一段行程，少說點總有兩、三里遠，更難的是他步履飄逸，舉重若輕，形緩實快，楊夢寰只看得心中驚奇不定，暗想：這人輕功之高，不只自己望塵莫及，就是師父和師叔也難望其項背，不禁看著那青衣人背影發起呆來。

再說慧真子登上峰頂，極目望去，只見東方品字形突立著三座高峰，正中一峰有一條銀線下垂，晚霞照射裡，閃閃生光。慧真子看了一陣，忽然醒悟到那倒垂銀線，可能是一道瀑布，就目力所及山勢形態，以那三峰最爲雄奇，再看駐足峰下幽谷，雖然蜿蜒迴轉，但伸延去向，卻是對著那三座奇偉的山峰。

慧真子看清楚山勢，又用壁虎功遊下峭壁。楊夢寰把剛才見到那青衣少年的事，說給慧真子聽，這位名馳武林的女俠，聽完話臉上變了顏色，凝神沉思，良久不語，因爲楊夢寰描繪那青衣少年所用身法，並非一般草上飛的功夫，似是一種極高的凌空虛渡內家神功，能有這種功力的人不但可摘葉傷人，飛花殺敵，而且借一葉一草之力，可橫渡百里江河，不過凌空虛渡神功，只是武林中一項傳說，慧真子幾十年江湖行蹤，見聞博廣，就沒有聽說過天下武林人物中，哪一個有這種功力，但她近日的觀察所得，楊夢寰又是個謹言慎行的人，他誤以爲那青衣人所用乃草上飛的功夫，描繪入微，當非虛言，這確實使慧真子吃驚不小。

她想了一陣，故作鎮靜問道：「你看那青衣人有多大年齡？」

楊夢寰思索半晌，答道：「弟子慚愧得很，那人步履輕逸有如行雲流水，實則快迅無比。弟子雖很留心打量他，但卻沒能看清他的面目，看他身材嬌小纖瘦，似是年紀很輕，難得他草上飛的功夫，練得那樣超凡入化。」

慧真子搖搖頭，道：「如果你說得不錯，那不是草上飛的功夫，他經過你們身後時，是不是帶有一陣微風？」

一句話提醒夢寰，怔了一下，答道：「不是師叔問起，弟子倒還想不起來，青衣人經過時，不但未覺帶有微風，而且他衣袂不飄，雙膝不曲，碎步輕移中晃如落絮流煙，和一般草上飛行身法，大不相同。」

慧真子心中更覺驚異，但仍保持著鎮靜，淡淡一笑，不再說話，楊夢寰雖然覺得師叔言未盡意，但慧真子不說，他也不敢追問。

天色漸漸入夜，東方天際，冉冉升出一輪明月，清光如水，把碧翠山色，沉浸在月華之中，幽谷更靜，景物更美，慧真子緩緩站起，仰臉望月，漫步草地，神態間甚是悠閒，童淑貞卻知道師父心中正在思解著什麼難題。

忽然間，靜寂的山谷裡遙遠傳來一聲長嘯，楊夢寰霍然坐起，沈霞琳和童淑貞也接著跳起來，慧真子卻凝神靜聽，只待那嘯聲餘音全絕，才回頭低聲對三人說：「很多武林高手，都已趕到括蒼山來，這嘯聲當在五里之內，你們收拾一下，快趕路吧。」

四個人展開了飛行身法，幽谷中疾逾奔馬，足足跑了有兩個更次，估計至少有七、八十

里，這條幽谷似無盡止一樣，愈深入愈覺得雄偉秀奇。

又轉過兩個大彎，驟聞瀑布如雷，抬頭看，月光下三座奇峰環立，兩前一後排成了品字形，正中一峰上有一條巨瀑激射而下，月光下看那條瀑布像白絹由峰頂垂下，同時幽谷也突然開朗，奇花爛漫，香風襲人，幽谷盡處，一道清溪，繞巨松下面一塊半畝地大小的大石，向左側一個深洞中流去。巨瀑雷鳴聲中，隱聞溪水淙淙。慧直子帶夢寰等走近那深澗旁邊，向下探視，溪水如一道水簾而下，竟是聽不出水落澗底的回音。這深澗長不過十丈，寬不過三丈左右，說它是條深澗，倒不如說它是一個深洞，在平闊的谷底忽然下陷，而且深不見底，造物神奇，實令人不可思議。

慧真子神凝雙目，伏身向下細看，無奈深澗洞中黑暗異常，慧真子雖有精湛的內功，超人的目力，也不過只能看到十丈左右，無法窺得洞中景物。

猛然，那沉沉黑暗中有點白影閃動，急如電光石火剎那間已到洞口，白羽如雪，雙翅生風，又是那隻奇大白鶴，白鶴剛剛飛出洞外，沈霞琳已拍手叫道：「啊！原來大白鶴在這深洞裡。」

她一叫，楊夢寰心裡一動，倉促間，無暇思索，奮身一躍而起，左掌護面，右手施出天罡掌中絕招「赤手搏龍」，急如離弦弩箭，猛向那白鶴撲去。

巨鶴本正昂首急上，見有人撲擊，猛地一轉鶴身，左翅閃電下擊，勁風奇猛，力道逼人，楊夢寰掌勢未到，鶴翅搧出勁風已自罩下，夢寰只覺全身吃那勁風打中，心神一震，勁力頓失，人從一丈多的高空中摔下，那巨大白鶴在打落夢寰之後，卻抬頭直上而去。

慧真子道袍一拂，人便急搶過去，正好接著楊夢寰下落身子，霞琳直急得兩眼流淚，望著寰哥哥說不出話來。

慧真子左手在夢寰「人中穴」上微微一推，楊夢寰緩過一口氣，睜開眼挺身而起，看霞琳呆呆地望著他，淚水如斷線珍珠，搖搖頭笑道：「你哭什麼？我又沒有受傷。」

霞琳抬起右袖，抹去臉上淚痕，道：「那大白鶴壞死了，我不再想牠了。」

沈姑娘話剛落口，松影中傳出來一聲沉喝道：「琳兒嗎？你怎麼會跑到括蒼山來了。」

這聲音是她十餘年聽慣的熟悉聲音，不用回頭看來人是誰，立時大聲喊道：「師父，師父。」

原來是一陽子和澄因大師。

慧真子十幾年未見大師兄了，見面之後，心裡甚是高興，幾個人坐在月光下面，她把一路見聞警兆，很詳盡地說給一陽子聽。

各派高手聞風集湘北爭奪藏真圖，原在一陽子意料之中，不過他倒沒想到會這樣快，而且聽慧真子所述經過，華山派八臂神翁、點蒼雙雁都已趕來括蒼山了，天龍幫幫主李滄瀾一代怪人，他恐怕更有嚴密的佈署。但最使一陽子感到驚異的，還是聽慧真子述說了幽谷中聽到的玉簫和那神龍見首不見尾的青衣怪人，玉簫仙子隱現江湖，神出鬼沒，直如飄忽魔影，青衣怪人來路不明，更使人難測高深，而且這兩人出現都在這條幽谷中，距此不過百里，看來這場慘烈爭鬥，就要在括蒼山中展開了。

一陽子心裡雖是憂慮重重，但外表仍很鎮靜，望著慧真子笑道：「我和澄因大師依圖索驥，在括蒼山中苦尋了六、七天，才尋到這條幽谷，你們一進山就摸到這裡，而且還比我們先到一步。」

慧真子道：「這只能算是趕巧，被我瞎走亂撞碰對了。」

一陽子知此刻光陰寶貴，也不再多說，月光下展開藏真圖，看白絹外面一層所繪山勢，三座高峰品形排列，中間一峰，南端一道瀑布，正和這幽谷背景相同。再看裡面一層所繪景物，亦和幽谷處完全一樣，《歸元秘笈》就在附近，已是無可置疑，只是圖上並未明示藏處，這還得費一番思解。

幾個人研論一陣，一時間倒難悟解，一陽子抬頭看天，見月光透松而下，風搖松影，滿地銀星閃動，低吟圖上謁語下兩句：蒼松篩明月，石上流清泉。

猛地，他一躍而起，繞著巨松下面大石細心察看，潺潺清流，環繞大石半周，流入百丈外一座深澗。一陽子察看那大石天然生成，四周並沒有絲毫痕跡可疑，腦際中閃電般掠過一個觀念，暗想：這條山溪不知流了數百千年，這個大洞般的深澗，不管有多深，只要沒有出水的地方也該流滿了，看來這澗底必然另有出水道，通往別處，心念一動，不覺走近澗邊，伸手一摸，光滑溜手，仔細一看，這十丈長短，三丈寬窄的深澗，四周都是天然生成的石壁，宛如一塊完整石山，經人工開鑿而成，想起藏真圖上那句「石上流清泉」的含意，心中一高興，失聲叫道：「不錯，這深澗底中，必另有一番天地！」

一陽子伏視深澗，一片漆黑，而且四壁光滑，著足無處，要想深視，必得甘冒奇險，想了一陣，抬頭吩咐夢寰道：「你去採集些老藤來。」說罷，靜坐草地，閉目運行內功。

一會兒功夫，夢寰扛著幾大捆老藤回來，一陽子霍然站起，笑道：「這深澗四壁光滑異常，而且不知多深，壁虎功恐怕難遊到底，我要借這老藤之力，一探澗底景物，你們可在上邊等我。」說罷，命夢寰把採得的老藤一根一根連接起來。

夢寰接好葛藤，接道：「弟子願代師父入澗……」

一陽子微笑搖頭，接道：「澗深難測，其中難保不無毒物怪獸之類，非你力量所能勝任。」

慧真子接道：「我代師兄一探如何？」

一陽子大笑道：「掌門師弟，正需你多方扶助，豈可代我涉此奇險，我如身有不測，望你能善爲照顧夢寰和霞琳兩個孩子，並代向掌門師弟爲我請罪，我把追魂十二劍私授了門下弟子。」

一陽子手抓葛藤一端，走近澗邊，一躍而下，澄因大師緩緩把葛藤拉長，片刻工夫，一陽子已消失在澗中沉沉黑暗裡。

慧真子等都凝神靜望洞底，每人心裡都升起一縷感懷。澄因大師手中葛藤十丈、百丈地緩入下去，約到了二百餘丈，猛聽那沉沉黑暗中傳上來一聲長嘯，接著葛藤一輕，心知一陽子已落到澗底，才鬆了一口氣。

幾個人焦急地在深澗崖上等待著，可是一個時辰過去了，兩個時辰過去了，月亮落下去，太陽爬上了山峰，一陽子仍然沒有一點消息。

楊夢寰擔心師父安危，再也忍耐不住，躬身對慧真子道：「師叔，弟子想下去看看師父！」

慧真子看他焦急之情，溢於言表，倒不好硬性攔他，點點頭道：「你要小心點，如果找不到師父，不要在深澗中多耽誤時間。」

四　歸元秘笈

夢寰緩緩而下，一面凝神打量這深澗形態，好似鍋底一樣，愈深愈形收縮，二百丈後，只不過剩下兩丈方圓大小，那流入澗中溪水，打在石壁上，散成千萬點黃豆般的水珠兒，四下飛落，片刻間楊夢寰衣履盡濕。

大約在二百五十丈左右，才到澗底，夢寰細看澗底形態，長約一丈，寬約八尺，向西邊斜下，入澗溪水都沿斜坡從一條大石縫中排出，靠東面光滑石壁間，有一座高可及人的石門，半開半閉，楊夢寰側身進門，眼前又是一道曲折的夾道，夾道很窄，僅可容一人通過，而且黑暗如漆。夢寰神凝雙目，貼壁而入，走了一陣，夾道逐漸開朗，碧光隱隱，也不像剛入石門那麼黑暗。

又走了一段，景物越覺奇麗，兩邊夾壁，色凝翠玉，晶瑩透明，碧光耀目，宛如置身琉璃世界一般！楊夢寰哪見過這等景物，不禁暗裡幾聲嘆息：世界之大，真是無奇不有，誰也想不到數百丈深壑之中，竟會有這樣一番天地，如非目睹，縱是聽人說起，也難置信。

猛的一聲嘆息，從夾壁中遙遙傳來，楊夢寰聽出那是師父聲音，這一驚非同小可，加快腳步，急奔前進，拐一、兩個彎，夾壁已盡，景物豁然開朗，一塊畝許大小的草地上，種滿著各色花樹，一陽子盤膝坐在花樹中間，仰著臉凝神沉思，夢寰離他就不過兩丈左右，他卻是毫無所覺。

楊夢寰心知有異，一個箭步，躍到花樹林邊，正想行入，猛的心中一動，停住腳步暗想道：看樣子師父似是被困在這一片花樹林正中，不能出來。他知師父不但武功精純，而且還精通八卦易理，五行奇門之術，縱讓這些花樹按著八卦易理排成陣式，也難困住師父。

楊夢寰心覺懷疑，不敢莽撞，細看花樹排列形態，散亂無序，卻又不像八卦陣式，心中愈發不解，楊夢寰天賦超人，他追隨一陽子十二寒暑，不但學會一陽子全身武學，而且也學得了一陽子滿腹文才，和八卦易理五行奇門之術。

這時看不出這一片花樹林有何奇特之處，正想舉步而入，倏見一陽子挺身而起，一邊想著，一邊左轉右回，夢寰站在林外，看師父按五行奇門步法，左七右八，轉來轉去，卻始終走不出一丈方圓。有時眼看他已快到林邊，只要再多走幾步就可以出來，但一陽子卻突然轉身，又往來路走去，心裡大急，高聲喊道：「師父，再多走兩步。」他喊的聲音雖大，一陽子卻渾然不覺，連頭也不轉一下。

一陽子走了一陣，又在原地坐下，仰臉又是一聲嘆息，這嘆息聲，楊夢寰卻聽得甚是清楚。

此刻的楊夢寰，直急得六神無主，他見一陽子困入林中走不出來，知道自己更是不行。想了一陣，忽被他想出一個笨方法來，查點花樹共有九九八十一棵，一陽子受困地方，正在花樹林中，如果把一面花樹砍去，其陣效用自失，師父不就可脫困了嗎？只是這八十一株花樹，株株爛漫耀目，砍去倒是有些可惜，不過此刻救人要緊，自難顧及許多，心念既決，拔出長劍，伏身探臂，一劍劈去，一株花樹應聲而倒。

夢寰心思縝密，砍樹時總伏身出劍，花樹砍倒之後，才試探著腳步前進，覺得無異，再探向第二株砍去，砍斷之後，又用長劍挑開樹身。

他這笨方法還真行，約有頓飯工夫，被他砍去了二十七株，一陽子正在無法可想，猛覺眼前一亮，見夢寰站在旁邊，緩緩起身，道：「這花陣迴異於一般五行奇術，玄妙難測，虧你想得出這個辦法。」

夢寰笑道：「弟子無法可施，只得出此下策，毀去花樹。」

一陽子搖著頭連說：「厲害，厲害，我一時大意闖了進來，幾乎誤了大事。」

夢寰道：「那就索性把餘下花樹一齊砍去，免得我們出來再陷陣中。」

一陽子笑道：「這倒不必，花樹已被砍倒了二十七株，其陣妙用自破，我們進去看看吧。」

夢寰還是有些不大放心，手提長劍開路，凡是近身花樹，就順手揮劍劈倒，一陽子也不管他，猛的楊夢寰發現草地裡有白骨數堆，每堆相距不過數尺遠近，有些還骨架完好，或坐或臥，姿勢各自不同，不由停住回過頭望望師父問道：「這幾堆白骨，是人嗎？」

一陽子嘆口氣道：「《歸元秘笈》害人不淺，這些人都是爲得《歸元秘笈》，陷身花樹陣中，不能出去，活活餓斃在這裡。」

說罷，又想起剛才自己被困陣中情景，更是感慨萬千。

兩人穿過草地，地勢又漸窄狹，夾道盡處，迎面壁間現出兩扇石門，一陽子運氣行功，奮起真力一推，石門應手而開。裡面是一座三間房子大小的石洞，石洞左右各有一塊大青石，形如蓮台，上面盤膝坐著一尼一道，洞中奇香散漫，直透肺腑，中間一座青石案台，台上端放著一尺見方，五寸厚薄一個玉盒，台前一座石鼎，鼎中滿是白色香灰，奇香就是由那白色香灰中散發出來。

一陽子估計這一尼一道，必是傳言中的天機真人和三音神尼的法身，立即伏身參拜。楊夢寰見師父肅容跪拜，也跟著叩拜下去，暗裡抬頭偷看蓮台上兩人法身，合掌盤膝，閉目靜坐，狀似參禪入定一般。心中大惑不解，何以兩人歸真數百年，法體依然如生，竟是毫無殘損，難道這兩位前輩奇人，都已煉成了金鋼不壞之身，果真如是，何以仍歸坐化？他心中疑竇重重，百思不解，但見師父凝重神色，哪裡還敢追問。

一陽子參拜過遺體法身，緩步移近石案，細看案上玉盒，刻有八個大字：秘笈重寶，珍惜莫損。

數百年來，武林中傳言的第一奇寶，一旦呈出眼前，饒是一陽子功力深厚，也不禁全身微顫，說不出心裡是驚奇，還是快樂。他慢慢地舉起兩手，打開盒蓋，裡面端放著三本薄薄的冊子，最上一本封面上用紅朱砂寫著：《歸元秘笈》四個字。

一陽子只覺得一陣心跳，趕忙蓋好玉盒，從懷中取出一方黃絹，小心翼翼地包好玉盒，揹在身上，又拜了拜蓮台上天機真人和三音神尼法身，才和夢寰退出石室，從原徑出了石洞，一陽子在洞底仰臉一聲長噓，氣發丹田，聲如龍吟，由谷底直沖霄漢。

慧真子和澄因大師等人，正自等得心焦，聽到谷底嘯聲，才鬆了一口氣。大約有一刻工夫，楊夢寰首先攀藤登岸，沈霞琳自夢寰入洞之後，就一直瞪著一雙大眼睛，向澗底深注，臉上神色無限憂戚，直待看到夢寰上來才長長嘆了一口氣，微微一笑，憂容盡斂。

緊接著一陽子也攀藤上來，慧真子迎著笑問道：「怎麼在澗底恁長時間，你背上揹的是不是《歸元秘笈》？」

一陽子點頭笑道：「我被困到谷底花樹陣中，幾乎不能出來，但總算尋得了《歸元秘笈》重寶，不虛這一次千里跋涉。」說罷，無限感慨地嘆息一聲，把入澗被困，楊夢寰巧破花樹陣的經過說了一遍。

慧真子轉臉望望夢寰，笑道：「他不僅心思機敏，而且悟性超人，慶幸師兄有這樣一個好弟子，我們崑崙派後繼有人了。」

楊夢寰受師叔一陣嘉許，紅著臉訥訥地說不出話，一陽子神凝雙目深注夢寰，心裡想著一件極大的難題。如今《歸元秘笈》已經到手，爾後的問題，是應該找一個清靜的地方，研究秘笈中深奧含義。推想這一部武林奇書，必然是字字蘊蓄玄機，決不是一年半載所能領悟，但爲秘笈所引起的滔天風波，已然浪湧波翻，如果自己尋地潛修，餘波必及愛徒，甚至牽累到整個的崑崙派，這不是個人的仇殺恩怨，而是震盪武林的一件大事，不論哪一門派幫會，都將會參與這一場慘烈爭奪，想著想著，不覺嘆了口氣，這《歸元秘笈》，固然是曠世的奇書異寶，卻也是兇殺慘禍的根源。

慧真子看大師兄得秘笈之後，不但毫無歡愉之情，而且愁顏深鎖，似有無限隱憂，未及深思就問道：「大師兄，既已得到秘笈，應該快樂才對，爲什麼仍似有重重心事？」

慧真子話還未完，驟聞得一聲寒冷笑聲傳來，聲音不大，卻聽得甚是清晰。

一陽子陡地一驚，疾躍而起，雙目神光閃動，四顧笑聲來處，但心裡卻在打著邊鼓，因爲那笑聲聽來不遠，卻是看不到人蹤何處，就憑自己精湛內功，五丈內能辨落葉，怎的被人欺到

附近，竟是不能發覺。

一陽子心裡暗自嘀咕，慧真子和澄因大師也警覺到冷笑聲來得古怪，六隻眼睛四下搜尋半天，仍是未發現一點痕跡。

倏然，慧真子一躍而起，星目閃波，遙見四個奇醜怪人，護擁著一位白髯長衫老叟，扶杖而來。

刹那功夫，已近六人，老叟像貌甚是清奇，白髯過胸，青衫及膝，兩道白眉從眼角直垂下來，但臉色紅潤發光，毫無龍鍾之態，芒鞋白褲，手握龍頭拐，再看那護擁著老叟的四個怪人，青一色黃麻大褂，赤足革履，襯著四張疤痕斑斑的怪臉，怎麼看也不像人樣。

那老叟在距六人一丈左右停住，對一陽子等拱手笑道：「崑崙派三子望重武林，老朽有幸，今天得會高人。」說罷，又是一笑響徹雲霄的大笑。

一陽子見老叟一副清奇的長相，已知是天龍幫幫主海天一叟李滄瀾了。身邊四個面貌奇醜，裝束詭異的人，大概是傳言的川中四醜。當下也合掌一禮，笑道：「李幫主江湖奇人，手創天龍幫，聲威遠播，崑崙三子山裡閒人，何足和李幫主相提並論？」

李滄瀾微微一笑，道：「客氣，客氣，崑崙派乃武林中九大派之一，天龍幫不過是江湖草莽結合，旁門左道，怎敢和武林九大正宗門派互爭長短。」

說畢，笑容突斂，兩道精芒冷電似的眼神，落在一陽子身揹黃絹包袱上面，又道：「風聞傳言，觀主得到武林中流傳數百年的藏真圖，不知此話是否誤傳？」

幾句話問得一陽子頗難作答，因為他是江湖極負盛名的人，自難信口開河，矢言否認，沉吟一陣，才道：「不錯，貧道確是得有此物。」

李滄瀾淡淡一笑，道：「觀主既得藏真圖，自不難尋得《歸元秘笈》，俠駕揹負黃絹之內，可是《歸元秘笈》嗎？」

這單刀直入的一問，一陽子臉色微變，冷冷接道：「正是《歸元秘笈》，李幫主詢根究柢，意欲何爲？」

海天一叟呵呵一陣大笑道：「《歸元秘笈》雖是武林奇珍，但我李滄瀾還不屑硬搶強奪，目前括蒼山中雲集高人不少，這件事總得鬧一個水落石出，老朽倒有一個公平辦法，《歸元秘笈》仍由觀主暫行保管，但不得私自啓閱，由貴派掌門人和老朽具名，邀九大門派掌門人和天下英雄，二次比劍，一則可決數百年來各門派名次煩惱，二則也可決定這《歸元秘笈》歸屬，此一舉兩得之法，不知觀主意下如何？」

一陽子還未及答話，慧真子已搶先說道：「《歸元秘笈》既是我們崑崙派尋得，自應屬我們所有，至於二次比劍定名，李幫主儘管自行柬邀，崑崙派自當奉陪，但恕我們沒有具名主持的雅興。」

李滄瀾一陣冷笑，截住慧真子的話，道：「這位想必是馳譽武林的女俠慧真子了，老朽在和令師兄一陽子道長說話，長幼有序，女英雄最好是不要插嘴。」

慧真子臉上一紅，卻是無法反駁，轉臉看著師兄，一陽子面帶怒意答道：「李幫主有雄心柬邀天下英雄二次比劍，不失光大武學盛舉，崑崙派自無退縮之理。不過這和《歸元秘笈》並無因果關連，大可不必牽扯一起。貧道急於西返，恕無暇和幫主作論辯，貧道等在崑崙山金頂峰三清宮敬候教示，但接得一紙邀約，我們必按期踐約。」說罷，回頭招呼楊夢寰等趕路。

李滄瀾一橫手中龍頭拐，攔住去路，大笑道：「你們再往前走，不出三十里必遇上別人攔截，老朽縱然不出手，你那《歸元秘笈》也難保得住。」

一陽子冷笑道：「崑崙三子還沒有受過別人的閒氣，李幫主示警濃情，貧道心領就是。」

海天一叟又笑問道：「如果別人動手強搶你《歸元秘笈》，天龍幫是不是也可以湊湊熱鬧？」

一陽子冷笑道：「這個當然可以，貴幫主如果有興趣，儘管出手就是。」

李滄瀾一收龍頭拐，讓開去路，笑道：「咱們就這樣一言約定，如果別人不動手搶，天龍幫決不故意作難。」說完話，轉身緩步而去。

一陽子直待李滄瀾和川中四醜去遠，才回頭對夢寰、霞琳道：「等一會兒遇人攔截，你們切不可擅自出手，來人大都是當代武林第一流高手，自負很高，你們不出手，他們決不會對你們幾個孩子有所舉動。」

楊夢寰聽出師父語重心長，淡淡幾句話中含意深刻，分明存了捨命護衛秘笈心意，心中一酸，剛喊得一聲：「師父……」

一陽子已搖搖頭，不讓他說下去，卻招呼慧真子和澄因大師向前趕路。

又走了二十多里，已是未末申初時光，幽谷中山風徐來，花香撲鼻，山光凝翠，景色宜人，幾人的心情卻沉重異常，即將降臨的一場血雨腥風搏鬥，形成一種沉默的緊張。

驀聞得幽谷一側峰腰松樹上一聲大笑，從十幾丈高空裡翻降下一個人來，長衫飄風，白髯如銀，手握竹杖，橫阻去路，對一陽子拱手笑道：「玄都觀主，別來無恙，尚識老友聞公泰否？」

慧真子冷笑一聲，接道：「華山派掌門人，果然言而有信，你倒是真找上括蒼山來了？」

八臂神翁笑道：「來的何止老朽一個，點蒼雙雁除外，大概總還有十幾位江湖上難得一見的朋友，天龍幫五旗壇主來了三個，這是嵩嶽少室峰比劍之後，三百年來空前盛會，好戲連台，當有得熱鬧可看。」

一陽子冷冷接道：「這麼說，聞兄也是來參與這場盛會了？」

聞公泰大笑道：「豈敢，豈敢，我不過是敬陪末座，趕來湊個數罷了。」

一陽子哼了一聲，道：「秘笈就在我背上包袱中，聞兄如自信能取得去，就請動手吧！」

八臂神翁面色一變，怒道：「分光劍術和天罡掌算不得武林絕學。我自信還能接得幾招，不過我們華山、崑崙兩派素無恩怨可言，道兄如肯讓我們華山派參入共研秘笈玄妙，老朽願助幾位一臂之力，合拒當前各路強敵。」

一陽子笑道：「聞兄好意，貧道心領，但崑崙三子還不願屈膝求人。」

聞公泰一橫手中竹杖，道：「那我只好領教道兄幾手高招了！」

一陽子翻手抽出背上長劍，道：「當得奉陪，能一睹聞兄彈指金丸絕技，埋骨括蒼山，死而何憾。」

聞公泰青竹杖一招「笑指天南」當門直擊，一陽子劍化「八方風雨」，光如匹練繞體，架開青竹杖，趁勢一招「白雲出岫」，劍尖銀芒顫動，疾刺前胸。八臂神翁口喊一聲：「好劍法。」彈開長劍，縱躍而起，凌空撲擊，但見一團碧光，當頭罩下。

一陽子長笑一聲，展開分光劍法迎敵。他內功深厚，同樣一套劍法，和楊夢寰卻有不同，拒敵搶攻，招招含蓄勁力，著著蘊藏變化，兩人一接上手，剎那間對抗上了十六、七招。

聞公泰升起了怒火，青竹杖「神龍三現」，杖帶勁風，刷！刷！刷！三招急攻，逼開一陽子綿密劍光，人卻借機一個倒翻，退出一丈多遠，右手橫杖，左手虛空一抓，驟然間鬚眉俱張，兩目注定一陽子慢步逼來。

一陽子知他再次出手搶攻，運聚了畢生功力，旨在速決，自是不敢大意，腳踏乙木丙火，劍尖斜指癸水，左肘內曲，掌平前胸，氣聚丹田，功行周身，凝神待敵。

慧真子直看得心裡暗急，因爲兩人即將以數十年內功火併，作生死一搏之拚，這一發之勢，勝負即見，存亡立分，眼看兩人都真到了弦滿待發之境，猛聞一聲大笑道：「兩位且慢作生死之拚，我兄弟也來湊湊熱鬧如何？」

聞公泰收斂了待發功力，回頭見來人正是點蒼雙雁，冷冷道：「兩位處處趕巧？看來我們緣份實在不淺！」

一邊說話，一邊轉身向點蒼雙雁迎去。

原來八臂神翁正想集一生功力，和一陽子作勝負之分的一拚，勝即趁勢搶走《歸元秘笈》，敗了再用他獨步江湖的彈指金丸求勝。他自信內功精湛，勝多敗少，哪知兩人正待出手之際，點蒼雙雁卻不早不晚地趕到，聞公泰心中一涼，知道縱然搶得《歸元秘笈》，慧真子和點蒼雙雁必將合力攔截，自己彈指金丸，雖稱武林一絕，對付慧真子和澄因大師追襲則可，如再加上點蒼雙雁，四個高人聯手合擊，就有點力難從心。不由把一腔怒火，轉發到點蒼雙雁身上，以目前形勢而論，只有先擊敗點蒼雙雁，去了兩個強敵，再回頭搶奪《歸元秘笈》。他料想一陽子等決不會幫助雙雁，所以就把凝集功力，轉對雙雁，想一舉擊敗雙雁兩人。

但點蒼雙雁亦非弱手，那道袍椎髻，紫面長鬚的三雁中的老二，名叫雲中雁廖坤，白面無

髯，方巾藍衫，儒生裝扮的是老三追風雁葉惠，和老大翻天雁馬家宏，合稱點蒼三雁，三人中以馬家宏武功造詣最深，爲點蒼派中第十四代掌門人。廖坤、葉惠武功雖和師兄相差很多，但也算武林中頂尖人物，馬家宏已習得上乘功夫，每日埋頭潛修，很少下山，廖坤、葉惠卻經常聯袂在江湖上走動，這次兩人遊蹤抵湘鄂時，風聞一陽子得到藏真圖的傳言，隨即也動了爭奪《歸元秘笈》的貪念。來不及再回山知會掌門師兄，就追尋到括蒼山來了。

且說雙雁見聞公泰鬚眉俱張，緩步逼近，心知來意不善，趕忙暗中戒備，聯肩並立，暗中運氣，準備硬接八臂神翁排山倒海一擊。

聞公泰看雙雁靜如山岳，凝神待敵，知他們準備和自己一拚功力，暗裡一聲冷笑，正想發難，突問背後一聲清叱，接著一陣金鐵交鳴之聲，八臂神翁急把待發功力一收，轉身看去，不知何時蛇叟邱元已自趕來，而且已和慧真子動上了手，但見他蛇頭怪杖，吞、吐、劈、掃，杖風呼呼，凌厲異常。

慧真子仍以分光劍法拒敵，但見銀虹電閃，劍氣沖霄，蛇叟邱元迅猛無匹的攻勢，卻被慧真子輕靈巧妙的劍招化解開去。

聞公泰審時度勢，覺得目前還不宜和雙雁力拚，縱然勝得兩人，也必耗去不少真力，不如靜觀其變，等待下手機會。他心動念轉，收了待發功力，對雙雁一聲冷笑，道：「來日方長，待你們點蒼三雁聚齊之時，我再領教。」

慧真子和邱元動手八十來招，仍難分出勝負，這就逗起慧真子的怒火，嬌叱一聲，長劍驟變，施出追魂十二劍的絕招。剎那間，劍搖寒星萬點，光化瑞氣千條。這追魂十二劍，是崑崙派劍術精華，蛇叟邱元果然招架不住，吃慧真子劍風迫退到谷邊崖下，如果慧真子再下兩招殺

手，邱元必傷劍下。但她心地一向仁慈，不願隨便傷人，收劍笑道：「你蛇頭杖的招術實在不錯，但還搆不上搶奪《歸元秘笈》。」

邱元面泛愧色，低頭不語，八臂神翁站一邊卻冷冷接道：「邱兄，既已戰敗，你還有什麼等頭？早些請便吧。」

蛇叟受聞公泰一激，只氣得全身抖顫，頸下白鬚怒豎，臉上顏色鐵青，陰森森一笑，接道：「聞兄少說風涼話，咱們早晚都得有一場生死大拚。」

聞公泰冷笑道：「我早說過，邱兄決非人家崑崙三子敵手，今天當知我所言非虛。至於邱兄想和小弟再鬥，我自是捨命奉陪。」

邱元被聞公泰一激再激，直氣得雙眼冒火，丟掉蛇頭杖，探懷取出兩支雞蛋粗細，一尺七、八寸長短，形如判官筆的兵刃，望著慧真子笑道：「承蒙手下留情，本應含愧服輸，但我姓邱的一向就不知死活，想再以這一對飛龍棒領教幾手高招。」

慧真子見他仍不認輸，心中大怒，橫劍冷笑道：「你還有什麼兵刃本領，請儘管施展出來，我一定奉陪就是。」

邱元陰惻惻一笑道：「好，女俠請留心……」

他下面的話還未出口，慧真子長劍「浪捲流沙」已點到前胸，邱元只得以飛龍棒迎敵。這次慧真子出手不再留情，連施追魂十二劍中三絕招「起鳳騰蛟」、「神龍隱現」、「石破天驚」，三招迴環出手，直似狂飆掠空，一片精芒冷電，逼得邱元連跳帶躲才算避開。一陽子見邱元棄蛇杖不用，卻拿出兩支似棒非棒，似筆非筆的兵刃，心中很覺懷疑，留心細看也看不出有何奇特的地方，一時間猜測不透，但推想必有作用，正想招呼師妹留心，慧真子已自出手，

三劍疾攻，迫得邱元團團亂轉，一陽子一方面注意邱元手中兵刃作用，一方面還得防備八臂神翁和雙雁偷襲，就在他轉臉留神八臂神翁的一瞬，猛聞得慧真子一聲大叫，一陽子轉臉一看，只嚇得驚魂離體，一陣傷心，幾乎落淚。

原來慧真子三劍絕招，把邱元逼退了一丈多遠，想趁機再演殺手，迫服蛇叟，去一強敵，立即又一招「笑指天南」追擊過去，邱元兩眼怒睜，髮鬚倒豎喝道：「慧真子，你連下辣手，怪不得我心狠手辣了！」左手鐵棒迎著慧真子回劍一撩，慧真子心裡暗笑道：「你這是自討苦吃，」一沉玉腕，劍變「春雲乍展」，哪知變招未及出手，卻見眼前金光閃動，腥風撲面，匆忙中不及傷敵，把頭一偏，揮劍護面，突覺執劍右腕微微一疼，定神一看，只嚇得她一聲大叫，噹的一聲長劍落地。

只見慧真子雪白的玉腕上，釘著一條七、八寸長的金色小蛇，四個尖長毒齒，已經深嵌肉中，蛇身下垂，尾巴還不住擺來擺去，慧真子只覺得蛇口咬處，奇痛難忍，同時幾道黑線也緩緩循臂而上，心裡一涼，勁力頓失，一連後退幾步幾乎栽倒。

這當兒一陽子、澄因大師、楊夢寰等，都一擁而上，團團轉住慧真子，一陽子長劍一揮，就要斬蛇，卻聽邱元大聲喊道：「快些住手，你真不想讓她活了嗎？」

一陽子停住手，轉臉對邱元喝道：「一條小小毒蛇，該有多大毒力，難道還真要了人命不成？」

邱元冷冷答道：「如是一般毒蛇，倒是要不了一個內功精湛人的命，不過我這金線蛇卻是不同，除非你是鐵打金剛、銅澆羅漢，不然就承受不了。你要斬斷咬在腕上的蛇，毒蛇負創後，必把全身毒液，完全傾注她傷處，不出一個時辰，奇毒攻心而死，要不你就試試。」

一陽子細看那金色小蛇，果然是連見都不曾見過，低聲對慧真子道：「你快靜坐運功，先閉上右肘曲池穴，別使蛇毒蔓延。」

這時慧真子反而沉住了氣，淡淡一笑，深注著大師兄道：「死了也不算什麼！你千萬別受他要挾。」說罷，慢慢地坐下，閉目行功。

一陽子看見師妹，玉腕上金蛇擺動，嘴角間卻含著微微笑意，數十年的情愛往事，剎那間齊湧心頭，慧真子此刻視死如歸的神情，直如十萬把無形利劍洞穿了他的心，一陽子一陣酸楚，萬念俱寂，緩緩解下背上黃色包袱，拿在手中對邱元道：「你不過是要得到《歸元秘笈》，現在我讓你趁心如願，不過，得先替她解了金線蛇毒。」

八臂神翁和點蒼雙雁，站在一邊只看得眼裡噴火。邱元也是呆了一呆，才答道：「如果我要想騙你《歸元秘笈》，胡亂給你點藥物，未嘗不可，不過我邱某還不是那種下流卑鄙的人。」

一陽子心裡一涼，顫聲問道：「這麼說，是無藥可救了？」

邱元道：「性命倒是可以保住，但她一身功力卻得盡付流水，就這樣也不過能再多活十年，十年後蛇毒復發，縱有起死回生仙丹，也難以救得。」

一陽子嘆道：「就是再活十年吧！你替她解了蛇毒之後，我就交給你《歸元秘笈》。」

邱元從懷中取出一個白玉小瓶，倒出一粒綠色丹丸，放入口中嚼碎，把右手飛龍棒握把處機簧一按，頂端立時自動裂開。原來他這一對飛龍棒，中間是空的，裡邊各藏著一條金線毒蛇，和人動手時，只要一按把柄機簧，頂端即自行裂開，金線蛇趁機急竄而出。

這一對特殊兵刃，費了蛇叟不少心血，金線蛇更費了他數十年功夫，遍走西域名山，才尋得一對。他本來是準備用以對付聞公泰，以報二十年前一敗之辱，卻不想初度試用，會傷了慧真子。

邱元走近慧真子，臉上神色緊張，他先把那擺動的金色蛇尾套入飛龍棒頂端裂口裡，然後猛的一張嘴，噴出嚼碎的綠丹。

那綠色丹丸本是專門剋制毒蛇的藥物，金線蛇吃藥力一迫，張開咬在慧真子腕上的蛇口，滑入飛龍棒中，邱元趁勢一鬆機簧，裂口密合，他收好了金線蛇後，才鬆了一口氣，道：「現在只待替她除毒，不過，在這深山幽谷裡無法尋齊用具藥物，待出了括蒼山才能動手除毒。」

一陽子皺眉怒道：「大丈夫言出如山，難道我說出的話，還會抵賴不成？你不用害怕我失言背約，我先把《歸元秘笈》交你就是。」說罷，遞過去手中黃絹包袱。

邱元接過《歸元秘笈》，冷冷答道：「如果我信不過你，也不會告訴你實話，要解她身上蛇毒，必須先用百斤滾醋，薰迫她身上蛇毒集回傷處，然後再服藥物逐除餘毒，需時一百日，才能收效。」

一陽子冷冷笑道：「要出山至少也需一日夜的工夫，她還能支持得住嗎？」

邱元揚揚手中白玉瓶道：「我這玉露解毒丹，去解各種蛇毒，如果一般毒蛇咬中，只消服用一枚，便可無事，現在我盡這一瓶玉露解毒丹之力，護著她六腑要穴，不讓蛇毒攻心，總可支持兩天以上時間。待出了括蒼山再配藥物替她療毒。」

一陽子嘆息一聲，接過白玉瓶，轉臉看師妹，眉宇之間，隱隱透出一層淡淡黑氣，右腕傷處，已盡呈紫色，心中難過至極。緩步走近她，打開瓶塞，倒出兩粒丹丸，低聲道：「你先服了這兩粒丹丸，我們就趕路出山。」

慧真子正行功在緊急關頭，一陽子對她說話，全然不覺。

澄因大師接道：「暫別擾她行功，待會兒再服不遲。」

這當兒，一陽子已失去往常的鎮靜，臉上滿是焦急神色，澄因大師心中一動，暗想：「看來他們師兄妹之間，當不止同門情誼。」觸景生情又想起自己兒時一段情愛糾爭，偏臉看霞琳，小姑娘正睜大著一對眼睛，一臉黯然神情，凝注著師父傷處，兩行清淚，順腮而下。

這當兒，猛聽得聞公泰一聲大喝，青竹杖「浪捲流沙」突然向邱元掃去，左手五指箕張，順勢搶奪邱元手中《歸元秘笈》。

蛇叟不及迎敵，一個急翻，後退八、九尺遠，哪知點蒼雙雁也在蓄勢待發，邱元腳還未穩，雙雁已分左右撲到，四掌挾風猛擊。這一擊，雙雁都盡了全身功力，勁道奇大，迅捷無倫，邱元一時間應變不及，左肩吃雲中雁掌風掃中，全身晃了兩晃，追風雁卻易打為抓，劈手搶過蛇叟手中《歸元秘笈》，兩個縱躍，已到崖邊，右手提著《歸元秘笈》，左手攀登斷崖雜生矮松，冒險向那峭壁上搶登。

這變故，不過是一剎那的工夫，八臂神翁和點蒼雙雁都是武林中一流高手，蓄勢而發，出手如電，等一陽子和澄因大師待驚覺要救，追風雁已搶得《歸元秘笈》，爬上斷崖十餘丈了。

最不甘心的，自然是八臂神翁，他如不出手一擊，縱然雙雁一齊動手，也決難搶走秘笈，想不到自己以一代宗師身分，甘冒武林大不韙，突然發難，卻促成了點蒼雙雁機會，心中暴怒已極，捨了邱元，反向點蒼雙雁趕去。

追風雁葉惠，趁師兄雲中雁廖坤一掌擊中邱元，藉機搶走了《歸元秘笈》。廖坤讓師弟帶著秘笈搶登崖壁，自己抽出背上吳鉤劍，橫身攔敵。聞公泰含忿追到，青竹杖一招「寒月滄

波」當門點去，廖坤吳鉤劍「野火燒天」橫撩青竹杖，聞公泰沉腕下掃，青竹杖化招「金剛掣尾」，雲中雁縱身躍起，劍勢未及變化，八臂神翁青竹杖已連演伏魔杖中絕招，但見碧光似電，杖風如嘯，挾雷霆萬鈞之勢攻到。

這三招猛攻，宛如冰山潰倒，雲中雁失了先機，枉自一身本領，不及施展，已被迫到谷邊。八臂神翁心懸《歸元秘笈》，哪有心情和廖坤纏鬥，青竹杖猛的又一招「開山倒流」，想逼開雲中雁以便搶登峰壁追趕葉惠。

廖坤受聞公泰連著幾招猛攻，迫退了一丈多遠，心中也是怒極，此刻哪還肯讓開路，功行右臂，力透劍尖，大喝一聲，吳鉤劍「獨撐五岳」硬架八臂神翁一招，聞公泰吃廖坤這全力一擋之勢，竟自被震退三步，但雲中雁的苦頭更大，只被震得血翻氣湧，虎口發熱，吳鉤劍幾乎脫手。

雲中雁暗裡一驚，心想：八臂神翁這老兒果然是名不虛傳，倒真得小心迎敵。他心念初動，聞公泰已凝集了功力，一掌劈出罡風一陣迎面打到，這一擊威勢奇猛，直似無際大海中千丈狂濤下捲。

雲中雁不敢硬接，向右側一個翻身，避開來勢，聞公泰掌風擊中崖壁，一陣砂石橫飛，塵硝瀰天。八臂神翁趁勢施出「飛燕凌波」輕功，眨眼工夫已登上峭壁數丈，廖坤心中大急，仗劍急追上去。

這當兒，一陽子反而把《歸元秘笈》看淡了，慧真子的生死安危，成了他心目中第一件大事，所以點蒼雙雁和八臂神翁爲《歸元秘笈》火併，他並不插手，反急步走近蛇叟邱元，問道：「你左肩掌傷如何?人還撐得住嗎?」

邱元嘆息一聲道：「想不到聞公泰以一派掌門之尊，竟會暗施偷襲，不是他先攻我一招，點蒼雙雁就是突然發難，也決傷不了我。」

一陽子道：「邱兄失去那《歸元秘笈》也好，書雖是曠世奇寶，卻也是殺人利器，我們崑崙派得到它不過一天，白白送上了一條人命，邱兄縱肯細心爲我師妹療傷，失去她一身武功不算，也不過再多活十年而已，十年歲月，彈指即逝……」

話到這裡停止，長長嘆一口氣，不禁淒然欲泣。

邱元心中也是一陣感概，垂首半晌，才抬頭答道：「道長如有心代令師妹報仇，待我醫好她傷勢之後，咱們兩個再作生死一搏便了！」

一陽子淡淡笑道：「這件事以後再談，崑崙派是否找你報仇，我也做不得主。倒是你左肩傷勢如何？是不是需要我略效微勞？」

邱元笑道：「如果點蒼雙雁打碎了我的肩骨，我就斷去一條左臂，也死不了。」說罷，暗裡試行運氣，氣行左肩，一陣急疼，左肩竟自舉不起來。

一陽子搶前一步，驟然抓住邱元左臂，向上一抬，左掌在他肩後「風府穴」上一拿一推，只疼得邱元頂門上汗水滾滾，但他卻忍住沒有出聲。

一陽子停手後，道：「你再試試看，可不可以舉得起來？」

邱元依言把左臂舉了兩下，笑道：「謝謝你給我接上斷骨，看來點蒼雙雁那點功力有限得很。我在猝不及防之下，他也不過只震斷我肩骨而已，要是吃聞公泰掌力擊中，肩骨是非碎不可。」

兩人談話當兒，慧真子已行功完畢。一陽子顧不得再答蛇叟問話，急急走近師妹，取出玉

露解毒丸，童淑貞屈一膝跪在師父面前，服侍師父吃下。

慧真子一連吃下五粒，抬頭不見了一陽子背上的黃絹包袱。一皺眉頭問道：「你的《歸元秘笈》哪裡去了？」

一陽子黯然答道：「那不是吉祥之物，不要也罷。」

慧真子淒苦一笑，道：「你想用《歸元秘笈》換我一條命是嗎？其實你是想錯了，我恐怕是不行啦。」說罷，星目神光閃動看了邱元兩眼。

一陽子不忍把她要失去功力，只能再活十年的事說明，只低聲慰道：「金線蛇奇毒並非無救，邱元已答應替你療治蛇毒。」

慧真子淡淡一笑，抬頭望天，慢慢說道：「我剛才行功時，已覺出毒侵內腑，氣阻要穴，別聽人家騙你！」

邱元插嘴接道：「只是蛇毒沒有侵入心肺肝臟，命是可保住，只是你一身功力，卻要失去，十年內蛇毒當不致復發。」

慧真子心中一驚，這比要她死更加難過，目光移注到邱元臉上，冷笑道：「那倒不如我死了乾脆，你發的什麼假慈悲？」

蛇叟想剛才動手時，慧真子幾次劍下留情，心中一惶愧，垂下頭答不出話。

一陽子微笑著從旁慰道：「十年歲月雖然不長，但也不算太短，等你療治好蛇毒之後，我們找一個清靜地方住下，我要好好地陪你十年。」

慧真子愁苦的臉上，泛起一陣紅暈，嘴角間也隱隱透出笑意，轉眼旁顧，微帶靦腆，但卻掩不住芳心一片喜悅。

沈霞琳眨眨眼，流下來兩顆淚珠道：「嗯！我和寰哥哥也要陪著師父，十年裡我們就不離開你一步。」說罷，又轉臉望著夢寰問道：「寰哥哥，你要去嗎？」

夢寰點點頭答道：「當然要去。」

霞琳笑上雙靨，偎在慧真子懷中又道：「到了那地方，我就捉一隻白鶴養著，養大了叫牠給師父提一條墨鱗鐵甲蛇去。」

慧真子拂著她頭上秀髮道：「可憐你入我門下，還未傳你一點本領，師父就遭人毒手所傷了。」

沈霞琳搖搖頭，還未及開口，突然聽得幾聲喝叱，追風雁葉惠，身負《歸元秘笈》，手握虎尾鞭，當先從去路崖上躍下，八臂神翁聞公泰、雲中雁廖坤一先一後跟蹤緊追。

三個人去而復返，看得一陽子甚覺奇怪，正想攔問，邱元已搶先發動，他顧不得左肩斷骨剛續，縱身一躍，橫右手飛龍棒攔住了追風雁葉惠去路，追風雁虎尾鞭橫掃一招「神龍控尾」，邱元側身半轉，飛龍棒「迎雲捧日」斜撩鞭梢，葉惠收鞭斂步，人已逼到邱元身邊，左手平推一掌，右腕回帶，虎尾鞭倏地收回，鞭尾倒捲，斜肩劈下。

這一招用得奇妙難測，十三節虎尾軟鞭，由中間一折，鞭尾回打，變出意外，邱元幾乎又被打中，百忙中向右翻滾數尺，才算躲開一鞭，可是邱元這一擋之勢，聞公泰已自追到後面，青竹杖「畫龍點睛」猛點葉惠背後「命門穴」。

追風雁橫裡一躍，聞公泰青竹杖一點落空，招術不收，腕勢一轉，碧光如電追打過去，迫得葉惠學邱元一樣貼地向左翻滾出去。

葉惠避開八臂神翁兩招，雲中雁廖坤吳鉤劍也已攻到聞公泰的身後，劍捲寒光，橫斷中

盤。

八臂神翁並不翻身迎敵，「一鶴沖天」全身凌空而起，閃開廖坤一劍，借身子下落之勢，青竹杖「潮泛南海」仍是猛攻葉惠。

追風雁大喝一聲，虎尾鞭捲風還擊，點蒼二雁合手並攻，雙戰八臂神翁，一霎時，劍風鞭影，殺氣漫天。

慧真子見葉惠背上《歸元秘笈》，回顧一陽子道：「你去把我們《歸元秘笈》奪回來。」

一陽子向前走幾步又停住，滿臉難色，慧真子卻一疊聲催道：「你快去呀！也許那秘笈中載有療治蛇毒的秘方。」

一陽子仍是猶豫難決，他不忍傷師妹的心，又不能自食諾言，站在那兒進退不得。

澄因大師知他難處，低聲對慧真子道：「你師兄已把《歸元秘笈》送給了邱元，他不便再動手去奪那秘笈。」

慧真子問道：「他把那秘笈重寶送給邱元，只換得我多活十年？」

澄因大師點點頭，慧真子心目中湧來兩眶淚水，自言自語道：「如果我不到括蒼山來，也許他還不會失去《歸元秘笈》，一部蓋世奇書，人間秘寶，只換得我十年毫無用處的歲月，慧真子啊！慧真子！你這十年的命，太值錢啦。」

一陽子陡然轉身，緩步走近她，笑道：「縱參秘笈成仙道，不如人間留十年……」

慧真子微合星目，淚流雙頰，低吟道：「嫦娥應悔偷靈藥，碧海青天夜夜心。」吟罷，靜坐草地，面露微笑。

八臂神翁力鬥雙雁，二十招後展開了八十一手伏魔法，青竹杖有如天馬行空，化一團碧光

飛旋，雙雁全力迎敵，也不過勉強支撐著不敗。

激戰中，突聞一聲長笑傳來，兩崖峭壁上人影翻飛，不大工夫，已落入谷底，一陽子細看來人，左面是李滄瀾和川中四醜，右邊並肩站著三個人，最後一個揹負青鋼日月輪，正是天龍幫紅旗壇壇主百步飛鈸齊元同，中間一個紫臉長衫，背插九環刀，腰掛鏢袋，是天龍幫白旗壇壇主子母神膽勝一清，靠左邊腰繫軟索三才鎚的是天龍幫黑旗壇壇主開碑手崔文奇，這三人都是江湖上名播遐邇的人物。

李滄瀾落入谷底後，龍頭拐一招「分浪裂流」，架開八臂神翁青竹杖、點蒼雙雁吳鉤劍和虎尾鞭三般兵刃，笑道：「三位暫時停停，聽我李滄瀾說幾句話如何？」

聞公泰看四周高手雲集，收了青竹杖，笑道：「李幫主有話儘管吩咐，我聞公泰洗耳恭聽。」

李滄瀾先看了追風雁葉惠背上《歸元秘笈》一眼，眼光轉射到一陽子臉上笑道：「道兄秘笈失竊，被老朽把偷竊的人給暗中擋回來了，不知道兄準備作何處理？」

追風雁葉惠只聽得臉上發熱，原來他從邱元手中搶得秘笈，登上崖壁後，被李滄瀾暗中用真力到處兜截，追風雁在峰上東跑西竄，每每都受一股潛力逼退，竟是無法離得開那十餘丈方圓的頂峰，心知遇上了高人，不如再下幽谷，沿著谷底逃跑。

聞公泰和廖坤都看著自覺奇怪，不過這當兒廖坤無暇追問葉惠也無暇說明。

一陽子拱手答道：「那《歸元秘笈》已非貧道所有了，我把它送給了邱元兄了。」

李滄瀾笑道：「道兄真是慷慨得可以，李某人佩服極了。」

說完，又望著邱元笑道：「那麼邱兄是受之有愧，又把秘笈轉送給點蒼雙雁了？」

蛇叟臉上一熱，答道：「邱某人如何比得上玄都觀主的宏量，我是被人家突下辣手搶去了。」

李滄瀾大笑道：「這麼說，大家都可以動手硬搶了，天龍幫也湊個份兒，熱鬧熱鬧吧！」

聞公泰冷笑一聲接道：「爭奪《歸元秘笈》，自然是大家有份，不過也總得有點規矩，貴幫中五旗壇主來了三個，加上李幫主和川中四醜，總共八個人，實力最大。這規矩得李幫主自己訂了，我們都當遵從約言。」

川中四醜聽聞公泰直呼他們綽號，個個臉上變色，他們最恨別人直呼川中四醜，熟人見面，都稱他們川中四義，此刻，如不是因幫主在側，早已和聞公泰動上手了。

李滄瀾微微一笑，道：「聞兄說得不錯，天龍幫來人雖多，但不一定都要出手，這個請你只管放心……」

海天一叟話未說完，猛見追風雁葉惠一躍而起，聞公泰心中大急，正待施展上乘輕功追截，李滄瀾已揚手一掌劈去，一股勁風隨手掌捲出，但聞得一聲大叫，葉惠從半空中摔了下來。

雲中雁廖坤急趕過去，扶起師弟，看他面色慘白，雙眉緊鎖，急聲問道：「運氣試試，看看內傷輕重。」

追風雁一張嘴，噴出來一口鮮血，道：「我……傷得很……重……」

廖坤一陣傷心，兩眼落淚，轉眼對李滄瀾道：「李幫主這一掌打得很好，點蒼三雁有生之年，絕不忘懷。」

海天一叟微一皺兩道垂目白眉，從懷中取出一粒金色丹丸，道：「你先服侍你師弟吞下丹丸，至於你們點蒼三雁報仇一事，老朽在黔北隨時候教。」

雲中雁看師弟傷勢很重，大有旦夕不保的危險，此刻不是要面子的時機，伸手接過丹丸，還未及放入葉惠口中，猛覺扶著師弟的右手一鬆，追風雁已強忍傷勢，解下背上《歸元秘笈》，掙脫身子，抖開黃絹，劈碎玉盤，兩手高舉三本薄薄的冊子，仰臉大笑，李滄瀾、聞公泰見追風雁葉惠要毀《歸元秘笈》，心中大急，不約而同，一齊出手，海天一叟奪寶不忘攻敵，左手閃電般去搶葉惠手中秘笈，右手龍頭拐猛點聞公泰。

八臂神翁青竹杖橫接一拐，只感右臂一震，前行勁力受阻，身子由空中落下，李滄瀾右手一拐擋住聞公泰，左手已抓住追風雁的右腕。

葉惠困獸猶鬥，左手一用力，三本《歸元秘笈》已被他撕開，海天一叟見撕破奇書，心中大怒，左腕加勁一收一推，追風雁立時骨斷腕折，悶哼一聲暈倒地上。

李滄瀾出手太快，雲中雁站在師弟身側，竟是搶救不及，待他吳鉤劍出手，李滄瀾已把葉惠撕的《歸元秘笈》搶到手中，龍頭拐反臂一掃，鏗的一聲，震飛了廖坤手中兵刃，他只覺右臂一麻，吳鉤劍脫手飛出兩丈開外，自知功力和人相差太遠，再動手是自找苦吃，轉臉看師弟，人已暈死過去，一陣感傷，急撲地上，扶起葉惠，替他接續斷骨。

八臂神翁見李滄瀾搶得《歸元秘笈》，心中急怒交加，探手入懷，取出一把金丸，正待施展彈指金丸絕技，猛聽背後一個冷冷的聲音喝道：「彈指金丸何足爲奇，比我飛鈸如何？」

聞公泰回頭一看，齊元同手握一口輪月大小的銅鈸，蓄勢待發，子母神膽勝一清，也扣著一對子母膽，飛鈸和神膽都是江湖上出了名的暗器，威力奇大，只要自已一發金丸，飛鈸和子母膽必將同時襲到，剛才他接了李滄瀾一拐，已知非人敵手，如再加上天龍幫三旗壇壇主和川中四醜，那無異以卵擊石，自取死路，心轉念動，強按下心頭怒火，冷笑一聲，把一把金丸又放回袋中，好在來日方長，待集齊華山派中高手，再設法奪回《歸元秘笈》不遲。

八臂神翁剛剛把金丸收好，突聽李滄瀾一聲大笑，把撕破的《歸元秘笈》擲給他，人卻緩步迫近一陽子，冷冷問道：「怪不得你肯把秘笈慷慨送人，原來已有準備，以假亂真，你們好坐山觀虎鬥，這辦法實在高明！」

一陽子怒道：「我取得《歸元秘笈》從未翻閱，你不要含血噴人！」

李滄瀾冷笑兩聲，道：「眾目睽睽，我就是存心以假換真，也換不了，再說也無此必要，天龍幫雖是江湖草莽結合，但沒有把你們號稱武林九大正宗門派放在眼裡。」

一陽子還未及答話，澄因大師已插嘴接道：「玄都觀主從不打誑語，他確未翻過《歸元秘笈》。」

李滄瀾怔下神，道：「這麼說起來，是我錯怪好人了，秘笈現在閆兄手中，大家過目，便可了然。」

八臂神翁手拿秘笈，慢慢走到兩人跟前，放在草地上拼好，天龍幫中三旗壇主、川中四醜、楊夢寰等全部轉攏過來，欲一睹這部武林奇書。一陽子蹲下身子，翻開紅朱砂寫的《歸元秘笈》四字封面，只見寫道：「巴豆吃不得，吃了拉肚，醬沌豆腐最下酒，又不殺生。」

再往下翻，盡都是畫些鳥獸之類，畫的人似是毫無書畫素養，只是大略繪出形態而已，如果細心鑒賞，那就非驢非馬，鳥不像鳥，獸不像獸，可是筆力沉厚邁勁，直透紙背。

直到翻到第三本最後一頁，卻見寫道：「酬謝往返徒勞，特繪禽獸贈閱，請一評書畫如

何！」

一陽子急取懷中藏真圖，攤開來和秘笈上字跡比較，這一看，立辨真假，不但書法不同，而且墨色亦異，李滄瀾和一陽子，都是書畫能手，一望即知，秘笈上墨色不過只有三十年左右時間，那藏真圖卻是數百年以上遺物。

一陽子擲圖一嘆道：「《歸元秘笈》真本，早已為人所取，我們受人作弄不淺。」數百年武林中傳言奇書至此成謎，大家都不禁呆了一呆。

李滄瀾察言觀色，料知一陽子所言非虛，轉頭一望，雲中雁廖坤已揹負著垂危的師弟遠去。

這時已是夕陽西下時候，晚霞流照，紅雲如火，海天一叟望著廖坤背影消失後，慢慢回過頭，對一陽子、聞公泰拱手笑道：「三年之內，天龍幫當奉邀九大正宗門派比劍，咱們後會有期了。」說罷，手扶龍頭拐，在川中四醜護擁中，緩步而去。

開碑手崔文奇等三旗壇主，一個個單掌立胸躬身禮送，直待李滄瀾背影消失，崔文奇才看著邱元冷冷問道：「你那半年履約天龍幫總堂的諾言，還算不算？」

蛇叟冷笑道：「姓邱的如果不死，當然要按期踐約的。」

齊元同笑著接道：「我們當恭候邱兄大駕早臨，別忘了你也是江湖無門無派的草莽，武林中紛爭一起，號稱九大正宗門派的高人，決不會容你立足江湖，孤掌難鳴，你要多想想了。」說完，三個人同時轉身退走。

澄因大師見齊元同退走，手提禪杖就要追去，卻被玄都觀主一把拉住。老和尚嘆息一聲，望著沈霞琳，浮現一臉淒然神色。

聞公泰眼看天龍幫人都走完了，笑對一陽子道：「天龍幫雄心不小，咱們也得早作準備，小弟要先走一步了。」

他剛轉身欲走，猛聽邱元冷笑道：「聞兄慢走一步，我還有話請教。」

聞公泰回過頭，道：「你還要怎麼樣？」

邱元道：「我們二筆帳加起來，不算少啦，總該作個了斷吧？」

八臂神翁長笑一聲，橫杖答道：「我們現在就算算如何？」

邱元搖頭道：「不行，我還得替慧真子療治蛇毒。」

聞公泰道：「我在華山絕頂等你，隨時敬候教益。」說罷，幾個縱身，人已消失。

邱元的玉露解毒丸，果是具有奇效，慧真子服用後，柳眉漸展，微微搖搖頭，對師兄一個苦笑，一陽子素知師妹性格高傲，如非有著極端難受的痛苦，她決不會流露於神色之中，心中無限憐惜，顧不得澄因大師和夢寰等都在身側，低聲慰道：「你忍受一點，無論如何，今夜裡要趕出山，好早點給你療治。」

慧真子靜開星目，夜色中見師兄一臉憂戚之色，嘆息一聲，說道：「我就是療好蛇毒，也成了一個廢人，何苦讓我如此受苦？」

一陽子笑道：「也許在十年之中，我能尋得靈藥，使你恢復功力。」

慧真子微微一笑，欲言又止，點點頭閉上眼睛。

幾個人休息一陣，吃了點乾糧，又繼續向前趕路。一夜行程，苦壞了童淑貞與霞琳兩位姑娘，兩個人攙扶著慧真子翻山越嶺，都累得香汗透衣。

五　輕舟夜話

到天色大亮的時候，趕了有一百多里路。一陽子攀登上一座峰頂，運足目力，向前望去，見左側隱隱現出一座城鎮模樣，估計行程，大約有七、八十里左右，休息一陣再趕路，大概在中午時分可以到達，心裡一陣高興，疾躍下對蛇叟邱元說道：「右面隱現一座城鎮，大約有七、八十里左右，如果我們能在中午前趕到，當天是不是就可購齊藥物療毒？」

邱元看看靜坐草地，正在運功調息的慧真子一眼，答道：「急什麼呢？她在兩天之內傷勢決不致加重，我那玉露解毒丸，雖非回生金丹，卻是解毒聖品，天下解毒藥物無出其右。」

一陽子碰個軟釘子，只好淡淡一笑，慧真子一條命操在邱元手中，威脅著這位武林名宿，發作不得，轉臉旁顧，忍下去一口怨氣。

沈霞琳雖然累了一夜，好在她內功已有了基礎，調息一陣，精神復元，走近楊夢寰，貼著他身側坐下，問道：「寰哥哥，我師父的傷勢當真就沒有辦法醫得好？」

夢寰皺著眉答道：「這個我也不知道，也許將來能醫得好。」

霞琳淒然一笑，道：「我知道一定是醫不好啦。」說罷，一陣傷心，流下兩行清淚來。

夢寰看著她微一怔神道：「你看你臉上好多灰土，走，我們洗洗臉去。」

霞琳緩緩起身，和夢寰走到一處山泉。兩人洗過臉，就在山泉旁邊一塊青石上坐下，此刻

旭日初升，陽光從一道峽口透射過來，照在霞琳臉上，紅白耀目，倍增嬌艷，夢寰替她理理鬢前散髮，無限憐惜地說道：「你怎麼總是愛哭呢？」

霞琳說道：「我心裡難過，就流出眼淚，哪裡是愛哭呢！」

夢寰心裡想笑，但又怕她多心，勉強忍住，卻聽得身側傳開噗的一聲輕笑，趕緊回頭，但見陽光滿峽，翠葉含露，哪裡有一點人蹤。

霞琳聽到了那一聲輕笑，美目四顧，拉著楊夢寰一隻手問道：「剛才那笑聲是不是人？」

夢寰點點頭，答道：「是人！不過是一位本領很大的人，所以我們就看不見他！」

霞琳圓睜著眼睛道：「我們快些去告訴師伯吧。」

夢寰搖搖頭，道：「不行。」

霞琳道：「爲什麼？」

夢寰道：「別人對我們似是沒有惡意，你要對師父說了恐怕要招惹麻煩……」

霞琳似懂非懂地點點頭，拉著夢寰，微含笑意，走回原處。

一陽子看霞琳和童淑貞似都已消除了疲勞，立時又動身趕路。

稍事休息，又翻越幾道山嶺，在中午時分，到了寧溪縣城。

一陽子尋了一座大客棧，包下一進院子，安置好慧真子，就陪著邱元去購置藥物。童淑貞和霞琳隨侍師父身側，澄因大師張羅著準備用具，楊夢寰無事可做，信步離開後院，溜到前面迎接師父。這家大客棧店號福升，說不上大廈堂皇，巨居連雲，但在寧溪縣城是首屈一指的大店，前面是酒樓，後面兼營著客棧。

這正是中午時候，樓下敞廳十幾張八仙桌上酒客滿座，一片猜拳呼喝之聲充塞敞廳。靠右側牆邊一張小單桌上，坐著個儒巾青衫的俊秀書生，楊夢寰轉過頭看了人家一眼，立時覺得那書生和一般人有點不同，傍桌獨坐，自然中含蘊一種高華氣質，芸芸酒客中他宛如鶴立雞群，不覺望著人家呆了一呆。

驀地裡，青衣人也轉過臉來，似有意似無意地對夢寰淺淺一笑，一雙清澈如水的大眼睛裡，射過來二道奇光，光如冷電中挾著霜刃，逼得人不敢再看。楊夢寰只覺著心頭微微一震，連人家面貌都還沒有看清楚，不由自主別過了頭。

這當兒，一陽子和邱元已購齊藥物歸來。夢寰接過師父手中幾包藥，心中卻還在想著那青衣書生，不禁又別過頭偷看了人家一眼，只見他面壁而坐，舉杯獨酌，卻潛蘊著一種令人不可逼視的華貴氣質。楊夢寰暗覺奇怪，他想不出何以那青衣書生和常人大是不同。

心裡想著，人已隨師父進了後院，一陽子恨不得一下子就替師妹療好蛇毒，略一休息，就催促邱元動手。

蛇叟檢點療毒用具，都已準備妥當，才吩咐生起爐火，把三缸黑醋，盡倒入一口大鐵鍋裡，加入藥物，架在爐上，爐內火焰雖然烈，但三壇黑醋要在百斤之上，足足燒了一個時辰，鍋中黑醋才滾。

邱元見爐上醋滾，轉臉對一陽子道：「請令師妹脫去道袍，讓滾醋薰迫她身上蛇毒集回傷處後，我再動手替她放毒。」

一陽子聽得呆了一呆，問道：「這個有沒有變通辦法？」

邱元冷冷答道：「金線蛇，是天下毒蛇最毒的一種，事關她生死安危，除此以外，我邱元還不知道另有高明的療治方法。」

一陽子無可奈何地走到慧真子身側，望著她不敢出口，慧真子星目微睜，低聲問道：「你有話說？」

一陽子說道：「療治毒蛇，必得先把蛇毒迫回傷處，讓淑貞、霞琳，扶持你迫集蛇毒後，我再請邱元給你放毒。」

慧真子嘆息一聲，道：「你要我一切都受人擺布？」

一陽子無限淒傷答道：「我要你先保得十年性命，盡十年之力，我當走遍天涯尋求靈丹妙藥，使你恢復功力。」

慧真子淡然一笑，道：「要是求不到靈丹妙藥呢？」

一陽子低聲答道：「殺邱元替你報了仇後，橫劍濺血……」

慧真子滾下來兩顆淚珠，接道：「只丟下二師兄一個，孤掌難鳴，崑崙派從此在江湖上一蹶不振，你這是何苦呢？我不甘心做崑崙派中的罪人。」

一陽子苦笑答道：「寰兒天賦異質，十年後他必能青出於藍。」

慧真子側頭看了霞琳一眼，道：「十年後的事誰能預料？你去吧，我答應你就是。」

邱元把滾醋迫毒的方法告訴了童淑貞和霞琳，自己和一陽子等都退避出去。

童淑貞替師父脫去道袍，只留下貼身褻衣，扶她仰臥在一張竹榻上，又把竹榻架在醋鍋上，但見爐內火光熊熊，滾醋蒸氣上騰，慧真子如陷入一片煙霧之中，遍體汗水如雨，雖然她咬牙苦忍，但仍不時發出嬌淒的呻吟。

沈霞琳掛著兩行淚，睜大一雙眼，看著師父忍受滾醋蒸身苦忍，不時用絹帕擦拭著慧真子身上的汗水。

童淑貞雖然也是一副淒愴欲淚的神情，但她知道這是師父性命交關的大事，咬著牙，只管把爐火加大，足足有一個時辰左右，慧真子的汗水，直似雨點一般落入那濃醋之中，童淑貞才停下手，和霞琳把師父扶入房中，替她蓋上棉被，細看師父右腕傷處，果然凝成一片深紫色，這才去招呼邱元替師父療毒。

蛇叟取出一把小巧銀刀，劃破慧真子傷處，兩手在四周緩緩擠壓出很多黑水，直待那毒汁出盡，流出血來，又自懷中取出一小瓶白色粉末，敷在傷處包好，回頭對一陽子道：「令師妹已無妨，十二時辰後再替她換一次藥，服四粒玉露解毒丸，十年內侵入骨髓中的蛇毒不致復發。餘下的玉露解毒丸，和這瓶八寶化毒散，一併奉送，算酬謝你給我接續斷骨的情誼。我要上華山去踐履八臂神翁的約會，如果死不了，你們崑崙三子隨時可以找我算這筆帳！」

一陽子淡然一笑，道：「我已經說過，崑崙派在十年之內不會尋你報仇。」

邱元道：「就是你們不找我，也許還會爲另外的事情碰上，這個我不領情。」

一陽子道：「如果冤家路窄，那自是又另當別論。」

邱元拿起蛇頭杖，拱拱手轉身就走。一陽子合掌送走蛇叟後，轉頭看師妹閉著眼似已入睡，看她臉色慘白，髮亂枕畔，心中直是憐惜，低聲吩咐夢寰等道：「你們都去休息一會兒吧！」

童淑貞和霞琳挽著慧真子走了半日一夜，落店後又忙著幫療蛇毒，人也實在累了，聽得吩咐，都如命退出休息。

夢寰回到房間，一個人傍案獨坐。想著幾天經歷的風險，感慨甚多，不覺長長一聲嘆息，緩步起身，推開後窗。但見藍天如洗，千峰起伏，突然間迎面碧空中有一點白影閃動，直若流星急馳而來，不大工夫，已臨近空。夢寰看清楚那閃電般奔來的白影之後，不覺心中怦然一跳，原來又是那括蒼山中連番所遇的奇大白鶴，心念還未及再轉，巨鶴已掠空而過。

夢寰憑窗呆了一陣，感覺到事非尋常，巨鶴陡然間飛離山區，當是有因而來。

幾天來，他總是覺著經常有一個人，在暗中追隨著他們一樣，他幾次想對一陽子說，卻又是說不出口，因為自己始終未發現別人留下足以佐證的痕蹤，怕師父追問下去，自己答不出個所以然來。

這當兒，夢寰再也忍不住，決心要把近日見聞告訴師父，也許這巨鶴重現，會和自己等一行人有著切身的關係，心中風車般打了幾個轉拿定主意，關上後窗，緩步向師父房中走去。

慧真子正酣甜入睡，一陽子坐在榻側竹椅上閉目養神，楊夢寰在門外打了兩個轉，還是不敢進去，悄悄溜回到自己的房間。

經過了兩天養息，慧真子的精神逐漸好轉，她幾次暗裡試行運氣，哪知功勁未達四肢，已覺著周身骨痛欲裂，汗水涔涔而下，這才知道邱元所說一身功力盡付流水之言，實非信口開河，數十年日夜苦練的一身武功，一旦失去，確使慧真子心灰意冷，如不是一陽子守在身側，柔言勸解，她早已沒勇氣再活下去。

玄都觀主看師妹兩天來眉目間愁苦重重，縱然談笑之間，也難愁懷全開，知她痛失武功，心中大是不忍，勸慰道：「今天我們休息一天，明天就動身到江西鄱陽湖，去找妙手漁隱蕭天儀，他號稱天下第一奇醫，不知道醫治過多少疑難毒症，也許他有辦法替你清除侵入骨髓中的餘毒，使你恢復功力。」

慧真子側頭看了師兄一眼，道：「邱元說蕭天儀已離開了鄱陽湖。」

一陽子笑道：「只要他還在這個世界上，我總有能力找得到他。」

慧真子嘆口氣，道：「天龍幫三年內邀請武林各大門派比劍，你不回崑崙山三清宮去，二師兄一個人如何應付得了？」

一陽子皺皺眉道：「那就讓你大弟子童淑貞先回三清宮去，告訴掌門師弟一聲，我們不參加天龍幫的比劍邀約算了。爭霸武林，逐鹿江湖，也算不得什麼心願。」

慧真子嗔道：「崑崙派幾百年的威名，難道就在我們手中斷送不成？這樣做可以對得住歷代長老及恩師泉下陰靈嗎？那就不如我早些死去，免得你盡爲我操心，什麼事也不願管了！」

一陽子默然垂頭沉吟半晌，笑道：「那我們先到鄱陽湖找妙手漁隱，請他給你療好餘毒，就立刻回崑崙山三清宮去，好嗎？」

慧真子話說出口，就有些後悔，她知道只要一回到三清宮中，自己就再不能和大師兄親密廝守，那將使二師兄柔腸百轉傷心千回，幾十年壓制在心中的痛苦隱密，一旦揭穿，師兄妹三人間微妙的均衡，立即失去，後果如何？實難預料。可是話已經說出了口不能再收回來，心中一陣感傷，慌忙別過頭，緩緩躺下身子，答道：「要是找不到蕭天儀呢？」

一陽子已看出師妹懊悔失言，這正也顯示她對自己是如何的情愛深重，不禁暗暗佩服，她一個女人家能做到不偏不倚，兼顧全局，把滿腹情愛深藏心中數十年不露，維持了崑崙三子間的一種微妙關係，實在難得，比起自己走避天涯，甘心讓愛的氣度，更覺高了一等，想了一下答道：「假如蕭天儀真的不在鄱陽湖，我們再作第二步決定不遲。」

慧真子「嗯」了一聲，不再答話，心裡卻是暗自高興。

第二天，一陽子等離開了寧溪縣城，向江西鄱陽湖趕去。

經過了五天行程，已過了縉雲縣進入了仙霞嶺，這一帶山勢不大，卻是峰巒起伏，綿亙不絕。幾個人從早至暮趕了有一百多里山路，這在一陽子及楊夢寰等，根本就不算回事，可是兩個輿夫已走得汗流浹背，氣喘如牛了。

到暮色蒼茫時候，兩個輿夫實在走不動了，只好停下來休息，這地方前不靠村，後不臨鎮，舉目望去，盡都是連綿山丘，慧真子療好蛇毒後功力盡失，受不得一路風露侵襲，可憐生龍活虎般的一代女俠，此刻如深閨中大病初癒的弱女子一般。

一陽子只看得無限痛惜，替她選一處避風的山角，讓霞琳和童淑貞打開了簡單的行囊，服侍師父休息。澄因大師和一陽子相對而坐，楊夢寰採些松枝，燃起一堆野火，把帶的乾糧烤熱，分送幾人充饑。

兩個輿夫，經過了一天勞累，吃一點東西後倒臥山石呼呼入夢，一陽子看師妹毫無睡意，怕她感傷際遇，陪著她娓娓清談，說的盡都是武林遺事，江湖奇聞，夢寰和沈霞琳等也都聽得津津有味。

驀地裡，一陣步履聲踏著山石傳來，楊夢寰回頭望去，不覺心裡一跳，朦朧夜色中，一個人緩步而來，正是在寧溪縣城客棧中遇見的青衣書生。

青衣人慢步從幾人身側走過，除了斜睇夢寰一眼之外，對其他人他好像根本就沒有看見一

樣，閒情飄逸，流目四顧，似是專門在鑒賞夜色中山景一般，從容中驕氣凌人。

一陽子待他背影消失，才回過頭道：「這人有點怪道，但又不似對我們存有惡意。」

夢寰皺皺眉接道：「在寧溪縣城我已經見過他一次，他好像是專門在盯我們的梢？」

一陽子問清楚事情經過，沉吟一陣，道：「江湖上很多事難料，我們小心點就是了。」

他嘴裡答著夢寰問話，心裡卻在思解這件事情，看那青衣書生舉動，似是對夢寰特別留意，但楊夢寰尚未涉足過江湖，自然和一般武林人物談不到什麼恩怨，如果事情是碰巧，卻又不像。一時間，把個見多識廣的玄都觀主也難在那裡，百思不解其原因。

一宵山宿，第二天繼續登程。越過了仙霞嶺，再過武夷山脈，十餘天曉行夜宿，進入了江西省境，棄了肩輿，換坐馬車一路順利，到了鄱陽湖邊的饒州府。

這地方是大碼頭，情形又自不同，商店櫛比林立，行人接踵摩肩，幾人尋了一家客棧住上後，一陽子又遇上了一個煩惱，妙手漁隱蕭天儀，雖然是名滿天下的奇醫，但他已擺脫江湖是非多年，埋名歸隱，鄱陽湖方圓數百里，想找他談何容易？他一連尋訪兩天，還是探不出妙手漁隱的下落。楊夢寰見師父愁懷重重，心裡也是暗自發急。第三天一大早一陽子就出去了，到中午還未歸來，楊夢寰心念師父，也信步出店，見街上人如穿梭，迷迷糊糊步入人群，沿街溜去，不覺走到了鄱陽湖邊，抬頭看，湖波浩瀚，帆影千葉，鄱陽湖無際水波，比起洞庭湖並不遜色，極目遠眺，景物如畫，不覺入神。

正當他意酣興濃地瀏覽著湖光水色，突然身側響起一聲銀鈴般清脆的嬌笑，道：「你怎麼一個人望湖出神？你那個師妹沒有陪你來嗎？」

夢寰一轉臉，就感到一陣香氣撲鼻，三尺外俏生生地站著一個黑衣少女，美目流波，黛眉如畫，望著他淺笑盈盈。楊夢寰怔下神，才認出是在岳陽「水月山莊」附近三番碰面的無影女李瑤紅。

李瑤紅見夢寰望著她，只微微頷首一笑，連話也不講一句，又轉頭四顧湖色，而且緩步欲去，突然一陣羞忿，差一點就要流下淚來，勉強忍住，急走兩步，到了夢寰身邊，低聲道：「你這人忘恩負義，那天晚上我招呼你們逃走，自己代你受過，差一點就被人家打傷，今天遇上你，你不但不謝我，而且還不願理我……」

話到這裡，聲調已低沉得聽不清楚。

楊夢寰憶起人家示警情意，心中也實在有點歉疚，回頭又見她滿含淚光，更覺抱歉，立時笑道：「我心裡正想著一件疑難的事情，所以……」

李瑤紅見他認錯，再看他眉目間，也確有著重重隱憂，心裡一高興，接口笑道：「什麼難事，可不可以告訴我？也許我能幫你。」

話剛說完，陡地一揚眉又道：「是不是你師妹丟啦？」說罷噗地笑出了聲。

楊夢寰看她刁蠻中帶著幾分天真的神態，皺皺眉頭答道：「我在尋一位歸隱的奇人。」

李瑤紅偏著頭，想了一下，問道：「你是不是在找妙手漁隱蕭天儀？」

楊夢寰急道：「是啊！李姑娘知道他住在什麼地方嗎？」

李瑤紅笑道：「若非你遇是我，不然你就是再找個兩、三月，恐怕也找不著他。」

楊夢寰道：「那麼李姑娘怎麼會知道呢？」

李瑤紅嬌笑一下答道：「我怎麼會不知道呢，他是我的乾爹嘛！」

楊夢寰怔了一下神，道：「那你可以不可以告訴我他住的地方？」

李瑤紅轉了轉大眼睛，偏偏頭道：「不行！我乾爹已閉門謝客，五年來就沒有接見過一個外人。」

楊夢寰想起師叔一身武功盡失，唯一的希望就是找到妙手漁隱蕭天儀，療治侵入她骨髓的蛇毒，使她恢復功力，師父為找不到蕭天儀的下落，幾天來愁眉不展，自己無意中獲此意外消息，無論如何不能放過，心想追問，但他見李瑤紅繃緊著臉，一時間吶吶說不出口，走又不願走，話又說不出，窘得一張俊臉紅到了耳根後面，神情甚是尷尬。

李瑤紅看夢寰一副哭笑不得的模樣，不覺微微一笑道：「你這人臉皮薄得像紙一樣，還走什麼江湖？是不是你的寶貝師妹得了病啦，要找我乾爹給她醫治？看你那副又急又可憐的樣子，準是她病得很厲害？」

楊夢寰有事求人，發作不得，只好搖搖頭，笑道：「不是！是我師叔。」

李瑤紅瞪大眼問道：「是崑崙三子？」

楊夢寰黯然答道：「是我師叔慧真子，她中了邱元的金線蛇毒。」

說話間，湖波中疾馳來一艘快艇靠岸，甲板上並肩站著兩個垂著雙辮，身穿紅衫，年約十、四五歲的少女。快艇還未靠好，她們已雙雙躍登岸上，走近李瑤紅躬身笑道：「我們小姐已備好佳釀待客，請姑娘登舟小飲。」

李瑤紅一挑柳眉兒道：「知道啦，你們先回船上去吧！」兩個小丫頭知道這位李姑娘最難伺候，碰個釘子，並不生氣，相對扮了個鬼臉，姍姍蓮步退回船上。

李瑤紅叱退二婢後，皺著眉想了一陣，低聲說：「楊相公如有興致，請登舟共飲如何？」

夢寰明白欲得妙手漁隱下落，決不能開罪人家，沉吟一下，答道：「舟中是姑娘深閨良友，恐怕有些不方便吧？」

李瑤紅笑道：「湖畔小談，已引得行人注目，舟中清靜，正好暢敘，你師妹又沒有同來，你還怕什麼呢？」

楊夢寰還在猶豫，李瑤紅又接道：「你要不要找我乾爹給你師叔療治蛇毒？錯過今天，你就不要再想見他！」

這兩句話，確有無上威力，楊夢寰只好訕訕笑道：「那我就叨擾一杯。李姑娘如能見示蕭老前輩尊址，不但楊夢寰感恩，就是家師亦必感懷難忘。」說罷，深深一揖。

李瑤紅一閃身，星目流波，微笑著問道：「感恩圖報，你怎麼報答我呢？」

這一問，問得楊夢寰又是一呆，瞪著眼答不出話。

李瑤紅微微一聲嘆息，眉梢眼角升起一縷淡怨輕愁，笑道：「給你點教訓，以後不要再信口開河。上船啦！」說畢，微轉嬌軀，輕移蓮步，登上快艇，楊夢寰跟在人家後邊也上了船。

快艇不大，建造卻是很精緻。李瑤紅打開艙門繡簾，側身讓夢寰入艙。進入艙門，先聞到陣陣珠蘭香氣，再看艙中布設華而不俗，麗中帶雅，配色悅目，纖塵不染，中間一張紅漆雕花八仙桌上，已擺好香茗細點，四張小巧木椅上鋪著白緞墊子，靠左邊窗前，站一個美麗的妙齡少女，穿一身墨綠羅衣，倚窗而立，面露微笑，粉臉透紅，皓齒排玉，楊夢寰怔一下神，停步在艙門不敢再進。

李瑤紅已搶先走近那綠衣少女，拉著她一隻手笑道：「妹妹，恕姊姊沒有得你同意，卻替你邀請了一位客人。」

綠衣女打量了夢寰一眼，只見他一隻黑白分明的大眼睛神光隱現，襯著劍眉豐頰，猿臂蜂腰，瀟灑出群，不覺芳心怦然一跳，附在無影女耳邊問道：「紅姐姐，他是你什麼人？過去你就沒有對我說過！」

李瑤紅嫣然一笑，道：「我給你引見引見，好嗎？」

綠衣女羞紅泛頰，忸怩一下，但她還是不自主地點了點頭。

李瑤紅拉著綠衣女走近夢寰身邊，笑道：「這位就是我乾爹的女兒，綠鳳凰蕭雪君。」

楊夢寰躬身一禮，笑道：「李姑娘盛情難卻，致魯莽闖入了姑娘快艇，蕭姑娘勿怪才好？」

蕭雪君展眉一笑，還未來得及說話，李瑤紅卻接口笑道：「喲，你怎麼不說是我硬把你拉上來的呢？」

說罷，又低聲對綠衣女道：「他叫楊夢寰，是崑崙派中一陽子老前輩的門下。」

蕭雪君指著對面椅子笑道：「失敬，失敬，楊相公原來是崑崙門下，難得大駕光臨，請坐下喝一杯清茶吧！」

楊夢寰拱手入座，李瑤紅、蕭雪君並肩也在他對面坐下，三個人不過剛剛坐好，快艇立時起錨，向湖心駛去。

船行快速，一會兒工夫已離開了饒州碼頭。李瑤紅打開快艇的白緞窗簾，立時有陣陣清風吹入了艙中，兩個紅衣小婢，川流不息地送上佳肴美酒。綠鳳凰蕭雪君以主人身分舉杯邀飲，楊夢寰盛情難卻，陪了三個乾杯，陪過蕭雪君，李瑤紅又找他拚酒，二美女並肩攜手，可苦

壞了我們楊相公，夢寰酒量本來就差，十幾杯佳釀下肚後，已有七分醉意，俊臉上泛起兩片紅暈，酒壯人膽，夢寰漸漸失去了初登快艇時那份拘謹，藉機向李瑤紅探詢妙手漁隱蕭天儀的住址。無影女略一沉吟，笑道：「我乾爹自隱居後，已不願再問江湖是非。我父親和他老人家數十年交情，義重骨肉，幾度邀請他入盟天龍幫，都遭到婉言拒絕，崑崙三子雖然名重武林，恐怕他老人家也難得破例延見，這件事實在有些麻煩。」

楊夢寰放下手中酒杯笑道：「救人一命勝造七級浮屠，蕭老前輩號稱天下第一奇醫，自然是仁心俠腸，我們只求他給我三師叔療治蛇毒。難道幫人醫病，還會招惹出麻煩不成？」

李瑤紅眨眨眼，笑道：「凡是找我乾爹的人，大概都是請他醫病。如果來者不拒，那還叫什麼洗手歸隱？江湖上仇殺牽纏，傷者癒後，必又找仇人報復，以果溯因，就給我乾爹招惹出了麻煩。」

楊夢寰一皺劍眉道：「這麼說，是無法可想了？」

李瑤紅看夢寰一副失望神色，心中頗感不忍，笑慰道：「你急什麼呢？我又沒有說無法可想，不過我乾爹住址，目前暫難奉告。等會兒，我和雪君妹妹商量個法子，總叫你趁心如願。但這完全是衝著你的面子，現在你只管請放心喝酒吧！」

楊夢寰搖搖頭，微笑道：「我已經有了七分酒意，再喝就得當場醉倒。」

李瑤紅拉著蕭雪君，低聲笑道：「妹妹，你看他大概是不行啦，咱們換茶喝吧？」夢寰心中有事，步出艙外，鑒賞湖中景色。

蕭雪君側目看夢寰正站在甲板上鑒賞湖景，回頭答道：「你要我怎麼幫你忙呢？」

李瑤紅笑道：「只要能想辦法使崑崙三子見到義父的面，他老人家就不好再推辭了。」

飛燕驚龍

蕭雪君道：「你想讓我告訴他們父親住的地方？」

李瑤紅道：「要是那樣簡單，我自己不會說嗎？」

蕭雪君搖搖頭，道：「你乾脆說明白好嗎？」

李瑤紅輕微嘆息一聲，道：「事情辦起來倒很容易，只是妹妹受些委屈。」

蕭雪君笑道：「我受點委屈沒關係，只要姐姐心裡快樂就行了！你說吧！」

李瑤紅淒涼一笑，答道：「你認爲我幫他們見到義父之後，他會感謝我嗎？」

蕭雪君奇道：「我不懂！如果他對你不好，那你又爲什麼要幫助他呢？」

李瑤紅苦笑道：「這就叫情不自禁。我以後也許還要死在他的手裡。」

說至此一頓，又道：「不談這些啦！明天你駕舟遊湖，無事生非，和他們打一場架……」

說到這兒，蕭雪君已接口笑道：「我只許打敗，不許打勝，藉故跑回家找我爹爹求援，引他們追上門見我父親，對嗎？姊姊，你用心夠苦了！」

李瑤紅笑道：「所以說要妹妹受些委屈。」

蕭雪君眨眨眼笑道：「他要打不過我怎麼辦呢？」

李瑤紅笑道：「這個你儘管放心，我領教過他的劍法，決不會敗在你的手裡，再說，你還可以故意讓他。」

蕭雪君點頭一笑，二女就這樣打好了主意，再看楊夢寰站在甲板上，不知在呆呆地看著什麼，樣子好像很入神。

李瑤紅輕步走到他身後，順目望去，十丈外一葉扁舟如箭，裂波分水而來，舟前邊站一個青衣書生，似乎也正對著楊夢寰看，另一個灰衣長衫人背立搖櫓，不大工夫，小舟已近快艇，

李瑤紅看小舟過處，水花飛濺，心中暗暗吃驚，那搖櫓的灰衣人腕力實在大得嚇人，只可惜他始終側背而立，令人看不清楚他的面貌如何。

小舟在快艇五尺遠近處疾馳而過，船頭青衣人半側臉對夢寰微微一笑，人美如臨風玉樹，李瑤紅心頭一震，暗道：天下真會有這樣美的男人？側臉看夢寰，也在望著那葉扁舟發呆。怪的是那青衣人也不時回過頭來對她微笑，笑得甜蜜中帶著幾分神秘，直待那扁舟消失在浩翰滄波之中，楊夢寰還在望著那小舟去向出神。

李瑤紅走近夢寰身邊，低聲問道：「你認識他？」

楊夢寰如夢初醒般，回過頭笑道：「不認識，但我在這一個月內，已經見他三次了，他從浙江東寧溪縣城，一直追我們到鄱陽湖來。」

李瑤紅仰起頭想了半晌道：「江南武林道上的人物，我也聽說過他的形貌，就是沒有見過，但這個人，卻是想不起來。只看那搖櫓灰衣人驚人的腕力，這兩個人決非平庸之輩，也許他們為《歸元秘笈》而來！」

楊夢寰笑道：「《歸元秘笈》只是連篇鳥獸的書畫，令尊已親自過目，這件事李姑娘還不知道嗎？」

李瑤紅搖著頭笑道：「我不要問你這些，《歸元秘笈》雖是曠世奇寶，可是，我不稀罕……」

楊夢寰是聰明人，那還會聽不出弦外之音，這就趕緊接口笑道：「那我們不談這些，姑娘義父尊址，可否見告呢？」

李瑤紅幽幽答道：「你的事我當然要盡心去辦，不過我義父性格非常固執，我和雪君妹妹

都不敢正面求他……」

楊夢寰急得截住了姑娘的話，道：「這麼說，是沒有辦法了？」

李瑤紅笑道：「你急什麼？人家的話還沒有說完嘛。我義父雖然固執，但他為人卻很和平，只要你們能夠見到他的面，憑令師等崑崙三子的聲望去求他，他決不會拒絕。」

楊夢寰急道：「可是我們找不到蕭老前輩的尊址，有什麼辦法？」

李瑤紅笑道：「我已代你想好一個見我義父的辦法，明天中午我雪妹妹仍乘這艘快艇遊湖，你們也雇一艘遊艇，雙方無事生非，藉著打架的機會，帶你們去找我義父住的地方。」

楊夢寰笑道：「辦法是不錯，只是太委屈人家蕭姑娘了！」

無影女眨眨眼笑道：「你先別高興，要是你打不過我雪妹妹，就別想找到義父的住址！」

楊夢寰怔下神道：「怎麼，要當真動手不成？」

李瑤紅格格嬌笑道：「一半真一半假嘛！」

夢寰看看太陽，大約已到申時光景，笑道：「天不早了，我回到客棧：還得稟明家師，早點準備一下。」

李瑤紅道：「此處距湖岸總有十里左右，難道你還飛渡這十里湖波不成？就是走，也還得我們送你靠岸。」

楊夢寰放眼四顧，但見一片碧波如鏡，正想入艙，突聽快艇後一陣水聲急響，青衣人所乘小舟，去而復返，小舟正停在快艇左側。

舟上青衣書生，卻轉頭望著夢寰笑道：「想回去嗎？我們正好要回饒州碼頭，如不嫌舟小，人討厭，便一道同歸如何？」

楊夢寰怔了一下，還未及答話，那青衣書生，已連連招手，接道：「扁舟一葉，分浪裂波，濺珠飛玉，別有一番風味，何不登小舟一試？」

夢寰對這神龍般突隱突現的青衣人，早就存有一窺究竟之心，此刻再不猶豫，回頭對李瑤紅、蕭雪君揚揚手道：「不敢再勞相送，我就借這位兄台便舟歸去吧！」

說罷，縱身一躍，飛落小舟，夢寰雙腳剛剛踏上甲板，小舟即如箭發，裂開一道水痕，飄風而去。

且說楊夢寰登上小舟之後，但覺破浪如飛，勁風拂面，一會兒工夫，已望不見李瑤紅、蕭雪君所乘快艇。

青衣人一揮手，小舟慢了下來，他卻盤膝坐下，拍著船板笑道：「我沒有佳釀待客，咱們就在船頭上小坐一刻吧？」

楊夢寰微笑著在人家對面坐下，借機會詳細打量了青衣書生幾眼，只見他，眉如翠黛，面潤桃花，秀逸比雪地裡一株寒梅，美是美到了極點，只是兩道眼神含威，逼得人不敢多看。楊夢寰看一陣，不自主地別過了頭。

青衣書生卻落落大方笑道：「三番巧遇，總是有緣，請教貴姓？」

夢寰道：「小弟楊夢寰，兄台貴姓？」

青衣人抿嘴一笑，眼珠兒轉了兩轉，才說：「我姓朱……名字叫白衣，黑白的白，衣服的衣。」

朱字拖得很長，說完話，笑中帶著幾分神秘，這就引起楊夢寰的懷疑，但卻是不便當面點

破，皺著眉頭，笑道：「朱兄人如其名，風雅絕俗……」

朱白衣淡淡一笑，接道：「風雅未必絕俗，能絕俗我也不會到這裡來了……」說罷，放眼望湖波，眉宇間隱現出一縷幽怨。

楊夢寰聽得一怔，轉頭望後梢搖櫓的灰衣人，只見他背面而坐單手搖櫓，行若無事，神態甚是悠閒。這就使人猜測不透兩人的身分來歷。素來機智的楊夢寰，此刻卻有些糊塗起來，想了半晌，試探著問道：「朱兄由浙東趕來繞州，不知有何貴事？」

朱白衣回過頭來，兩道清澈如水的眼神盯在楊夢寰臉上，道：「我來找一個人！」

楊夢寰和人家一觸眼光，立時覺著心裡一跳，趕忙別過險去，卻聽得朱白衣一串輕微的嘆息，待夢寰再轉過頭來，人家已緩緩起身，站在船頭，背他而立，衣袂隨風輕飄。猛然間，楊夢寰腦際閃電般掠過一個念頭，就這青衣人側背看去，頗似在括蒼山所遇的青衣少年。果真如此，事情就不簡單。他心想再試探著問人家幾句話，不知怎的，每每話到口邊，又嚥了回去。

小舟又恢復了飄風般的速度，不大工夫，已靠了碼頭，朱白衣跳上岸，對夢寰揚揚手，笑著問道：「你以後還想不想再見我？」

夢寰笑道：「能得朱兄為友，楊夢寰何幸如之？只是朱兄如神龍一般，時隱時現，我就是想見朱兄，也沒有地方可找。」

朱白衣搖著頭微笑問道：「你這話可是由衷之言嗎？」

夢寰急道：「怎麼不是？我……」

朱白衣搖搖手，接道：「那我們明天再見吧！」說罷，跳回小舟，急馳如飛，破浪而去。

楊夢寰直待小舟去遠，才轉回客棧。沈霞琳正站在店門口四外張望，一見他歸來，飛一般迎上去，笑道：「寰哥哥，我等了你半天啦。就要吃晚飯了，你要再不回來，我就得餓肚子等你啦！」

夢寰看她說得認真，不覺笑道：「要是我十天半月不回來了呢？」

沈霞琳猛然轉過頭，滿臉盡是無限憂淒，嘆口氣道：「那我就餓死了。」

夢寰心頭一凜，默然垂頭，慢步回到房間，一陽子正在靜坐調息，眉目間滿是愁苦神色，夢寰急搶兩步給師父行過禮，一陽子卻滿臉肅穆地問道：「你到哪裡去了？」

夢寰答道：「弟子出去探聽妙手漁隱的下落。」說著，把巧遇李瑤紅，約定明天遊湖的經過，刪繁從簡地對師父說了一遍。

一陽子倒是想不到這位徒弟神通比師父廣大，自己苦找了三天，遍訪饒州附近武林人物，連妙手漁隱一點訊息也未探到，他不過半天時間，竟能弄出眉目。本來他想責備夢寰幾句，但心裡一高興，再也說不出口，只好笑道：「不管真假，我們明天去一趟試試吧！」

第二天一早，一陽子就讓夢寰去雇了一艘遊艇，幾個人一齊登舟遊湖。慧真子憑窗眺望湖景，心中感慨更多，幸得霞琳和童淑貞侍立身側，寸步不離，總算略慰她萬千愁懷。

船在饒州碼頭外五里水面上，蕩來遊去，楊夢寰站在船頭上，不停地東張西望，雖然他知道李瑤紅不會騙他，但尋不見蕭雪君所乘快艇，心中總是不安。

驀地裡，一葉扁舟急馳而來，船頭上站著朱白衣，小舟近遊艇停住，朱白衣揚揚手問道：「我可不可以上去？」

夢寰沒法子，硬著頭皮當了家，朱白衣躍上艇後，灰衣人立時搖櫓而去，他卻走到夢寰身邊，低聲笑道：「你只管請放心，我決不會壞你們的事。」

楊夢寰帶著他見師父，朱白衣也就不過是對一陽子拱拱手說聲久仰，玄都觀主對青衣人來歷雖然懷疑，卻不好當面盤問。

朱白衣卻是神色自若地站在夢寰身側，四顧湖中景色，突然地轉臉對夢寰低聲笑道：「來了！快些準備打架吧！」

楊夢寰放眼看去，果見正西方水面上有一點黑影，可是距離太遠無法分辨清楚，不禁回過頭來，滿臉懷疑神情，看了青衣書生一眼。

朱白衣抿嘴笑道：「你看什麼？就是那艘快艇，絕錯不了。」

又過片刻工夫，那一葉舟影，逐漸駛近，果然是昨天李瑤紅等所乘快艇，夢寰心中一驚，暗道：好厲害的眼力！心裡想著，人卻轉對一陽子道：「師父，就是那艘急駛的紅色快艇。」

一陽子道：「那我們就迎上去吧！」說罷，吩咐船夫，迎著那紅色快艇駛去。

一來一迎兩舟如箭，剎那間只餘下兩丈左右距離，兩個搖槳船夫，看那紅色快艇直對船上撞來，心裡大吃一驚，趕忙右手加勁，遊艇打個旋，向左邊讓去，可是那紅色快艇有意招惹麻煩，微一轉舵，又對夢寰等乘的快艇撞去。

兩個船夫看來勢不對，船要被人家撞翻，無疑敲破飯碗，雙雙站起，兩槳並出，朱白衣一推夢寰，輕聲笑道：「快些出手，人家誠心討教，兩個船夫，如何能抵擋得住，真要被撞破了船，我們都得落水。」

這當兒，楊夢寰倒是聽話，一搶步登上船舷，功行右臂，搶過來一個船夫手中大槳，此際

兩船相距只餘下二、三尺左右，夢寰左臂一伸，木槳猛向那紅色快艇點去。

驀地裡白光打閃，一支劍破窗而出，橫削楊夢寰手中木漿，同時傳來蕭雪君嬌笑道：「楊相公，當心你木槳被削！」

夢寰笑答道：「未必見得吧！」健腕疾翻，木槳橫轉，讓過蕭雪君一劍，左腳踏在舷上，右腳迎著快艇來勢。木槳施一招「封雲閉月」，逼住蕭雪君的長劍，雙腳一齊用力。兩艇驟然一分對馳而過，蕭雪君一聲嬌叱，玉腕疾推，快艇上兩扇窗門隨手而開，連人帶劍從窗口飛了出來，一掠之勢，搶登上夢寰等所乘遊艇，身法快速絕倫，楊夢寰不過剛剛站好身子，蕭雪君長劍已攻到，劍勢若虹當頭劈下。

楊夢寰閃身一退，木槳橫掃，綠鳳凰玉腕一沉，劍尖銀芒顫動，指向夢寰右腕脈門，楊夢寰心頭一震，暗道：怎麼當真打呢？撤招避劍，又被追得後退一步。這種小型遊艇，寬不過丈餘大小，夢寰連讓兩招，已退到船邊，蕭雪君得理不讓人，劍捲冷風，又攻到中盤，夢寰只要再退一步，勢必落入湖中，迫得他非用險招不可，順著劍勢一轉，欺入中宮，左手疾出，反扣蕭雪君握劍右腕，這一招是崑崙派天罡掌中三記絕招之一的「赤手搏龍」，蕭雪君果然是讓避不開，夢寰左掌將要搭在姑娘腕上，猛地心中一動，趕忙縮回手來，借勢又一個大轉身，閃到姑娘背後。

蕭雪君臉上微微一紅，長劍越發攻得凌厲，但見光影如山直逼過來，招招指向要害穴道。

楊夢寰索性丟了木槳，展開崑崙派三十六式天罡掌法，以一雙肉掌，力鬥蕭雪君的長劍，不過他卻不敢放手搶攻，恐怕開罪了人家。

對手二十餘招，雙方仍是難分勝負，慧真子、沈霞琳等，都已出艙觀戰，沈姑娘見夢寰勝不得人家，芳心中甚是焦急，手握劍把，秀目神凝，一副躍躍欲試神情。

朱白衣看夢寰只求自保，並不反擊，一聳秀目說道：「笨死啦！人家就存心讓你，也不能自己丟了手中兵刃嘛！」

楊夢寰心中一動，暗道：不錯，這樣打下去，打到什麼時候為止呢？雙掌一緊，反守為攻，呼！呼！呼！呼！搶攻三招，把綠鳳凰逼退兩步。

蕭雪君劍勢一變，立還顏色，眨眨眼攻了五劍，夢寰看對方劍招，甚是精奇，心知不用絕招，決難勝得，心念初動，蕭雪君又一招「白雲出岫」攻來，楊夢寰立時側手一閃，左掌「推門見山」，右掌「三星逐月」，上攻「天靈穴」，下打肘間「曲池穴」，蕭雪君撤劍避招，楊夢寰一近步欺到姑娘身邊，右掌疾變一招，「傍花拂柳」，迅猛劈下。

這一招亦是天罡掌中三絕之一，妙在欺近敵人身側，隨勢發招，蕭雪君只覺握劍右腕一麻，已吃夢寰指尖掃中腕上，楊夢寰不敢真下辣手，蓄勁未吐，點到就收，蕭雪君也就趁風收帆，右手一鬆，長劍掉在船板上，飛身一躍，落上自己快艇，回頭一聲嬌喊：「再接我的五星鋼環試試。」話出口，暗器隨發，三點涼芒電射而來。

楊夢寰陡地轉身，三枚五星鋼環貼著身側飛過，蕭雪君卻縱身入艙，快艇鼓浪飛馳而去。

一陽子看快艇迅逾奔馬，憑兩個船夫腕力，恐怕追趕不上，心裡一急，抓起雙槳就划。朱白衣走到夢寰身邊低聲說道：「人家的船是梭形快艇，我們追不上，再說搖槳也太費力氣。」

夢寰點點頭道：「不錯，可是怎麼辦呢？」

朱白衣右腕微微一抬，前面快艇突然慢了下來，他卻側著臉交到夢寰手中一條極細的銀線，笑道：「你把這個掛在我們船頭，讓他們梭形快艇，帶著我們走吧！」

夢寰細看手中銀線，大約有粒米粗細，柔軟異常，非絲非棉，不知何物，心中大是驚奇。望著朱白衣，半晌說不出話來。

暗想：兩船相距，少說點總有五丈左右，不見他怎麼作勢用力，竟把這輕如絮絨的銀線，投在對方快艇上面，而且還牢牢緊緊，這手法不止是可怕，簡直是有些神奇。

沈霞琳一低頭，見夢寰手中牽著一條銀線，伸手一拉，只覺勁力很大，順線望去，原來銀線另接在前面小艇上，高興得笑出聲，道：「真好，讓他們快艇帶著我們的船走，我們就不用費力划水啦。」說罷，從夢寰手中取得銀線，拴在船頭。

快艇裂波急進，漸入湖心，水色也由碧綠逐漸變成了深紫顏色，極目滄波，漁舟絕蹤，湖面上靜蕩蕩的，但聞得木槳撥水之聲。

足足走了一個時辰，無際湖波一端，隱現出一座島嶼，快艇轉正航向，直對那島嶼駛去。

六　奇女情牽

船行了頓飯工夫，島上景物，已清晰可辨。島不大，但很秀奇，陡壁如削，聳立於水波之中，上面生滿雜木，壁間藤蘿掩映，一片翠色，景物如畫。

朱白衣解下船頭銀線，手腕微微一抖，銀線一陣波動，但見一點銀芒耀目，倏然飛入袖中。快艇驟減負重，快如離弦弩箭，一會兒工夫駛近島嶼，在崖壁下轉了兩轉，立時不見。待夢寰等所乘遊艇追到，已無蹤跡可尋。

一陽子細查立壁形勢，右側五丈遠處，另有一道立壁突出水面，壁間長蘿飄垂，毫無異狀，竟是看不出快艇如何隱去，心中大感焦急。

朱白衣打量了立壁形勢幾眼，低聲對夢寰笑道：「蕭天儀這人很富心機，壁間暗門造得天衣無縫，不用心倒是看不出來。」

夢寰自見朱白衣飛索繫舟之後，對人家已佩服得無以復加，聽完話立時問道：「朱兄可是發現了壁間暗門嗎？」

朱白衣伸手指著兩壁交接之間笑道：「就在兩壁連接的地方，我們把船划過去，再想辦法開那壁間暗門。」

遊艇馳近壁間，一陽子拔出背上長劍，寒光閃動，飄垂藤蘿盡落水面，立時現出一堵光滑

的石壁。仔細勘查，果然有人工修築的痕蹤。一陽子默動真力一推，無奈石壁甚是堅厚，竟是推它不動，一時間想不出破壁之法，不禁面壁發愁。

朱白衣低聲對夢寰道：「用那老禪師手中禪杖撞擊石壁，蕭天儀就非開門不可了。」楊夢寰心知如不激怒對方，決無法進得石門，遂把意思轉告師父。一陽子沉吟一陣，終於要過澄因大師手中禪杖，運足真力，一杖向石壁撞去，只聞得震天動地一聲大響，石壁被撞碎尺餘大小一塊，碎屑紛紛落入湖中。

一陽子連撞三杖，果然兩壁接合之處，突然分開，現出一座七尺高九尺寬的石門，一艘小艇當門而立，艇上站著一個五旬開外，面貌清矍，留著花白八字鬍的長衫老人，他身後分站著無影女李瑤紅和綠鳳凰蕭雪君，二女手中各提一把長劍。

蕭雪君裝腔作勢，劍指著楊夢寰道：「爹，就是那個人欺負我，他……」

蕭天儀哼了一聲，對一陽子拱手笑道：「難得，難得，道兄大駕光臨，蓬篳生輝不少，請換乘小舟，入內一敘，容我蕭天儀略盡地主之誼。」

一陽子還了澄因大師禪杖，合掌躬身，答道：「驚擾清修，實不得已。望蕭兄能恕我等魯莽之罪！」

蕭天儀回頭看了女兒一眼，笑道：「未見道兄之前，我確實被這個丫頭騙過，自己的女兒出賣了我，那還有什麼話說？」說罷，縱聲大笑。把一陽子等迎上舟，厚賜遊艇歸去，並告誡兩個船夫，以後不得再馳來此處。

進了石門，船行在一道天然曲折的水道中，兩面石壁對峙，出了狹道，突然開朗，一片畝許大小的水湝，停著三艘梭形快艇。

小艇靠岸後，依山勢建著幾座茅舍，妙手漁隱把幾個人帶入一座較大的茅舍中，兩個青衣童子，給幾人安排座位獻上香茗。

李瑤紅、蕭雪君，分站妙手漁隱身後，無影女的眼光若有意若無意的，經常在夢寰身上打轉，蕭雪君兩道眼神卻一直盯在朱白衣的身上。

一陽子呷了一口茶，笑道：「蕭兄住在這等隱密所在，害得我一陣好找。」

妙手漁隱兩道炯炯的眼神，落在慧真子的臉上，凝注了一陣，問道：「這位想必是令師妹慧真子女俠了。」

一陽子嘆息一聲，道：「如非為她，貧道也不敢來打擾了，蕭兄醫術，絕世無雙，望能大展妙手，挽她一劫，則崑崙門下弟子，無不感仁德。」說罷，合掌一禮，面色戚然。

蕭天儀略一沉吟，道：「道兄鶴駕親蒞，小弟自難推辭，請先告令師妹受傷經過，當得量力效勞。」

一陽子詳述了被邱元金線蛇咬中情形，妙手漁隱一皺眉，嘆道：「金線蛇奇毒無比，療治確實不易。」說著走到慧真子跟前，先把了她左腕脈膊，又看了傷口情形，猛地右手食中二指並出，點向慧真子左肘「曲池穴」間，慧真子只覺左臂一麻，全身一陣抽動，神情甚是痛苦。

這一下變出意外，一陽子大吃一驚，一躍而起，急聲問道：「蕭兄，你這是什麼意思？」說話中右手閃電而出，直向蕭天儀肩後「風府穴」上點去。

妙手漁隱左掌倏地回掃，擋開一陽子右手攻勢，急道：「道兄不要誤會，我在看蛇毒是否已入骨髓？」

一陽子一怔神間，蕭天儀已從懷中取出一支銀針，刺入慧真子被點「曲池穴」上，手法快

速，舉手之間，已自拔出，然後點活了慧真子的穴道。

一陽子大感尷尬，訕訕笑道：「蕭兄，恕貧道無禮。」

妙手漁隱笑答道：「事出非常，自難怪道兄情急，幸得你那一招攻勢尚非重手，如果迫我銀針失準，那就有點麻煩了。」

一陽子更是尷尬，面帶愧色，答不出話。

蕭天儀燃著一支蠟燭，兩個青衣童子，早已替他打開藥箱，妙手漁隱從箱中取出一只玉瓶，把銀針放入瓶中浸上藥水，然後在燭火上燒了一陣，擦拭去針上黑煙，只見雪白的銀針上，隱出一種鐵青顏色。

蕭天儀緩緩合上藥箱，搖搖頭苦笑道：「道兄，恕小弟愛莫能助了。」

幾句話直聽得一陽子臉色大變，呆了半晌，無限感傷問道：「這麼說，蕭兄亦是無能爲力了?當真這金線蛇毒，遍天下就無人能夠解得嗎?」

慧真子見師兄一副失魂落魄神情，芳心中大感不忍，淡淡說道：「急什麼呢?反正還有十年好活，十年歲月，並不算短。」

蕭天儀猛地轉過頭，兩目神光逼視在一陽子臉上，道：「道兄千辛萬苦尋來此地，大概認爲我蕭天儀必能效力，解毒不難，難在靈藥得之不易，能解金線蛇毒的藥物並非沒有，只是……」說至此一頓，滿臉猶豫神色，停住了口。

一陽子精神一振，合掌問道：「但請蕭兄指出一條明路，其他決不敢再所多求，來日如因此引起風波，崑崙派一身承當。」

蕭天儀嘆息一聲，道：「縱然小弟推腹直告，但事情辦起來卻不簡單，一言失慎，也許會

引出一場浩劫慘禍。」

一陽子急道：「這個蕭兄儘管放心，崑崙三子還不是言而無信的人，不管事情牽纏多大，絕不敢連累蕭兄。」

妙手漁隱笑道：「連累我倒不可怕，可怕的是你們索取靈藥時的危險。我如不說，道兄必誤會我蕭天儀是勢利小人，貪生怕死，不懂武林道義，但說出來勢必引起一場紛爭。」

一陽子道：「靈藥濟世旨在活人，我們以禮晉見，只求少許，難道還會引起紛爭不成？」

妙手漁隱仰臉一嘆道：「道兄執意要問，小弟只得奉告了。隴、青交界處祁連山中，有一座終年冰雪封鎖的奇峰，稱為聳雲岩。岩上有一座古刹，刹名大覺寺。寺中生一株天地間絕無僅有的奇物，在藥書上稱為雪參果，十年開花一次，百年參果成形，每次得參果三顆，令師妹骨髓中浸入蛇毒，大概只有此物救得。不過大覺寺中僧侶，一個個都懷有絕技，而且招數自成一家，和一般武學大不相同，小弟昔年採集藥物，誤入聳雲岩，故此得知……」

話到這兒，倏然住口，臉上微露驚怖神情，沉吟一陣又道：「大覺寺僧侶閉關自守，和天下武林同道不相往來，雪參果又是天地間奇物仙品，決不肯輕易送人，道兄如拜山求藥，勢必引起一場風波。」

一陽子回頭望了師妹一眼，笑道：「承蒙指示，貧道已感戴莫名，不便再擾清修，我等就此告別。」

說完話霍然離坐，合掌一禮，蕭天儀抱拳笑道：「茅廬已備薄酒，小飲三杯再走如何？」

一陽子笑道：「不敢再多叨擾，異日後會有期。」

蕭天儀也不強留，送幾人出了水道石門，遣舟相送，蕭雪君輕對父親道：「爹，女兒和紅

姐姐代你老人家送客一程，好嗎？」

妙手漁隱白了女兒一眼，卻是不好阻攔。綠鳳凰一拉李瑤紅，躍上楊夢寰等乘坐快艇，一陽子正要攔謝，蕭雪君卻不住以目示意，玄都觀主一時間不解二女心意，只好任由二女登舟。

快艇疾發，不大工夫，已行馳數里，蕭雪君站在船頭，望著那逐漸消失的聳立翠島，滿臉黯然神色，嘆道：「紅姐姐，我不敢再回去了！」

李瑤紅道：「都是我害了你，姐姐慚愧極啦。」

蕭雪君回過頭淒然一笑，道：「父親自隱居翠石塢後，除了李伯伯和你之外，就沒有外人到過。」

楊夢寰站在一旁，聽得更是難過，不覺接道：「蕭姑娘爲我們受委屈，令人感愧無地自容。待我稟明師父，再送姑娘回去，懇求令尊免於責罰，蕭老前輩一言九鼎，只要他當面答應，當不致再責罰姑娘了。」

蕭雪君搖搖頭道：「我父親自歸隱翠石塢後，不知爲什麼性格大變，整日裡埋頭靜室，五年來就沒有離開過翠石塢一步，對我也不似過去一般愛護了，李伯父是他最知己的朋友，但他對於伯父也不似過去那樣親熱，我想這裡面一定有什麼原因，只是猜測不透。」說完話，兩行清淚順腮而下。

李瑤紅拉著她一隻手，道：「義父幾年來的神情，確實和過去判若兩人，我心裡早就有懷疑。咱們一塊兒去見我爹爹，也許他有辦法找出原因？」

蕭雪君淡淡一笑道：「現在也只有這個辦法了，如果我現在回去，爹決不會放過我。」

李瑤紅回頭看了夢寰一眼，扁扁嘴道：「都是爲你，害得雪妹妹有家難歸。」

夢寰一時間無言可對。嘆息一聲，垂下了頭。

朱白衣突然一轉臉，兩道冷電般的眼神，逼在李瑤紅臉上，接道：「根本就不能怪他，相反的你們應當感謝他才對！」

李瑤紅茫然問道：「怎說？」

朱白衣嘴角向下撇，白中透紅的臉上，突然罩上一團肅穆殺氣，傲然答道：「蕭天儀隱居翠石塢，根本就不是想擺脫武林是非恩怨，他不是避仇，就是受人箝制不得不洗手歸隱，這中間必定有一個極大隱秘，這隱秘不是他不願告人，就是他不敢告人。我能對兩位說的也就是這些。你們早就該設法去探求原因所在。如今亡羊補牢時尚未晚，不過你們要不是帶他去登門求醫，料你們還想不到這些，是不是應該感謝他呢？」

說罷，轉臉對夢寰淺淺一笑，肅殺如霜的俊臉上，立時又透化出滿面春風。

朱白衣幾句話，全船震驚。一陽子細想妙手漁隱蕭天儀，言詞神態確實有很多可疑之處，他本是武林中一代奇醫，俠心仁術，名播江湖，遽然間隱居翠石塢，斷絕塵緣，實非尋常，再想他剛才替慧真子銀針驗毒時，仁慈隱現眉宇，但一提到聳雲岩大覺寺微露驚怖，似是心有餘悸，一陽子心裡在想，蕭雪君已款移蓮步走近朱白衣，低聲說道：「不錯，我父親近年行動的確處處可疑，但我總覺是他老人家性情轉變，如今想來，蹊蹺頗多，中間必另有曲折隱情。」

朱白衣看她深情款款借機攀談，不覺莞爾一笑，緩緩轉過身子，這就使蕭姑娘無法下台，呆了一呆，粉臉上泛起來兩頰紅暈。

楊夢寰看場面鬧得十分尷尬，趕緊忙著打圓場，走上一步笑道：「失禮得很，我倒忘了替

幾位引見引見了。」說罷，介紹朱白衣和李瑤紅、蕭雪君認識。

回頭看霞琳白衣飄飄，站在身後，又笑對李瑤紅道：「李姑娘久想和我師妹認識，此刻你們好好談吧！」

霞琳面帶微笑，走近李瑤紅道：「寰哥哥說，那晚上姐姐救了我們，我心裡就一直在感激著姐姐。」

李瑤紅聽得一怔，握著霞琳一隻手，熱淚盈眶，低聲說道：「妹妹，我……」

霞琳蹙著柳眉，右手緩舉，用衣袖擦去李瑤紅眼淚，滿臉感傷接道：「姊姊心裡難過嗎？唉，我心裡難過了也是要流淚的。」說罷，兩顆淚珠已順著眼角流下，嬌軀慢慢偎入李瑤紅的懷中。無影女悚然一驚，心中驟湧起萬千感慨。暗想，這樣純潔善良的人，我怎能和她奪愛？不自主一收右臂，抱緊霞琳，淚眼斜睇夢寰，滿臉纏綿悱惻神情。楊夢寰心頭一震，轉臉他顧，但見朱白衣雙目圓睜，盯在李瑤紅和霞琳身上，眉目間竟也是幽怨重重，忽然眼神轉到夢寰臉上，微微一嘆，又轉過頭向別處望去了。

幾個人情形大都落入一陽子眼中，目前除了對朱白衣還有些莫測高深之外，存在他心中的幾點疑竇，此刻完全了然。偷眼向師妹看去，正巧慧真子也轉臉看他，四目接觸，慧真子低聲說道：「你既把琳兒薦入了我們的門下，我決不許她和師父一樣，吃了一輩子苦，你得好好的照顧她。」弦外之音，無疑是替霞琳撐腰作主。

一陽子道：「你放心吧！寰兒不是負心忘情的人。這孩子雖聰明機智，但心地卻很忠厚，擔得起，放得下，我的話他決不會不聽。」

快艇在湖面裂波飛馳，船上人卻都滿懷心事，幾顆兒女心，千縷癡情絲，交織成一片複雜的情網。

船近饒州碼頭，已是暮色蒼茫，萬頃湖波中漁火點點，李瑤紅送夢寰等棄舟登岸，握著霞琳一隻手幽幽說道：「妹妹，你自己珍重了！姊姊不送了。」

霞琳垂淚微笑道：「姐姐對我好，我以後會想你的。」

李瑤紅淒苦一笑道：「你寰哥哥會對你更好。」

霞琳點點頭道：「嗯！什麼事我都依他，他就不會待我壞了。」

夢寰轉過身來對李瑤紅、蕭雪君躬身一禮，笑道：「二位姑娘雲天高誼，楊夢寰感戴難忘。他日有緣再會，定當補報隆情。」

李瑤紅淡淡一笑，拉著蕭雪君道：「義父的事，不宜再緩，妹妹和我一起到黔北見我爹去。」

蕭雪君回頭吩咐快艇馳回，無限依戀地望了朱白衣幾眼，才和李瑤紅並肩而去。

夢寰直望二女背影消失，不覺悠然一聲長嘆。朱白衣站在他身後，突然笑道：「李瑤紅對你很癡情，但她又不忍奪人所愛，幫匪頭兒李滄瀾能教出這樣一個女兒，還算不錯。」

楊夢寰回頭笑道：「蕭姑娘對朱兄鍾情尤深。」

朱白衣淡淡一笑，側目看了站在夢寰身邊的霞琳一眼，掉轉頭緩步而去。

夢寰已知目前這位看上去纖弱秀雅的書生，是一位身懷奇技的異人，早已心存仰慕，見他要走，不覺追了兩步叫道：「朱兄就要走嗎？」

朱白衣回頭笑道：「多情自古空餘恨，難道我不該走嗎？你還有什麼話說？」

夢寰怔了一怔，道：「萍水相逢，承朱兄諸多援手，小弟意欲高攀，想和朱兄杯酒訂交……」

朱白衣一笑接道：「酒入愁腸，易化相思淚，不喝也罷！」說完話，人又轉身欲去。

夢寰心中大急，搶上攔住去路，道：「朱兄風塵奇人，楊夢寰自知不配高攀論交，但相逢既是有緣，難道朱兄就這樣決絕而去嗎？」說完話，黯然垂頭。

朱白衣星目一閉，再睜開射出來萬般柔情，低聲嘆道：「相見終如不見，多情徒增別緒，又何苦多這分手前一刻小聚呢？」

夢寰慢慢抬起頭來，觸到了朱白衣的眼光，此刻他眼裡不再是逼人神光，而是淡淡的幽怨，無限的溫柔。夢寰本來有話要說，但一接觸朱白衣的眼神，不覺一呆，忘記了要說的話。

朱白衣看他一副呆若木雞的模樣，微微一笑，又道：「你既期望再作臨別一晤，多增一分悵惘離愁，那麼今夜二更天我在湖畔等你！」

楊夢寰拱手答道：「二更天小弟準到。」

朱白衣眼神猛落到了五尺外的霞琳身上，只見她，白衣隨風飄動，臉露微笑如花盛放，望著他和夢寰談話，神態間是那樣天真純潔，眼光是那樣柔和，似乎她對誰都有著百分之百的信任。不禁心頭一震，隨又加上一句道：「最好能帶你師妹同來！」說罷，轉身自去。

夢寰和霞琳回到客棧，一陽子等已是先到，玄都觀主一心念著早到聳雲岩大覺寺，求得雪參果，以便療治浸入師妹骨髓中的金線蛇毒，夢寰腦際裡卻盤旋著朱白衣的影子，這位秀逸絕倫的少年奇人，只露一手銀線繫舟的絕技，已使楊夢寰佩服得五體投地了，他一直在想著今夜

湖畔聚晤之時，怎樣才能和人家套上交情。

師徒兩人，各想各的心事，一餐晚飯，匆匆用畢。一陽子放下碗，轉頭望著澄因大師笑道：「蕭天儀提起聳雲岩時驚怖微現，大覺寺僧侶們自是不大簡單，奇怪的是江湖上從未傳說過那座古剎事跡。就目前形勢說，我們是非得去聳雲岩一趟不可，雖是拜山求藥，但不得不做應變準備，我想讓寰兒、琳兒，護送他們師叔西返崑崙三清宮，我今晚上就動身趕往祁連山聳雲岩大覺寺去，你怎麼辦？是不是要回遮陽寺？」

澄因略一沉吟，笑道：「老和尚既已讓了方丈禪位，回不回遮陽寺都無關緊要，橫豎無事，我就陪你去一趟聳雲岩吧！」

一陽子高興地大聲笑道：「固所願也，不敢請耳，今夜就動身如何？」

慧真子一聽師兄馬上要走，不覺一皺眉道：「妙手漁隱再三告誡說不可涉險，大覺寺僧侶們當是非凡，不如先回三清宮去，見見掌門師兄再說。」

一陽子望著師妹笑道：「老和尚十八羅漢掌和二十四式降龍杖法，獨步江湖，有他做我幫手萬無一失。再說我們是求藥，不是去和人動手，大覺寺僧侶如果是得道高僧，當不致吝惜一只雪參果，誤人一命，如我們求藥順利，也許會先你們回到三清宮去。」

慧真子知師兄此刻心情，恨不得一下子療好自己蛇毒，無限深情地看了師兄一眼，閉上眼不再答話，一陽子囑咐夢寰幾句，和澄因聯袂而去。

夢寰、霞琳、童淑貞送走了兩位長輩，回店後分頭安歇。童淑貞爲服侍師父，和慧真子合住了一個房間，丟下了沈霞琳單住一室，她正要脫衣就寢，忽聽臥室的門環輕響，打開門看，

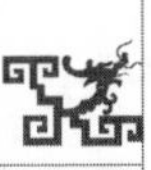

見夢寰穿一身深藍色疾服勁裝，頭戴玄色武生巾，白玉抹額，當門而立，看上去越顯得英俊動人。霞琳看了一陣，笑道：「寰哥哥，你穿起這身衣服真好看！」

楊夢寰拉著她步入房中，微笑著道：「等一下我們要到湖邊去赴個約會，你先休息一會兒，二更天我再來叫你。」

霞琳笑道：「我不要休息了，我們現在就去好嗎？」

夢寰看天色還未過一更，笑道：「現在太早了。」

霞琳想了一下，忽然抬頭問道：「我們要去見那穿青衣服的朋友是嗎？」

夢寰笑道：「不錯。他是位本領很大的奇人。」

霞琳張大眼睛又問道：「他比妙手漁隱蕭天儀的本領還要大嗎？」

夢寰笑道：「這個我就不清楚了，不過我想他要比蕭天儀的本領大些。」

霞琳道：「那你爲什麼不求他給我師父醫治蛇毒呢？」

夢寰怔了一怔，道：「他恐怕不會醫病。」

霞琳點點頭，緩緩站起身子，打開桌子抽斗，取出兩個又白又紅的桃子，用小刀削去桃皮，分一個給夢寰，笑道：「玄都觀的桃林，恐怕都已結桃子了，可是我們卻吃不到了。」言罷，一聲悠悠長嘆，笑容斂去。

夢寰一面吃桃子，一面笑慰道：「崑崙山上的桃子比玄都觀的還要大，我們到那邊有得吃的。」

霞琳揚了揚眉兒接道：「到那邊我就捉兩隻小白鶴來養著。」

夢寰問道：「你爲什麼要捉兩隻呢？」

霞琳道：「我看到我們兩個人要吃兩隻桃子，就想到要捉兩隻小白鶴來養了，養大了我們一個人騎一隻才好玩，要是養一隻，你就沒有辦法和我一起飛在天上玩啦。」

夢寰突然想起白居易長恨歌上兩句：在天願作比翼鳥，在地願作連理枝……一陣感慨，默然垂頭。

霞琳看他突然間垂下了頭，甚覺奇怪，慢慢走近他身邊，偎在他懷裡，問道：「寰哥哥，你心裡難過了嗎？」

夢寰只覺一個軟綿綿的身子，倚偎懷中，陣陣幽香中人欲醉，趕忙緩緩推開她，抬頭笑道：「沒有，我在門外等你，你換件衣服，我們到湖畔赴約去。」

霞琳看他臉上笑容重現，才放了心，很快地換了衣服，和夢寰並肩出店，直奔湖濱。

這時，初更已過，夜市將闌，街上行人已少，天上半輪新月，光華匝地，兩人匆匆出了城門放眼望去，但見一片茫茫波光中，千萬點漁火閃爍。夢寰回頭看霞琳新換衣服，仍然是一身銀白短衫，白羅裙，白絹裡衣，襯著她雪膚玉貌，月光下更覺得嬌美無匹，容色絕倫，不覺看得一呆。

霞琳嫣然一笑，問道：「寰哥哥，你看我好看嗎？」

夢寰正待答話，突聞身側一聲輕笑道：「嗯，好看極了！秀麗絕代，耀眼生花，他有你這樣漂亮的師妹，艷福不淺。」

夢寰轉臉看去，不知何時，朱白衣已到了兩人身邊，他仍穿著白天的一襲青衫，面含微笑，望著兩人。

楊夢寰微覺臉上一熱，拱手笑道：「朱兄已到多時嗎？有勞久候了。」

朱白衣眼光逼到他臉上笑道：「你們鶼鶼鰈鰈，只顧說體面話，哪還想到是來赴約的？」

夢寰訕訕笑道：「小弟晚到一步，這裡謝罪了。」說了話，真的深深一揖。

朱白衣嗤地一笑，道：「當著你師妹的面，也不怕羞。」

夢寰聽得一怔，朱白衣也覺到話有語病，趕緊又接著笑道：「我已在湖畔備好小舟，我們晚上在湖中賞月小飲，叫你趁了杯酒訂交的心願。」說完，帶著夢寰、霞琳向湖邊走去。

停舟岸邊，站有一個身軀修偉的灰衣大漢，側臉而立，似是有意躲避著，怕人看清楚他的廬山真面目。

朱白衣先跳上小船，招招手，夢寰和霞琳雙雙躍登舟上，只見船頭上已鋪好了一條很厚的白色毛毯，毛毯中間放一張矮腿小圓桌，桌上八小盤精緻菜肴，一邊白瓷酒壺中，熱氣上騰，朱白衣揮揮手，對岸上灰衣大漢說道：「不用你了，我們要自己搖舟小飲。」

灰衣人對小舟一個長揖，轉身自去。夢寰幾次見到灰衣人，卻始終沒有看清他的面目，不禁留上了神，只見他一揖過後扭頭就走，腳履矯健，轉眼消失，仍是沒有看清楚人家的面目。

朱白衣左手收錨，右手搖櫓，小舟打個轉，直向湖心駛去，船行雖快，但極平穩，菜肴油湯，點滴未溢。片刻之間，已離岸里許遠近，朱白衣放了櫓笑道：「好了，這裡湖面很靜，我們可以喝酒啦。」

說罷，伸出皓腕，端起瓷壺，替夢寰、霞琳斟滿酒杯後，又倒滿自己面前酒杯。

夢寰見他玉腕欺雪，手指纖纖，斟酒時一陣珠蘭香氣襲人，不覺心中一動。但未容他多作遐想，朱白衣已舉杯勸酒，三個人對飲了三個乾杯，沈霞琳已有些力不勝酒，放下杯子說道：

「我不能再喝啦！再喝就要寰哥哥背我回去了。」

朱白衣微微一笑，斜睇著夢寰問道：「你怎麼樣？要不要我再陪你三個乾杯？」

夢寰笑道：「三杯酒我大概還可以勉強奉陪，再多了就要當場出醜。」

朱白衣端起瓷壺，又替夢寰斟滿酒杯，笑道：「人生難得幾回醉，莫負今宵。」

說罷，連飲了三個滿杯，楊夢寰剛剛陪了一杯酒，忽聽得霞琳叫道：「寰哥哥，我頭暈了！」

說著話，嬌軀移近夢寰，慢慢地把上半身靠入他的懷中，夢寰細看她嫩臉泛紅，星目半合，柳眉微蹙，實在有了醉意，哪還忍心推開她，只好輕輕扶著她，偎在自己身上，笑道：「我師妹稚氣未脫，不懂一點禮數，朱兄不要見笑才好。」

朱白衣放下酒杯，望著兩人呆了一呆，低聲嘆道：「這孩子這樣純真，倒是少見。」說完，慢慢轉過臉去。

這一瞬間，楊夢寰似見他眼中含蘊著兩泡晶瑩淚水，心中甚覺奇怪，正待開口，朱白衣突然又轉過臉來笑道：「天上新月半圓，人間麟鳳相依，待小弟為兩位合奏一曲，聊表祝賀心意。」

說罷，緩步入艙，取出一張鑲玉小琴，夢寰細看那玉琴，只見翠玉為胎，金線做弦，盤龍飛鳳，精緻無比，不覺吃了一驚。

朱白衣看出夢寰錯愕神情，淡淡笑道：「這張玉琴，雖然名貴，只是知音難遇，徒負這精緻玉琴了。」

夢寰笑道：「玉琴遇得朱兄，正是寶琴得主，琴果有知，夫復何憾。」

朱白衣輕伸皓腕，和好琴位，笑道：「但得一曲知音，玉琴碎而無恨。」說完話，纖指走弦，一縷柔細音韻，自琴上揚出，音韻柔和婉轉，漸漸地，琴聲愈來愈高，聲韻也愈來愈覺凄婉。一波三折，九曲百轉，霞琳人本純潔，此刻又有了七分酒意，只聽得淚水若斷線珍珠，簌簌下落，終於她伏在夢寰懷中嗚嗚咽咽地哭了起來。

楊夢寰初聽琴音，只覺聲韻凄婉，聞之酸鼻。時間一久，似乎心神全被琴音控制，不知不覺間星目中也滾滾淚下。

驀地裡琴聲停止，餘音裊裊散入高空，夢寰神志一清，看霞琳已哭得如淚人一般，朱白衣卻手捧玉琴，眼含淚光，站在身側笑道：「楊兄妙解音律，請評評琴韻如何？」

夢寰隨手抹下臉上淚痕笑道：「聲聲扣人心弦，如聞秋雨夜泣，好是好到極處，只是太凄涼了。」

朱白衣笑道：「玉琴換得知音淚，從此不爲他人彈！」說罷，纖指一劃，琴弦盡斷。夢寰一怔，朱白衣又接著笑道：「弦斷琴未碎，異日有緣重聚時，再爲你斷弦重續。」說完話，眉目間無限愁苦，慢慢地步入艙中。再出艙時，已恢復平靜神色。

沈霞琳經這一哭，哭醒了幾分酒意，淚眼圓睜，望著朱白衣道：「你彈得真好聽，把我和寰哥哥都聽哭了。」

朱白衣笑道：「你喜歡聽，將來我就教給你彈。」

霞琳搖搖頭，道：「我不要學，學會了彈起來我就要哭的！」

朱白衣嘆息一聲，站起身子，抬頭看天上月已偏西，凝注兩人一陣，說道：「天色已過午

夜，你們也該回去啦。」

霞琳突然靠近他身邊問道：「寰哥哥說，你的本領大極啦，那你能不能醫治我師父的蛇毒呢？」

朱白衣微微一笑，轉臉向夢寰看去，只見他盤膝而坐，也正側臉向他望來，目光中滿是憂慮，似是對慧真子傷勢甚為擔心。

朱白衣看夢寰愁苦神情，不自主地走近他身邊，笑道：「你愁什麼呢？吉人天相，也許你師叔會很快康復的。」

夢寰搖搖頭，苦笑道：「家師把療治我師叔蛇毒的希望，完全寄託在妙手漁隱蕭老前輩身上，哪知蕭老前輩亦是束手無策，雖然他說出雪參果可療蛇毒，但是否有效還難斷言，家師求藥心切，已和澄因師伯連夜趕奔聳雲岩去，小弟自知江湖閱歷欠缺，技不如人，保護師叔，頗感惶恐……」

朱白衣淡淡一笑，接道：「我看你白天在湖中和那姓蕭的女子動手，招術、功力都不算太差，一般武林道上的人物，你已是足可對付，如果碰到高手，那就有些麻煩了。」

說到這裡一頓，轉轉眼睛又笑道：「至於蕭天儀，不過是浪得虛名，他說金線蛇毒，非大覺寺雪參果不能療治，那倒是未必見得。」

夢寰聽得俊目圓睜，問道：「怎麼？難道朱兄醫得金線蛇毒嗎？」

朱白衣笑道：「蛇毒既已浸入骨髓，不管多高明的醫術，也難醫得。」

夢寰默然垂頭，朱白衣只是看著他的愁眉苦臉微笑。

這一陣，小船上靜極了，沉默中楊夢寰聞到朱白衣身上散發出來陣陣甜香，如芝似蘭，幽幽沁人心肺，但和他常從霞琳身上聞得的香氣，大是不同，香雖清淡，卻是令人欲醉，不覺側臉向身旁的朱白衣望去。

朱白衣已警覺到，緩緩起身，斜盼著夢寰，嗔道：「你看什麼？天天有個如花似玉的師妹陪著你，還看不夠嗎？」

說完一笑，走到船尾，搖著櫓又笑道：「我送你們登岸回店吧！」

夢寰皺皺眉，暗想：怎麼他在無意間常會流露出女兒般的嬌媚情態？不大工夫，小船靠岸，朱白衣送兩人登岸後，對霞琳笑道：「你要好好看住你寰哥哥，別讓別人把他偷跑了。」

說完話，半側臉斜睇夢寰又道：「李瑤紅決不會就此死心，她不奪人愛，不過是一時間天良譴責。據我看李瑤紅不是平常的女人，不平常的女人很不容易對男人動情，但萬一對男人動了情，那就如春蠶作繭，不能稱心如願，必要絲盡人亡。古今多少英雄豪傑，確實能做到視富貴如雲煙，名利若敝屣，但真能擺脫情字的，卻是少之又少。尤其是女人，一旦情懷洞開，就難自禁，她就是不因愛轉恨，加害你師妹，但也必想盡方法去纏夾你，英雄肝膽，兒女心腸，你楊夢寰可能逃不出她綿綿情網，因為我是……」

是字說了一半，突然住口，眨眨眼又笑著接道：「我是旁觀者清，所以交淺言深地勸你幾句。你師妹胸無城府，心潔如玉，講心機、手段決難和李瑤紅相提並論。鬼丫頭不但機智絕人，而且敢作敢為，如果我看法不錯，她什麼事都能做得出來，她決不會讓自己受盡折磨，抱恨一生。楊兄看似薄情，其實閣下是個多情種子……」

夢寰聽到這裡，搖搖頭，接口笑道：「朱兄良言，小弟心領。我楊某人稱不上英雄，既然不是英雄，自然不會有兒女心腸，李瑤紅如果看錯了人，那是她……」

說到這裡猛然想起不對，下面半句話，又趕緊嚥回肚裡。

朱白衣笑道：「那是她自討苦吃，對嗎？你好大的口氣，能運慧劍斬斷情絲，談何容易？我就不信我自己有這大本領。」

沈霞琳一直睜著大眼聽兩人談話，小姑娘心地純真，並不是傻，兩人談的話，她聽懂了不少。回頭看著夢寰，一張素來嬌稚的臉上，突然間罩滿憂鬱神色。楊夢寰知她純潔的心地裡，已有了很大的感觸，不覺拉著她，低聲慰道：「朱兄給我說笑話，你怎麼能當真的聽呢！」

霞琳淒苦一笑道：「貞姊姊也對我說過，要是你將來不再跟我好了，我是不能活的。」

楊夢寰搖搖頭笑道：「沒有的事，你不要胡亂猜想。」

朱白衣聽得不自主地打了一個哆嗦，幸得夢寰和霞琳談話，都沒有注意到他的神情，等夢寰轉過頭來，他已恢復鎮靜，笑著對兩人道：「夜深了，你們快回客棧去吧！」

夢寰道：「朱兄住哪家客棧？我們先送朱兄回去。」

朱白衣淡淡笑道：「我如孤雁獨飛，茫茫天涯隨遇而安，你們走吧！」說完話，慢慢轉過身子，緩步而去。

夢寰望著朱白衣消失的背影，出神良久才和霞琳轉回客棧，回到客棧，已三更過後，夢寰送霞琳到臥室，囑咐她好好休息，自己才回到房間安歇。夜闌人靜，月華透窗，楊夢寰卻制不住心潮洶湧，輾轉反側，怎麼也睡不著。突然間一聲細弱的嬌叱，由靜夜中傳來，楊夢寰心裡一驚，翻身下床，匆匆穿好衣服，推開一扇窗躍入院中，此刻店中客人都已入睡，客房漆黑，只有慧真子住的房間中燭光通明，這一下幾乎嚇得楊夢寰叫出聲。兩個急躍，已落在師叔臥室

門外，兩扇房門虛掩，一推便開，夢寰一掌護面，一掌蓄勢迎敵，一側身閃入房中，案上燭光一陣搖擺，微顫復明。但見慧真子仰臥榻上，閉目未醒，童淑貞兩腳垂在床下，上半身卻側臥床上，看樣子，大概是她聞警躍起，人還未落實地，已被人制住穴道，動彈不得了。

再看師叔床前，一個青衣人正半伏著身子，在她身上關節要穴推拿，夢寰一見那青衫，不用再看來人面目已知是朱白衣了。他只管推拿著慧真子關節穴道，對夢寰逼近身後渾如不覺。

驀地裡，朱白衣停了手，回過頭對夢寰笑道：「你怎麼沒有睡著呢？」此刻，夢寰已想到朱白衣可能是給師叔療毒，但他還是不自覺地問道：「朱兄，你這是幹什麼？」

朱白衣眼神一閃，逼視著夢寰笑道：「我點了你師叔奇經八脈，鬆了她三百六十四處關節，你只要一動她，她就骨散筋脫，現在除了她五腑功效如常外，其他地方都已是沒有用了。而且在骨髓中浸入的蛇毒，也正緩緩從鬆弛關節中隨血液流入全身，再過一刻工夫，蛇毒就逐漸開始攻入心臟了。」

夢寰聽得呆了一呆，道：「你存心要害她蛇毒攻心？」

朱白衣微微一笑道：「嗯，害了她又怎麼樣？」

說著話，慢步到了門外，丟下了楊夢寰一個人站在房中發愣。他跑到師叔身側，除了能微微聽得喘息之聲外，全身各處果是連一動也不動。朱白衣告訴他，只要一動她，慧真子立時就骨散筋脫，楊夢寰哪裡敢動，自知又不是朱白衣的敵手，心裡空自發急；想了一陣，才行出房門，只見朱白衣氣定神閒地站在門外，抬頭賞月，若無其事，不由一陣心火激竄，冷笑一聲道：「朱兄身負絕學，小弟早已窺出一二，一個人生死大事，豈是開得玩笑的嗎？」

朱白衣轉過臉，蹙著眉兒道：「你……」

你字下面不說了，這就使楊夢寰心裡更急，冷冷接道：「朱兄既然擺布了小弟師叔，說不得小弟這條命一併奉送就是。」

他一時間急怒攻心，也沒有細看朱白衣臉上的表情有無限委屈，說完話，突然出手，一招「赤手搏龍」猛地向朱白衣的右腿脈門扣去，迅如電閃，夢寰心想萬無不中之理，哪知右手剛出，突覺眼前人影一閃，朱白衣人已失去蹤跡。夢寰躍上屋頂，流目四顧，月光下隱見正東方幾十丈外一點人影晃動，夢寰人雖聰明，只是毫無一點江湖閱歷，急怒之下，更少思索，一伏身便向正東方追去。夢寰追，前面那人就跑。一陣工夫，已到郊野，夢寰急怒間高聲叫道：「朱白衣，大丈夫敢作敢當，你一味奔逃算哪門子人物。」

果然前面那人在樹下一片暗影中停了下來，楊夢寰施開「八步趕蟾」輕功，轉眼追上，右掌疾出一招「閉門推月」猛向那人後背擊去，掌勢打出，已看出對方並不是朱白衣，再想收掌，已來不及。

突然那人一聲長笑，一個大轉身避開了夢寰掌勢，左腳一抬，飛踢小腿，避招、還攻幾乎是一齊動作。夢寰吃了一驚，趕忙躍退幾步，再細看那人一身灰衣，青紗遮面，正是替朱白衣撐船的灰衣人。

灰衣人看夢寰伸手不攻，哈哈一陣大笑道：「娃兒家好大的火氣，就你那點微末之技，也配和我們小主人動手，我老頭子今夜要不給你點教訓，你是不知道天有多高，地有多厚了。」

夢寰看出他是幫朱白衣搖船人後，心裡本就有氣，又聽他口稱朱白衣小主人，又要教訓自己，這就激起心頭怒火，冷笑道：「朱白衣害了我的師叔，你既是他下人奴黨，我就先收拾了你再說。」

灰衣人聽夢寰出言不遜，大怒道：「崑崙三子也不過米粒螢光，人還能有多大本領，接得老夫三十招，就算你不錯了。」

說罷，兩掌連環劈出，掌風颯颯，威勢果非小可。楊夢寰未帶兵刃，只好展開天罡掌迎敵，天罡掌招術雖然神妙，怎奈那灰衣人招數更奇，而且功力也較楊夢寰深厚得多，果然未接二十招，楊夢寰已被迫得手忙腳亂起來，但那灰衣人似是有所顧忌，不對楊夢寰真下辣手，因此楊夢寰有驚無險，還可以勉強對付。

激戰中，突聞得一聲女人怒叱道：「你這老沒出息的東西，放著正經事不管，當真的和人家打起架來，你要失手傷了他，還想不想活，難道你瞎了眼，看不出小主人的心意嗎？」

灰衣人一收掌，跳出圈子笑道：「我要真和他打，他也支持不了這多時間，我恨他講話難聽，才逗著他玩玩。」

說完，又轉對楊夢寰拱手笑道：「楊老弟，得罪了。」轉身幾個縱躍，便走得沒了影兒。

楊夢寰轉臉望去，丈餘外站一個四旬以上的婦人，穿一件月白及膝大褂，黑綢長褲，腰中束一條黃色織花汗巾，緋帕包髮，背插雙劍。雖然已屆中年，面目卻很姣好，微笑著對夢寰道：「楊相公不要和那老鬼一般見識，他就是那種火爆性子，將來有機會，我叫他對楊相公陪禮就是。」說罷，轉身就走。

楊夢寰此刻真如墜入了五里霧中，饒是他聰明透頂，也弄得糊糊塗塗。略一怔神，那中年婦人已到了五丈開外，趕忙追上去大聲叫道：「老前輩請留步片刻，晚輩還有事請教！」

中年婦人停住步，笑道：「楊相公客氣，有什麼話儘管請說，老前輩這稱呼，我可是擔當不起。」

楊夢寰皺著眉問道：「老前輩口中稱的小主人，可就是那朱白衣嗎？」

中年婦人似乎不敢直呼主人的姓氏，避重就輕地答道：「我們小主人出身尊貴，生性清高，老實說他很少看得起人，能降尊紆貴地和你楊相公交朋友，實在難得。」

楊夢寰冷笑一聲，道：「這麼說，老前輩和那灰衣大漢，都是朱白衣的奴僕黨羽了？」

中年婦人臉色一變，但仍勉強忍著氣，道：「楊相公年紀輕輕，怎麼出口就傷人呢？」

楊夢寰怒道：「朱白衣傷了我的師叔，我和他誓不兩立，縱然我打不過他，但崑崙派也不是好欺侮的。」

中年婦人格格一陣輕笑道：「年輕人不要用大話嚇我好嗎？崑崙三子那點本領有限得很，倒是對你楊相公我還有三分害怕。」說完展開絕頂輕功，兩三個飛縱，便走得無蹤無影，月光下似一縷輕煙般消失。

楊夢寰望著那消失的背影，出了一陣子神，暗想：這女人輕功之高，實在驚人，去若電閃風飄，看樣子，她那幾句狂言，倒非完全吹噓，追之不及，只好返回客棧。

楊夢寰剛剛躍登客棧屋頂，第一眼就瞥見慧真子房中，燭光通明，心頭一急，立時趕奔過去，只見慧真子仍然仰臥在榻上，童淑貞、沈霞琳一左一右地站在床邊，朱白衣臉若寒霜般地回頭看了他一眼，又轉過頭去。

楊夢寰細看慧真子床頭一張木椅上，站著那隻在括蒼山中連番遇見的奇大白鶴，白鶴長頸直伸，由長嘴中垂下來一縷細如絲的白線，白線另端正好掉入慧真子微啓櫻唇的嘴中，夢寰此刻已完全明白朱白衣在為師叔療毒，心中一陣感愧，低聲叫道：「朱兄，小弟慚愧死了。」

朱白衣回過頭又看他一眼，還是沒有理他。這一下兩人相距甚近，夢寰發覺朱白衣臉上微帶倦容，疑竇雖解，細節不明，一時間愣在那裡開不了口。

沈霞琳本正在用心看大白鶴替師父療毒，聽得夢寰講話，轉身跑近他，笑道：「寰哥哥，你到哪裡去了，你朋友來給師父療治蛇毒，我去叫你，你就不在了。」

夢寰低聲道：「我出去了，不要講話，用心看朱兄替師叔療毒。」

朱白衣冷笑一聲，左手輕輕一推那大鶴，大白鶴雙翅一張，立時把口中垂下的白線吸入腹中，長頸轉了兩轉，跳下椅子，鶴目半閉，狀甚萎靡，慢慢從夢寰身側走過，蜷伏屋角休息。

朱白衣雙手緩緩伸出，在慧真子全身推拿一陣，突然一退步，右手纖指連揚，虛空指向慧真子各處要穴。但見他纖指指處，慧真子身覆薄被陣陣波動，片刻工夫，已連指三十六穴。朱白衣一張冠玉般的臉上，已是汗水如雨，停下手不自主地倒退了數步。夢寰雙手同出扶著他兩個肩頭，道：「朱兄，小弟知錯了，不知者不罪，我一時情急開罪朱兄，難道你就不肯原諒我一次嗎？」

朱白衣閉上眼只顧喘氣，幽幽甜香，隨著他喘息呼吸，撲上了夢寰的臉，也沁入了夢寰的心肺，這種異於尋常的幽香，他已感受了兩次，是那樣令人欲醉。這次再加上朱白衣口鼻間喘息出的另一種香味，這就使楊夢寰有點兒迷迷糊糊，不知不覺間把扶在朱白衣肩上的兩手一緊。

驀然間朱白衣睜開了兩隻大眼，光如冷電，逼視在夢寰臉上。幸好沈霞琳這當兒手拿著一條絹帕過來，這孩子對誰都是無限親切，玉腕輕揚，替朱白衣擦去了臉上汗水。

朱白衣身子一偏，擺脫了楊夢寰扶在肩上的兩隻手，目光轉到童淑貞臉上說道：「你師父

浸入骨髓蛇毒，已被那白鶴吸入腹中，我又替她打通了奇經八脈，續上三百六十四處骨氣，只要休養兩天，身體武功都可完全復元。等一下她醒來時，必覺腹中饑餓，最好用鮮魚給她做碗湯吃，如果她不食葷腥，先讓她吃碗糖水，明天中午以後，她一切都可復常，就不用你們再操心了。」說完話，轉身出了慧真子臥室扇門。

楊夢寰和霞琳一塊兒追出來，那大白鶴也跟著到了院中，夢寰叫道：「朱兄，請留步！」

朱白衣轉過頭，沈霞琳卻接口道：「我想騎你的大白鶴可以嗎？」

朱白衣笑道：「牠今天太累了，恐怕馱不動你了，以後再騎吧？」

沈霞琳點著頭，眼光卻還是盯在那高大白鶴身上，流露出無限的羨慕。朱白衣不知是有意呢，還是無心？緩步走到了霞琳身側，拉著她一隻手低聲慰道：「你不要心裡難過，將來我們再見時，我一定讓你騎著牠飛上天去，玩個半天再下來好嗎？」

霞琳嘆口氣道：「要是以後我們不能再見面，那我就騎不成了。我養小白鶴，不知道要養到什麼時候才能和你養的白鶴一樣大？」

朱白衣笑道：「那要幾千年，你是等不了的。」

霞琳笑道：「我們要回崑崙山去，你以後要找我，就到崑崙山去吧。」

朱白衣微微一笑，鬆了霞琳的手，連看也不看夢寰一眼，雙足微點，人已飛上屋面，那隻大白鶴，驟然長頸一伸，沖霄而起，若一道白煙直升高空。

夢寰心中一急，跟著一個飛縱也躍上屋面，口中叫道：「朱兄，讓小弟說幾句話再走，好嗎？」

朱白衣連頭也不回，踏房越屋而去。夢寰跟在身後拚命急追，看上去朱白衣緩步從容，走得不快，但楊夢寰卻使出了全身氣力，疾逾弩箭離弦，奇怪的就是追人家不上。片刻工夫，已達郊野，朱白衣突然加快腳步，楊夢寰心裡更急，一面盡展所學，全力急追，一面不住高聲叫喊，朱白衣早已心定如鐵，只是相應不理，一味急走，楊夢寰施出了全身氣力狂追，無奈朱白衣比他輕功高出太多，追了一陣，已不見了影兒。

這時，五更已過，東方天際隱現出一片魚肚白色。楊夢寰這一陣拚命急奔，已跑得滿身大汗，停下步看自己置身在一片荒野，左靠柳林，右臨湖濱，喘喘氣，定下神，心裡暗想：憑自己輕功腳程，無論如何是追不上人家的，別人好心好意替師叔療治蛇毒，自己卻對別人那樣強責無理，自難怪別人傷心。他越想越覺慚愧，越覺得對不起人家，不覺長長地嘆了口氣，悄然淚下。

楊夢寰慢慢走到湖邊，蹲下身子，洗去臉上淚痕，正待掏手帕擦臉，突然一陣香風撲面，一隻雪白玉腕從身後伸來，遞給他一方絹帕。

楊夢寰心裡一驚，霍然轉身望去，不知何時朱白衣已到了他的背後。楊夢寰大概是太緊張了，一時間呆瞪著兩隻俊目，望著朱白衣說不出話，臉上水珠兒，一顆接一顆，滴在身上。

朱白衣本來是一臉委屈神色，此刻忽變得無限溫柔，慢慢地靠近夢寰，香帕緩舉，抹去他臉上水珠兒，笑道：「剛才那樣兇，不聽人家把話說清楚就發脾氣，現在又來追我幹什麼？」

楊夢寰黯然答道：「我已慚愧得無地自容了，難道朱兄就不能原諒小弟這一次嗎？」說著話，星目裡淚光又現。

朱白衣不自禁地又舉起右手香帕，擦去他眼眶中含蘊的兩泡淚水，笑道：「這樣大的人

了，還和小孩子一樣，動不動就流眼淚，也不怕難爲情？」

楊夢寰被他說得頗感不安，飛紅了一張臉，笑道：「我心裡深覺著愧對朱兄，不自禁有點失常，悔恨交集，就難免熱情激盪了。」

朱白衣只聽得秀眉輕顰，一臉黯然，幽幽一嘆道：「這樣分手已感離愁難斷，你又何苦多增我一分別後相思呢？」說完話，雙目微閉，默然垂頭。楊夢寰心中一動，不覺間兩隻眼神盯住了朱白衣的臉上，曦光中，只見他秀目淡淡，長髮如雲，瑤鼻通梁，櫻唇菱角，秀逸若散花仙子，不禁皺著眉道：「朱兄……」，兩個字剛說出口，朱白衣驀然睜開了一雙星目，凜凜眼神中，如挾著兩把利劍，逼得楊夢寰不敢再接下去，呆了一呆，低下了頭。

朱白衣卻淡淡一笑，問道：「你要說什麼話？」

楊夢寰搖搖頭，微笑著說不出口。

朱白衣轉了轉眼珠兒，道：「你心裡想什麼我都知道，不過你不必太明白我的身世，明白了會增煩惱。」說完話，轉過身子，慢步向柳林中走去。

楊夢寰略一怔神，立時追過去攔住去路笑道：「朱兄既不願談身世，小弟自不敢強作多問。我自知俗夫草莽難和朱兄論交，萍水相逢，承朱兄仗義多方援手，又替我師叔療好蛇毒，楊夢寰愧無一報，更慚愧的是情急失常，開罪朱兄，只望朱兄原諒我無心之過，小弟才能心安。」說罷，深深一揖。

朱白衣一欺步，突然伸手扣住夢寰左腕笑道：「我不會怪你。」這一握，力道竟是很大，楊夢寰只覺半身麻木，骨痛欲裂，來不及心念轉動，本能地一上步，右掌劈出一招「傍花拂柳」，朱白衣動作卻異常緩慢，待夢寰掌勢劈到，才微一側身，右手扣著夢寰左腕不動，左手

突地輕輕一翻，借力化力，消解了夢寰掌勢，楊夢寰心裡一急，右掌倏然回擊，這一下，朱白衣卻不再還手，只見青衣飄動，一閃避開，握著夢寰一隻左腕始終不放，一面又要躲避夢寰右掌縱打橫擊，說也奇怪，朱白衣和夢寰相距就不過尺餘遠近，任他掌勢劈打，但始終就打不中朱白衣一下，表面上看，好像朱白衣隨著夢寰掌勢在轉動，其實楊夢寰一招一式，都是在跟著朱白衣身法劈出，楊夢寰一連劈出六、七十掌，不要說打著朱白衣了，就是連人家衣服也沒有碰上一下。

楊夢寰連劈百掌以上，絕招用盡，自覺再打下去，也是徒自取辱，索性停了右手圓睜一雙怒目，望著朱白衣冷笑道：「朱兄取笑夠了吧，楊夢寰學藝不精，蒙此奇恥大辱，自無顏再見天下英雄，縱是朱兄手下留情，不肯要我的命，我也會自求了斷，一條命抵我剛才開罪過失，總夠了吧？」

說完話，右掌突然一翻，猛向自己「天靈穴」上擊去。

朱白衣左手一揚，抓住了夢寰右腕，兩道清澈如水的眼神，脈脈含情，盯在他臉上微笑。他身上陣陣甜香，仍然是那樣令人欲醉，可是楊夢寰此刻已無心領受，看著他盈盈笑意，更是怒火高燒，閉上了兩隻眼怒道：「朱兄如還有什麼高明辦法懲治我，楊夢寰閉目以待就是。」

朱白衣緩緩鬆開了夢寰雙手，輕輕一聲嘆息，附在他耳邊說道：「你細心的看看我踏在地上的腳印，照著練習兩遍，以你悟性不難領會。以後只要再用心練習，一、兩個月即可有成。記著，蛇走鷹翻，魚游兔脫，五行生剋，易強為弱，縱讓強敵環攻，也不難脫出圍困，『五行迷蹤步』，妙在純熟快速，你，你……不恨我了吧！」

楊夢寰只覺臉上一涼，睜開眼但見青衣飄飄，朱白衣已到了幾十丈外，遙見他回過頭白絹一揚，人如電光閃動，兩起兩落蹤影已杳。

楊夢寰呆了一陣，伸手摸摸臉上一片水珠，心想必是朱白衣滴下的淚水，不禁一跺腳，仰天嘆道：「楊夢寰啊，楊夢寰！你怎麼這樣糊塗，難怪別人傷透心了！」

說完話，兩眼中簌簌淚下。這一下，楊夢寰也是真傷了心，呆立望天，淚水滾滾，好一陣工夫，才擦乾臉上淚痕，細看停身處三尺方圓內，果然有五個半寸多深的清晰腳印。立時遵照朱白衣所囑，描痕踏邊，練起「五行迷蹤步」來。一口氣練習到日正當午，少說總有一千多遍，才停下來休息。

說他是休息，其實還是用心揣摩，想出一點訣竅，立時又開始練習。想想練練，整整練習了一天，果然被他領悟不少妙用。直到紅日西沉，他才把五個腳印平好，帶著滿身倦意，回到客棧。

進了饒州城，已經是萬家燈火，他折騰了一天一夜沒有睡覺，又加上一天沒有吃飯，縱是一身功夫，也感到體力不支。回到客棧，只覺困倦異常，勉強振作起精神，跑到師叔房中，只見慧真子盤坐床上，閉目養神，童淑貞和霞琳全都不見。夢寰走近榻前，拜伏地上，道：「師叔，你身體可覺著好些嗎？」

慧真子睜開眼，嘆口氣道：「我已不礙事了，其中經過，已聽你師妹說過大概，你怎麼這樣晚才回來呢？琳兒上午出去找你，現在還沒有回來，我叫淑貞出去找她，兩個時辰了也沒有見她們回來。」

楊夢寰聽得心頭一震，倦意頓消急道：「那我就去找她兩人回來。」

說話間，童淑貞正好進門，夢寰不待師叔開口就搶先問道：「童師姐可見著沈師妹嗎？」

童淑貞搖搖頭，嘆道：「饒州附近我都找遍了，卻是找不著她，聽人說沈師妹出的南門，我一口氣追出七、八里路，就再問不出她的去處了。」

楊夢寰急得一跺腳，道：「她什麼都不懂，一個人如何能走得路，童師姊請侍候師叔，我這就去追她回來！」

童淑貞看夢寰焦急神情中隱現倦容，略一沉吟，道：「沈師妹天真浪漫，一個人實在容易遇上危險，你從昨夜到今天恐怕就沒有好好休息過，不如你留在店裡，我去找她？」

楊夢寰搖搖頭道：「我還不要緊，再說三師叔尚未完全復元，還得師姊伺候，還是我去吧！」

慧真子一臉慈和，望著夢寰笑道：「琳兒心地純善，並不是全不懂事，我想她絕不會跑得太遠，也許再等一會兒她就會回來，我剛才試行運氣，已覺得好了不少，如果那姓朱的朋友說得不錯，這兩天內我可以完全復元，你就是去找琳兒，也先吃點東西再去，今晚你必須回來，因爲琳兒要是真的出了差錯，事情就不簡單，等明天她要是還不回來，我們再一起去找她。」

楊夢寰本來有許多話要對慧真子說，但他此刻一心惦念著霞琳安危，慧真子既未深究，也就樂得不再多說，胡亂叫些東西吃吃，立時回房間佩上長劍，離開客棧，向南追去。

七　伊人渺渺

夜色沉沉，路上行人絕跡，楊夢寰心急如焚，一口氣追出去七、八里路，哪裡有沈霞琳的影子。

楊夢寰停住步，抬頭深深吸一口氣，定定神，心裡暗想：我這樣盲目追尋，哪裡能找得著她？這時候，他感到由夜色中傳來一陣得得蹄聲，不大工夫，隱見官道對面急馳來兩匹快馬，楊夢寰正值六神無主當兒，難免作僥倖之想，暗想：這兩人從對面而來，也許遇見過霞琳，不妨借問一聲。

他心裡剛剛想定主意，兩匹馬已風馳電掣般闖到面前。夢寰見兩馬來勢太急，想招呼已來不及，顧不得再看馬上人的模樣，一橫身兩手齊出，硬搶控馬韁繩，想先擋住馬勢再問人家。

哪知馬上人亦非等閒，夢寰剛剛發動，突聞得一聲怒叱道：「什麼人敢攔去路，你是找死。」

話出口，寒光電閃，左右兩把刀，一齊劈出，同時馬上人又一齊急勒韁繩，兩匹馬急馳間收勢不住，但聞得兩聲長嘶，猛向夢寰撞去。

楊夢寰想不到對方一出手就動兵刃，百忙中急收雙臂，一個仰翻退出去七、八尺遠，但仍攔住去路，拱拱手笑道：「兩位請恕我魯莽，我攔兩位去路，只是想問兩句話，此外並無他

意。」

這當兒，馬上人都躍落地上，橫刀而立，聽完夢寰問話，右邊一個四旬左右的瘦長大漢，打量夢寰兩眼，冷笑一聲，答道：「朋友話說得好輕鬆，你這不像是問話，倒像是劫路的模樣。」

楊夢寰自知理虧，而且又有事求人，只好陪禮笑道：「我已先向二位告罪了，請原諒我行動魯莽。」說罷，又深深對二人一揖。

兩個大漢看夢寰再三告罪，態度轉趨溫和，剛才答話的人，收了單刀，問道：「你有什麼話，請快些說，我們還要趕路。」

一面答著話，一面拉起韁繩，準備上馬，看樣子確似有十萬火急的事情一般。

夢寰問道：「兩位在來路上，可遇見一個身穿白衣的少女嗎？」

兩人聽了夢寰問話，相對望了一眼，又轉臉望望夢寰，搖搖頭，躍上馬鞍，放轡欲去。

楊夢寰看兩人神情，疑念頓生，心裡一急，厲聲問道：「兩位究竟是見到沒有，不說實話，今夜就別想走路。」

左邊大漢一直就沒有開口，此時突然冷笑一聲接道：「見到了，不告訴你又怎麼樣？」

楊夢寰怒道：「那麼兩位別打算好好地過去。」

左邊大漢冷冷接道：「朋友你好大的口氣！別說我們不告訴你，就是告訴你也沒有用！」說完，一抖轡繩，硬向前行。

楊夢寰心知不動手制服兩人，他們決不肯說，一聲不響，暗運功力。跨步一躍，身懸空中，微一吸氣，右手驟然伸出，變招「赤手搏龍」，扣住了大漢右腕脈門，順勢一推，那大漢已跌下馬背，楊夢寰也從馬上躍過，腳落地時仍扣著那瘦長大漢脈門不放。

楊夢寰數月來遇到的盡都是武林中一流高手，看別人攻拒對敵之間，招術神妙莫測，力道威勢驚人，使他誤認自己從師十二年日夜苦學，不過是米粒螢光而已。其實他已學得一陽子真傳，除了火候不夠外，崑崙派中劍術、掌法的密奧竅訣，他已完全學得，因為他有了一種自感武功低微的錯覺，所以一和兩個大漢動上手，就用天罡掌中三絕招的「赤手搏龍」，果然得心應手，擒住了右邊瘦長大漢的脈門，左邊大漢一見同伴被擒，騰空飛撲，來勢極快，夢寰匆忙裡一個閃身，他這一閃之勢，無意中用了剛剛學會的「五行迷蹤步」，左邊大漢一刀刺去，只見眼前人影一閃，不見了夢寰，剛覺一呆，夢寰左手已由右側橫打過去，砰地一聲，正中肩骨。這一掌勁力不小，那大漢只感到右肩一陣劇痛，手一鬆，單刀落地，馬步浮動，夢寰順勢一腳踢中大漢左胯。這一下那人如何還能承受得住，直被踢飛起三尺多高，跌倒地上，再也爬不起來。

楊夢寰舉手投足之間，收拾了兩個大漢，自己也感到意外，不覺怔了一怔。回頭再看被扣脈門的瘦長大漢，雙目半閉，氣喘如牛，人已到了半昏迷狀態，楊夢寰突然一鬆手，瘦長大漢連退四、五步，一屁股坐在地上。

過了一盞熱茶工夫，瘦長大漢慢慢站起身子，對夢寰一聲冷笑道：「想不到我們今晚遇上高人，朋友既有這等身手，自非沒有來歷人物，江湖上講究恩怨分明，如果你朋友不怕我們將來報仇，請把門派姓名賜示……」

楊夢寰搖搖頭，接道：「我和兩位動手，原非本意，彼此並不相識，當然更談不上恩怨，我也自知出手重了一些，難免兩位記恨。不過事已至此，後悔也來不及了，今後二位要找我報

仇，我也自不計較。要我奉告門派姓名，也不困難，但兩位必須先告訴我那白衣少女下落，要不然就別怪我一錯再錯，心狠手辣了。」

那瘦長大漢一聲冷笑道：「男子漢大丈夫，生死算得了什麼，朋友如果想用強迫手段逼供，那無疑白日作夢。」

楊夢寰聽他口氣，分明是遇見過霞琳，只是不肯說出，劍眉一揚，厲聲叱道：「你不肯說，是自找苦吃，可別怪我下手毒辣了。」

說完話，一上步，逼近那瘦長大漢，右手駢了食中二指，猛向「開元穴」上點去，同時左手一伸扣住那瘦長大漢左腕，冷冷問道：「你要再不肯說，我就扭斷你的左腕。」

那瘦長大漢被夢寰點中「開元穴」後，已無反擊之力，此刻又被夢寰扣緊左腕，只疼得他臉上汗水如雨，滾滾下落，欲語又止。

楊夢寰看他一副欲言又止神情，心中若有所悟地點點頭道：「你們不肯實說，也許有著難言隱衷，這樣吧！我只求你指示我一條路，細節方面，我絕不多問，兩位黑夜飛馬，想必還有事待辦，這樣耽誤下去，彼此都覺無益。」

那人聽了夢寰幾句話，果然動容，正待答話，突聞得丈餘外傳來一聲陰森森的冷笑，這冷笑聲音不大，卻嚇得那瘦長大漢剛剛張開的嘴巴，又趕緊閉上。

楊夢寰霍然躍起，轉臉望去，濛濛月光下，站著一個五旬上下，全身勁裝的人，腰中圍著軟索三才鎚，正是天龍幫黑旗壇壇主開碑手崔文奇。

崔文奇這當兒突然出現，確實把楊夢寰嚇了一跳，定定神，正待開口，崔文奇已搶先冷笑道：「我以為是什麼人物？原來是崑崙三子的高足，你把本幫中兩名弟子截留這裡，是什麼意

思？」

楊夢寰心知人家比自己武功高出很多，如要動上手，絕難抵敵。拱手笑道：「晚輩攔留貴幫門下弟子，並非有意，到現在爲止，如不是老前輩現身喝問，晚輩還是不知底細。」

崔文奇並不答話，冷笑著跑過去把躺在路旁的一個大漢扶起，又拉起那瘦長大漢，炯炯眼神，盯在兩人臉上，道：「你們還不走路，存心留這裡現眼出醜嗎？」

兩個大漢聽完這句話，如逢大赦一般，顧不得滿身傷疼，一蹶一拐地爬上馬背，放轡急去。

崔文奇直待兩名弟子人馬俱杳，才回過頭望望楊夢寰，冷冷說道：「凡是天龍幫中的弟子，都不能受人欺侮，你怎麼懲治他們，我也同樣的擺布你一頓，這還是看在崑崙三子面上，留你一條小命。」說著話，緩步向夢寰逼近。

楊夢寰看眼前形勢，已到了非動手不可的地步，明知再說無益，只好全神戒備，氣聚丹田，功行雙臂，俊目深注在崔文奇的臉上，蓄勢待敵。

開碑手看夢寰凝神斂氣，竟準備和自己一拚，不覺一聲輕蔑的冷笑，但他心中卻是暗暗佩服夢寰膽氣。冷笑聲未停，已經出手，右臂一伸，閃電般指向夢寰「肩井穴」，左掌由外向內圈打，一攻之勢，用了兩種不同的力道。

楊夢寰吃了一驚，左掌急施天罡掌中「赤手搏龍」，翻腕疾擒崔文奇右腕脈門，右手卻用澄因大師傳授的十八羅漢掌中一招「金剛開山」，斜劈右臂。這一下楊夢寰也用了兩種不同掌力，一巧一猛，柔剛並濟，崔文奇一時大意，幾乎上了大當，左掌圈打力道，先被夢寰掌勢一震，化解開去，右手略慢一著，竟被楊夢寰搭上了手腕。

但崔文奇究竟是武林中傑出的高手，而且內功火候已達爐火純青之境，一著失機，立時應變，仗深厚功力，借勢反擊，趁夢寰左手尚未合扣脈，右腕一彈一震，變點爲打，上步欺身，內勁突發，掌勢直逼夢寰前胸。

楊夢寰吃虧在內功沒有人家深厚和對敵經驗不足，以致於坐失制勝良機。微一錯愕，崔文奇掌勢力道已迫近胸前。再想變勢招架，已自不及，百忙中隨著打來掌力向後面一個倒翻，退出去一丈多遠，饒是他應變夠快，前胸覺著一股潛力擊中，幾乎站不住腳。幸得崔文奇這一掌是求解危勢，力道不足，再者楊夢寰應付得法，順勢避力，才算沒有被人家震傷。

可是崔文奇這一緩過手來，立時展開了快攻。這一次，他在急怒之下，一掌比一掌力猛，一招比一招迅辣。楊夢寰不敢硬接人家掌勢，處處受制，縱有精妙招術，也難發揮威力，好在天罡掌法走的是巧、柔的路子，講求以巧制力，楊夢寰才算勉強對付著接了崔文奇二十多招猛攻。

開碑手見楊夢寰在自己手下連走了二十幾招不敗，不禁又驚又怒，雙掌愈發劈打得凌厲，但聞呼呼風聲，震得楊夢寰衣袂飄動。崔文奇這一輪急攻，直似山倒海崩，楊夢寰不但險象環生，而且已被人罩入掌力之下，此刻縱然想不戰而逃，亦不可能。

又勉強支持了一會兒，楊夢寰已到了生死須臾的關頭，氣喘如牛，還招無力，頂門上汗流如雨，自己已難再接人家十招，剛覺氣餒，心中突然一動，暗想：朱白衣傳我「五行迷蹤步」時，說過縱在強敵環攻之下，亦不難脫出圍困，現在雖然尚未練習純熟，但已略通概要，不妨一試，看看能否逃出對方掌下。

想到這裡，精神突然一振，奮起餘力，施出天罡掌三絕招中的「雲龍噴霧」，猛攻一掌，這一招他用盡了全力，力道很大，崔文奇猝不及防，果然被逼退兩步。

開碑手想不到楊夢寰在自己掌力籠罩中，居然還能反擊，幾乎還吃了一虧，不由大怒，他原想把夢寰活活累倒，然後懲治一番，放他歸去，這一來激起殺機，厲喝一聲，雙掌連環劈山，兩股極強勁風，隨掌而出。

哪知掌風劈到，只見夢寰人影一閃便失去蹤跡，崔文奇一怔神，急收住劈去掌勢，流目四顧，但見月色濛濛，竟是看不到楊夢寰人蹤何處，這一驚非同小可，不覺愣在當地呆呆出神。

突然聞得背後一聲輕微的冷笑，崔文奇久闖江湖，驚愕之間，方寸不亂，右掌疾馳一招「回風拂柳」，一轉身猛地平掃過去，他這一招出手既快，力道又足，心想：縱然打不中，掌勢潛力亦必把楊夢寰逼迫開去，可是掌風到處，只擊得一丈外一株榆樹上落葉紛飛，卻仍是不見楊夢寰人在哪裡。

這一下只驚得崔文奇出了一身冷汗，暗想：難道這娃兒有邪法不成，我這一擊力道橫掃一百八十度，除了硬接我這一掌之外，武功再高之人，也不能形蹤不露就避開了我這一掌。

他心中驚疑未定，驟覺一股掌風，襲到後背。

開碑手匆忙間往前一縱，躍出兩丈多遠，回身看去，楊夢寰仍站在原地未動，崔文奇本想喝問楊夢寰用的是什麼邪法，但又覺說不出口，遲疑了半晌，才冷笑一聲，道：「崑崙派號稱武林九大正宗主派之一，原來練的盡都是邪門功夫。」一面說話，一面暗運功力，準備驟然出手，一舉擊斃夢寰。

楊夢寰卻是一語不發，凝神靜立，表面上看他是在蓄勢待敵，其實他是在琢磨「五行迷蹤步」的竅訣。要知那「五行迷蹤步」，蘊蓄著無窮玄機，任你如何聰明的人，短短幾天中，也

難完全領悟。楊夢寰雖然描痕踏蹤地練習了幾千遍，只不過略通概要而已，他除了兩隻眼盯住崔文奇，看他發動來勢之外，全副精神都集中在「五行迷蹤步」的變化，開碑手說什麼話，他根本就沒有聽清楚。

崔文奇見夢寰凝神待敵，全不理會自己問話，不覺羞怒交加，兩足一點，直撲過去，兩掌平胸推出，這一招他含忿出手，用上了十成勁力，威勢之猛，直若洪流潰堤，罡風猛捲，人隨掌勢一齊向夢寰直撞過去。

一發之勢，捷逾電閃，哪知罡風將到，只見夢寰身形一轉，人已不知避到何處。崔文奇幾十年江湖行蹤，不知道會過多少高人，但夢寰這種奇特的避招身法，他不但沒有見過，而且根本聽都沒有聽人說過，身不離三尺方圓之地，但卻如魔影一般，忽前忽後，忽隱忽現，崔文奇數擊不中，心膽已寒，借發招之勢，縱出去三丈多遠，頭也不回，連幾個急躍，隱沒逸去。

楊夢寰初試「五行迷蹤步」，驚走了崔文奇後，自己也驚出一身汗水，暗道：慚愧，如果不是朱白衣授此奇技，今夜決難逃出對方掌下。想至此處，又懷念起朱白衣來，憶此後相見無期，不覺黯然神傷。呆了一陣，一個人又練起「五行迷蹤步」來，這一次他全神集中，邊練邊想，又被他體會出不少妙用。

突然一聲梟鳴，由靜夜中傳來，楊夢寰神志一清，又想起沈霞琳來。一想起沈霞琳，哪會有心情再練武功，定定神，回味剛才兩個大漢的話中，已隱約透出霞琳似是被人劫持而去，只是四顧茫茫，對方行蹤不明，一時間哪裡去找。

想了半晌，突然心中一動，暗道：所遇兩個大漢都是天龍幫中弟子，崔文奇又是天龍幫五旗壇主之一，以崔文奇武功而論，要想劫持沈姑娘，自是易如反掌，目前只有先到天龍幫去探

聽一下再說。

他越想越覺不錯，立時定了主意。慧真子本要他今晚上回饒州客棧，但夢寰既已推想出沈霞琳下落，恨不得一步追上，生怕多耽誤一天時間，沈姑娘就多了一分危險。再說慧真子蛇毒雖除，身體尚未復元，一、兩天內能否趕路，還很難說，自己如回到客棧，再向師叔請命，單身一劍到黔北找尋霞琳，慧真子絕不會答應，這一耽誤，一、兩天就不能動身。他想了一陣，拔出背上長劍，把路邊上一株樹皮削去一片，留下崑崙派中暗記，指示出自己去向，立時連夜向黔北天龍幫總堂趕去。

到天亮時候，已趕出一百多里，到了一座小鎮上，吃點東西，問了去路，立即又啓程趕路。

楊夢寰匆匆行色，是希望能在路上追上霞琳，他計算沈姑娘被劫行程，和自己相距還不到一天時間，霞琳自不會甘心就範，聽人擺布，他們必是用強制手段擄去沈姑娘，沿途行人千萬，天龍幫再膽大，也不敢明目張膽地把沈姑娘捆在馬上趕路，江西到黔北又無可通水道，唯一的可能，就是把霞琳放入車中，掩人耳目，馬車再快，一天也不過一百多里，憑自己腳程，一天一夜工夫必可追上。他有了這層想法，自然要日夜急趕，平常霞琳天天守在他身側，還不覺得什麼，此刻她一旦失蹤，他竟是急得如熱鍋螞蟻一般，忘記了一日夜來的勞累。

一天一夜的急趕，到第二天中午，竟被他趕了四、五百里，到了贛江渡口的唐家集。唐家集是個小集鎮，他尋了一家酒館，叫了一壺酒，幾盤精緻菜肴，慢慢地喝起來。

楊夢寰幾天來勞碌奔走，此刻一休息，只覺疲倦異常，再加幾杯酒下肚作怪，不知不覺間竟在座位上伏案沉沉睡去。

這一睡，足足有一個時辰，醒來已經是斜陽滿窗，楊夢寰叫過來酒伙計，結算酒帳，酒伙計卻搖搖頭笑道：「相公的酒賬已有你朋友會過了……」

酒伙計話未說完，楊夢寰驚得一下子跳了起來。他這失常舉動，可也把酒伙計驚得一呆，手一鬆，一把細瓷茶壺掉在地上摔得粉碎。

楊夢寰定定神，看滿座酒客數十道眼光都集射在他身上，趕緊鎮靜下心神，裝作若無其事，淡淡一笑問道：「我的朋友，走的時候可留下什麼話嗎？」

酒伙計還未及答覆，他又加上一句道：「我那朋友是什麼樣子，大概有多大年齡？」

酒伙計聽他問得奇怪，皺皺眉笑道：「看樣子有五十出頭，很矮很瘦，你相公剛剛進店不久，他就來了，一直在你對面坐著，怎麼，你們不認識嗎？」

楊夢寰轉頭看桌上，果然對面多了一副杯筷，桌案一邊，隱現字跡，一望即知，是用金剛指之類的功夫刻在桌上，妙在淺的僅可辨認，只見寫道：「玉人無恙，儘可放心一醉。」

下面既無署名，也未留暗記，這就鬧得楊夢寰莫名其妙，搜盡枯腸，也想不出對方究竟是什麼人。

這兩、三個月的江湖歷練，連番奇遇，使初出茅廬的楊夢寰增長了不少見識。來人既如霧中神龍，自己想都想不出一點頭緒，要想從酒保口中探得消息，更非可能。索性不再多問，掏出一銀子，放在桌上，暗運內功，隨手抹去字跡，對酒保笑道：「這銀子，賠你摔破的茶壺，餘下的就賞了你吧！」說完話，逕自出店。這地方緊靠渡口，出了店就到江邊，放眼望贛江，浪花滾滾，漁舟點點，渡船頻繁，楊夢寰徘徊渡口，直到紅日西沉，天色入暮，仍未見一輪馬

車駛過，不覺心中焦急起來，腦際中盤旋著沈霞琳的音容笑貌，悵悵愁懷，別有滋味。這時他才覺到，嬌癡無邪的沈姑娘，在他心中占的地位是那樣重要，數月裡朝夕相處，不知不覺中，情愫已生，要不是沈姑娘芳蹤失去，也許楊夢寰還感覺不到他已對沈師妹深植情苗。

這時，他已完全浸沉在懷念愁緒之中，行至江岸，忘記了已入深夜。

突然一陣轆轆輪聲，從夜暮中遙遙傳來，楊夢寰精神一振，抬頭張望，只見月掛中天，清光溶溶，已經是三更時分了，渡船已停，人蹤絕跡，只有那滔滔江流中，萬千點燈火閃爍。

楊夢寰伸手摸摸肩上劍把，心裡不自覺緊張起來！閃身躲入一片暗影中，雙目凝神，注定來路。

約過了一盞茶工夫，果然有一輪黑篷馬車，急急駛來，車輪聲衝破了夜幕。月光下，看車前坐一個白紗裹臂的大漢，單手揚鞭，車行如飛，待近渡口，倏然停車，從懷中取出一個號角，吹出一陣嗚嗚怪響，劃破夜空，然後躍下馬車，不住向江中張望，待號角聲沉寂之後，馬車中卻隱隱傳出輕微的呻吟之聲。

楊夢寰看時機已成熟，再耽誤有害無益，翻腕抽出背上長劍，一躍而出，待那白紗裹臂大漢驚覺，楊夢寰已躍近車前，長劍疾出，挑開垂簾，定神一看，不覺呆在那裡，說不出話。

馬車中不是他幾天來夢縈魂牽的沈霞琳，而是三個滿身傷痕，奄奄待斃的大漢，楊夢寰長劍挑開垂簾，三個人也就不過是睜開眼望望他，又閉上了眼睛。

這當兒，那白紗裹臂大漢，已到了夢寰背後，出手一掌，猛向夢寰後背劈去，掌挾風聲，力道竟是不弱。

楊夢寰一飄身讓開掌勢，回過頭橫劍問道：「幾位可是天龍幫中的弟子嗎？」

那白紗裹臂大漢聽他單刀直入，愣了一下停住手，答道：「不錯，你朋友是幹什麼的？」

夢寰心中一轉，不答問話，卻反問道：「車上的人是怎麼傷的？你們押送的人呢？」

他這若無其事的一唬，還真把那白紗裹臂大漢給唬的暈頭轉向；因爲天龍幫人多勢大，幫中弟子不下千人，遍布江面道上水旱兩路，楊夢寰又問得正在點上，那白紗裹臂大漢，一時哪裡弄得清楚，怔了一怔，答道：「押送的人已遭人劫走，弟子等四人力戰受傷，尊駕可是派來接應我們的嗎？」

一邊答著問話，一邊右手立掌當胸，食中二指半屈，對夢寰躬身一禮，眼卻盯在夢寰兩隻手上。

這是天龍幫中特定的暗號，一禮之中，表示出輩份地位，楊夢寰哪裡弄得清楚，略一猶豫，那人已看出破綻，怒喝一聲：「好小子，你敢施詐。」右掌一揮，猛向夢寰撲去。

楊夢寰看他傷著一條臂，出手仍是極快，倒也不敢大意，左手一招「閉門推月」，封開攻來一掌，橫劍冷笑道：「我確非貴幫中人，但也非貴幫仇人，我只想向你打聽一件事情！」

那人看夢寰出手不凡，而且自己左臂傷勢很重，車上還有三個同伴奄奄待斃，急需施救，想了想，停住手，冷冷答道：「你要打聽什麼事？說吧？」

夢寰問：「你們押送的人，可是一位很美的白衣少女嗎？」

那人看了夢寰一眼，點點頭道：「不錯。」

夢寰臉色一變，沉聲又問：「她人呢？」

傷臂大漢答道：「被人搶走了。」

楊夢寰強忍著一腔悲忿，追著問道：「什麼人搶走了？在什麼地方？搶的人走的哪個方向？」

傷臂大漢看夢寰越問越急，怒聲答道：「搶的人是兩個行腳和尚，去的方向不知道。」

楊夢寰再也忍不住激盪的怒火，厲聲喝道：「你們天龍幫爲什麼要擄她？」

傷臂大漢也厲聲答道：「擄了她又怎麼樣？難道你還敢找上天龍幫總堂要人不成？」

楊夢寰冷笑一聲，道：「貴幫中五旗壇主之一的崔文奇，我已會過，他那點本領，也不見得有什麼驚人之處，天龍幫總堂也不是銅牆鐵壁，仙窟魔宮，爲什麼我不能去，不過你們擄的人，已被人搶走，我已無必要到貴幫總堂一行，恨起來我真要把你們用亂劍碎屍，但我又不願乘人之危……」

話到這裡，突聞一陣木槳拔水之聲，兩艘漁舟一齊靠岸，船上人影翻飛，躍上來四個勁裝大漢，眨眼工夫已到了夢寰面前。

傷臂大漢見接應已到，膽氣頓壯，指著楊夢寰喝道：「憑你那點年齡，就算你一出娘胎就練功夫，又能有多大成就？崔壇主武功絕世，你豈能接他一擊！你竟敢大言不慚，信口雌黃……」

楊夢寰聽得霞琳確爲天龍幫中所擄之後，心中本已冒火，此刻再經那傷臂大漢一陣喝罵，如何還能再忍得住，劍眉一揚，怒道：「那你們就一齊上試試！」話出口，人也發動，長劍一招「杏花春雨」，劍尖銀芒顫動，分向五人刺之。一招出手，有如銀星飛灑，使敵人感覺到無從招架。

楊夢寰一招逼退了五人，收住劍勢，道：「擄我師妹，料也不是你們主意，就憑你們那點能耐，也打不過她，這筆帳結算有日，待我查清事情經過再說……」

說到這裡一頓，劍指那傷臂大漢，聲色俱厲地又道：「看你們四個人都傷得不輕，所言當非虛語，現在我只問你搶我師妹賊人的去向，如有一句謊言，當心我寶劍無情！」

那傷臂大漢看夢寰一劍威勢，凌厲無比，再看接應四人又都是幫中名不見經傳的人物，真要和夢寰動上手，必定要吃大虧，膽氣一餒，心火頓消。但仍冷冷地笑道：「搶我們送白衣少女的人，的確是兩個和尚。至於去向何處，我確實不知。如果我要騙你，隨便說一個方向，你也弄不清楚。那白衣少女是不是你師妹，我們不管，但她確被我們天龍幫中擄來，又被人搶走，這檔事我們天龍幫也不會就此罷手，我可以對你說的，是我們遭劫地方，就在距此三十里左右，一片墓地旁邊，你自己可以到那裡去看看吧！」

楊夢寰聽他話風，似非虛語，問了去路，立即趕去。

楊夢寰心急似箭，放腿狂奔，不到頓飯工夫，已趕了三十多里，果然見道旁有一片墓地。夢寰細看道旁，果然發現不少血跡，有不少荒草已經踏倒，看樣子，確實有人在這裡動過手。他細心勘查一遍，但除了血跡和一片經人踐踏的荒草痕跡之外，再也找不出另外痕跡。沈姑娘杳杳芳蹤，至此愈發迷離，饒是楊夢寰機智絕人，這當兒也陷入五里霧中，鬧得他六神無主。天下僧侶千萬，寺院無數，茫茫四海，玉人何處，縱然踏破鐵鞋，也難歷盡天下名剎院寺。想著，想著，頓覺愁懷糾結，呆站在那荒蕪淒涼的墓地裡，抬頭望著天上明月，一顆心有如一葉失舵扁舟，在茫茫無際的大海中飄盪。

就在這淒涼的墓地裡，驀聞得身後纍纍青塚裡，也傳來一聲悠悠長嘆，這一聲長嘆直若平地焦雷，只嚇得楊夢寰冷冷打戰。

楊夢寰運足目力看去，只見丈餘外一塊石碑上，有一片白影飄動，立時一掌護身，一掌防敵，一縱身躍近石碑，取下一看，原來是一方白色羅帕，上面用黛筆寫道：「我一時大意，致使令師妹又遭磨難，變起突然，連我也有點亂了方寸，目前煙沉霧籠，玉人行蹤不明，但我料想行兇匪徒，志在劫色，令師妹人間威鳳，諒必逢凶化吉，匪徒等如真敢行出軌外，使玉人玷瑕抱恨，定當手刃群兇，誅盡彼獠，以抱歉咎，唯望君能自珍自重，不出一月，定當有佳音奉告。」

字雖娟秀，但很潦草，這說明留字人的心情也很混亂。夢寰反覆閱讀，越看越怕，「使玉人玷瑕抱恨……」幾個字，變成了一團烈火，燒得他心肝裂碎，熱血沸騰，急得他咬牙出聲，淚水如泉，也無暇推想羅帕來歷，隨手放入袋內，翻身急急跑出那一片荒塚。

正行間，一個蒼老沉重的聲音喝道：「楊相公別來無恙，想不到我們又會在此地碰上！」

夢寰轉身望去，不知何時他身邊已多了一個老者，蒼白長髯，身軀修偉，正是初離玄都觀時，在洞庭湖中所遇的天龍幫長江總舵舵主尤鴻飛。

尤鴻飛身後三丈外，另有兩個背插單刀的大漢，拴著三匹健馬，楊夢寰心頭一凜，暗想：我只管急痛傷心，害得耳目失靈，人家馬近三丈，人欺近身，竟是未覺，對方如驟下辣手，糊糊塗塗的就送了命，死不足惜，但這樣與追尋沈姑娘有何幫助，更何以對得住恩師十二年教養的心血……想到這裡，立時把滿腔急痛，壓制心底，從迷醉情愁中清醒過來，望著尤鴻飛一聲冷笑道：「貴幫聲勢浩大，遍布江南，不過作爲究竟脫不了幫匪氣質，尤總舵主快馬趕來此地，莫非還想綁架我楊某人嗎？」

尤鴻飛聽得臉一熱，微怒道：「楊相公這話是什麼意思？前次侵犯，事非得已，幫規森

嚴，令諭難違，我已當面向老弟說明。旬前已得總堂新諭，藏真圖事出誤會，那《歸元秘笈》既成泡影，本幫和貴派已敵意全消，楊相公出言責備，究屬何指？老朽倒要請教。」

楊夢寰又一聲冷笑道：「貴幫中人，一個個口蜜腹劍，話講得雖然冠冕堂皇，可是做的事卻卑鄙下流。貴幫既已對我們消了敵意，你尤總舵主一大早快馬急足，趕來這荒涼的地方，又爲什麼？」

尤鴻飛濃眉一揚，雙目神光閃動，冷冷接道：「楊老弟，說話要有點分寸，就是令師玄都觀主，也不能這樣肆言傷人。本幫弟子昨夜在距此不遠處，受人劫擊，四人都受重傷，並被人搶走了押送要犯。我昨夜得報，因此趕來勘查，不想遇得老弟……」

話到這兒，頓一頓，又道：「昨夜中本幫弟子在唐家集贛江渡口，所遇的使劍少年，可是你楊老弟嗎？」

楊夢寰道：「不錯。貴幫押送的什麼人？尤總舵主知道嗎？」

尤鴻飛搖搖頭道：「據幫中弟子告訴我，是一位年輕姑娘，個中詳情如何，我也不很清楚，只是奉得總堂紅旗令諭，要把她押解黔北，不想昨夜遇劫，傷了本幫中四個弟子不算，又被劫走了紅旗令諭命押黔北的要犯……」

尤鴻飛話未完，楊夢寰已爆出心頭怒火，厲聲喝道：「我師妹初涉江湖，從未和人結過樑子，你們擄一個純善無知的女孩子，是何用心？」

長江神蛟聽得怔了一怔，道：「怎麼？紅旗令諭押解的人犯，是楊老弟師妹嗎？」

楊夢寰看尤鴻飛錯愕神色，不像故意裝模作樣，面色稍見緩和，答道：「正是和晚輩同在洞庭湖中，遇見尤總舵主的那位沈姑娘。」

尤鴻飛聽得一皺兩條濃眉，道：「這件事我的確是不知情，但我想個中必有原因，也許事出誤會，紅旗令諭是本堂總堂中五旗壇壇主勒令之一，如非齊壇主親手所發，亦必出自授意，壇下弟子再膽大也不敢私傳紅旗令諭，而且令中明示要本幫弟子沿途保護押解總堂，這證明對令師妹並無加害之意……」

楊夢寰聽到這裡，又憋出心頭怒火，冷笑一聲，接道：「她一個天真無邪的少女，又從未在江湖上走動過，自然和貴幫談不上什麼宿仇舊怨，你們擄她動機不止可恨，而且可鄙。」

尤鴻飛臉色一變，微慍道：「天龍幫幫規條律，首戒淫字，齊壇主身掌本幫紅旗壇，盛名震江湖，豈會自甘下流。楊老弟，你這種藐人太甚的想法，未免太可笑了。」

楊夢寰看長江神蛟，一張臉氣成了鐵青顏色，再想齊元同以成名武林數十年聲譽，及天龍幫紅旗壇主之尊，也實在不會做出劫持美色的下流事情。但也想不出其他原因……一時間只管呆想，站在那裡忘記答人家的話。

陡然間，他腦際閃起一個念頭，朱白衣在鄱陽湖畔說的幾句話，在他心裡泛起了一陣波動，他說李瑤紅決不甘心忍受著一生的折磨痛苦，她必要想盡方法纏夾自己……她是天龍幫幫主海天一叟李滄瀾的愛女，也許是她磨菇著齊元同劫持了霞琳……人情急中，難免自作聰明，何況楊夢寰這推想還有著很多道理，他越想越覺得不錯，恨得他咬牙切齒，就地一跺腳，道：「不錯，定是那鬼丫頭玩的花樣！」

尤鴻飛看夢寰呆呆地想了半晌，突然一跺腳，自言自語地說起話來，這就弄得久歷江湖的長江神蛟也莫名其妙了，一拂胸前長鬚，問道：「楊老弟，你覺得老朽幾句話，可說得有點道理嗎？我尤某人身受令師救命大恩，幾十年來都無機緣報答，姑不論本壇劫持令師妹原因何

在，但當前最重要的事，是先追出令師妹的下落。本幫弟子徧佈江南各地，老朽願借機略效微勞，我立刻用快船飛馬，傳諭各處，著令他們留心令師妹芳蹤去處，好在已知道搶劫令師妹的是兩個行腳和尚，有此線索，就不致於追查不出，此舉雖還難斷言有成無敗，但總比你楊老弟一個人，匹馬單刀去追尋要好得多。只要聽得令師妹的消息，我們就兼程趕往，本幫中有特殊的連絡信號，一日夜之間可達四、五百里，如果你楊老弟信得過我，就和我一塊兒走，咱們就這樣辦。」

楊夢寰看人家說得懇切，確出誠意，而且除此之外，也實在想不出別的辦法，點點頭，正待答話，遙見正西方一匹快馬馳來。

馬如電掣風飄，快得出奇，數百丈距離，不過是眨眼工夫就到。那馬如一團紅雲，神駿異常，從頭到尾足足有九尺多長，金鞍銀鐙，垂鬃三尺，馬背離地少說也有六尺多高，全身看不見一根雜毛，絕世神駒，罕見龍種，楊夢寰只看得暗讚不已。再看馬上人的衣著也很別致，一件淡黃及膝大褂，腰中一條三寸寬的白絲帶子，淡黃綢褲，粉底快靴，玉面劍眉，膚白如雪，俏目隆鼻，唇紅硃砂，兩隻袖管高高捲起，手腕上露出來四只耀眼金環，看形貌美如處子。遺憾的是俊中帶俏，缺少英武氣質。他與楊夢寰相較之下，一個英挺秀逸，一個風流俊俏。

黃衣人馬近楊夢寰後，兩隻俏目流波，也盯在楊夢寰臉上，一對各極其美的少年，互望良久，那黃衣少年才跳下馬對尤鴻飛拱手笑道：「尤總舵主倒先到一步了，本幫被劫女犯一事，查出一點頭緒嗎？」

楊夢寰聽來人口稱霞琳為被劫女犯，不由又動了怒火，不待尤鴻飛答話，搶先接道：「貴

幫也不過是江湖道上一種非法組織，難道還奉朝廷的詔旨不成？青天白口之下，非法擄人，還口口聲聲稱爲人犯，不知被擄人犯的是什麼罪？」

黃衣少年面色一變，刹那間俊臉上現出怒容，俏目裡隱透殺機，翻腕拔出背上奇形金環劍，劍指向夢寰厲聲喝道：「你是什麼人？敢如此潑口撒野。」

夢寰看他手中兵器奇怪，形雖如劍，但劍尖和劍身及護手處，卻多了三個金環，日光下，青鋒和金環相映生輝，劍身動處，三環交鳴，鏘鏘鐺鐺如金盤珠走，清脆聲響中，暗合節奏，黃衣少年借拔劍之勢，已暗運內功，貫注劍身，抖動劍身金環，暗向夢寰示威。

楊夢寰也確爲黃衣少年震動劍身金環的精湛內功吃了一驚，趕忙凝神提氣，抽出長劍，正想反唇相識，尤鴻飛卻搶前一攔，在兩人中間笑道：「兩位都請暫息怒火，江湖有句俗話說，不知者不罪，我來替二位引見引見吧！」

說到這裡頓了一頓，指著夢寰道：「這位是崑崙山中一陽子道長門下高足楊夢寰。」回頭又指著黃衣少年笑道：「這位是本幫龍頭幫主門下的衣缽弟子，金環二郎陶香主陶玉。」

陶玉轉臉看了尤鴻飛一眼，問道：「本幫中劫的人，不知和這位楊兄是什麼關係，何以他出口就傷人？」

尤鴻飛道：「紅旗令諭押送的少女，就是這位楊老弟的師妹。」

陶玉收了金環，一皺兩條劍眉道：「怎麼？我們劫持的人，是崑崙派門下女弟子嗎？」

尤鴻飛道：「是不是我還沒有親見，但據這位楊老弟說，是他師妹。」

夢寰把長劍還入鞘中，接道：「我從饒州一路追蹤而來，那還能假得了嗎？」

陶玉又問尤鴻飛道：「齊壇主爲什麼要傳紅旗令，劫持人家崑崙派中的女弟子？」

長江神蛟搖搖頭，道：「我只接得紅旗令諭，且派人接應押送一位少女的幫中弟子，個中原因，卻是毫無所知。」

陶玉歉意地對夢寰拱拱手，笑道：「這就難怪楊兄情急責問了。我們天龍幫雖然是江湖道上一個非法組織，但敢說所作所爲都是順乎天理、合乎人情的俠義行爲，我們也殺人放火，但殺的都是貪官污吏，燒的是土豪劣紳，以及江湖中下五門的淫賊大盜，本幫中弟子雖多，可是我們有嚴峻的幫規約束，錯殺一個好人，都將受到幫規制裁。齊壇主執掌本幫中紅旗壇，決不致於行出規外，知法犯法。目前我還不了然個中詳情，恕難妄加推論，但這件事總有水落石出的一天。我今晨接得本幫弟子在此地遇劫消息，匆匆來查看。現在不但楊兄要追尋令師妹的下落，就是本幫也不能眼看著四個弟子受傷不管，無論如何，要追查出搶劫本幫的人來，只要能找到令師妹，就不難弄明白事情的因果，屆時或由令師出面，或者楊兄和小弟一起到本堂黔北總堂，見我們龍頭幫主一評是非曲直，自會有合理解決辦法，當前課題，必須先尋得令師妹下落才好。」

金環二郎陶玉一席話，頭頭是道，楊夢寰聽完後，點頭笑道：「陶兄高論，使小弟茅塞頓開。追尋我師妹，還得借貴幫大力，楊夢寰願追隨聽候調遣。」

陶玉笑道：「楊兄太客氣了，如果不嫌棄小弟匪氣，咱們結伴同行如何？」

夢寰臉一紅，笑道：「適才情急失言，望陶兄不要介意才好。」

說完話，躬身一揖，慌得陶玉趕忙還了一揖，笑道：「剛才小弟亦有開罪楊兄地方，你這麼一多禮，反而使我慚愧了。」

尤鴻飛站在旁邊，看著這兩個剛才豎眉橫目，拔劍相向，幾乎拚命的少年，一會兒工夫，卻變得親熱異常，宛如故友重逢一般，遂哈哈一聲大笑，道：「兩位英雄相惜，一見如故，此地不是談話地方，唐家集贛江渡口，現停泊著我的座船，何不請到我船上小飲幾杯，再者也好早點傳令，諭本幫水旱兩路弟子，追查楊老弟師妹下落。」

說完話，一擺手，三丈外兩個帶刀控馬的大漢，立時送來健馬。尤鴻飛讓夢寰上了馬，自己也縱上馬背，笑道：「陶香主赤雲追風駒，日行千里，楊老弟，咱們先走一步吧！」說畢，縱騎當先，加鞭急馳。

楊夢寰抖韁急迫，剛剛跑出去十幾丈路，突覺身側一陣急風捲過，陶玉的赤雲追風駒如狂飆掠空而去，但見一道紅煙如箭，逸塵若飛，一剎那間，人馬俱杳。

待楊夢寰、尤鴻飛趕到唐家集贛江渡口，金環二郎陶玉已早到多時。三個人三匹馬，乘小船轉上了長江神蛟的雙桅巨帆。船艙中金碧輝煌，富麗異常，尤鴻飛先讓楊夢寰和陶玉在空艙中落座，然後從懷中取出一面白緞子繡著金蛟的旗子，站在船頭上，迎風搖展一陣，立時由後艙中竄出來十二個佩刀的勁裝大漢，一字排列在長江神蛟面前。尤鴻飛面色嚴肅地吩咐了幾句，十二個大漢立時紛紛躍下雙桅巨帆，分乘大船旁停泊的六艘小艇，搖櫓裂波而去。

尤鴻飛緩步進了艙中，吩咐兩個伺候的青衣童子，擺上酒席。不大工夫，酒菜擺好，尤鴻飛肅容入座，捧杯敬酒，楊夢寰一心掛念著霞琳，哪還有心情吃得下酒，勉強吃了兩杯，就放下了杯子。

尤鴻飛看夢寰一副神不守舍的樣子，乾了一杯酒，笑慰道：「楊老弟請暫開愁懷，放下

心喝幾杯酒，我已派人通知本幫散布在贛、鄂、湘一帶的弟子，追尋令師妹的行蹤。也許在這一、兩天內，就會有佳音奉告。」

金環二郎陶玉接口笑道：「只要能得到令師妹的消息，小弟願把赤雲追風駒借楊兄一用，此馬一日有千里腳程，就不愁追趕不上。」

楊夢寰無限感激地答道：「陶兄盛情，楊某人感戴異常，陶兄赤雲追風駒，是世無其匹的龍種，小弟如何能夠借得。」

陶玉笑道：「此馬我已答應送給我師妹李瑤紅，大概在兩、三個月之後，赤雲追風駒就非小弟所有了。劫持令師妹的兩個野和尚，不但楊兄不肯放過，就是小弟也要看他們是銅澆羅漢，還是鐵打金剛。好在赤雲追風駒神駿異常，咱不妨就一騎雙乘。」

楊夢寰一聽得李瑤紅三個字，臉上神色一變，但他還能勉強鎮靜著，笑道：「陶兄如此隆情，夢寰自不便再推辭，我這裡先謝謝了。」說罷，起身一揖。

陶玉也起身，還禮笑道：「小弟生性一向孤傲，但和楊兄一見如故，這也許就是緣分。請楊兄暫釋滿懷愁慮，放量多喝幾杯。小弟心存高攀，很想和楊兄訂交，至於本幫中齊壇主傳紅旗令諭，命擄令師妹一段公案，小弟亦願面見齊壇主代詢原因。」說完話，俏目中神光閃閃，雙手捧杯，含笑敬酒。

楊夢寰推辭不得，一口氣陪了人家三個乾杯。吃過幾杯酒，豪氣迸發，暫時忘記了霞琳姑娘，酒助談興，他和陶玉談得十分投機。一席酒罷，楊夢寰帶醉安歇，這一覺直睡到天色轉夜，醒來自己臥身在一間布設雅致的小客艙中。桌案上一支巨燭，火焰熊熊，照得滿室通明，對面一張單人木榻上，躺著金環二郎陶玉。人家好像根本就沒有睡著，一見夢寰醒來，立時翻

身跳下床，笑道：「楊兄這幾天來，恐怕已身心俱疲，這一覺你睡足了七個時辰。」

夢寰下床笑道：「不勝酒力，一醉如泥，糊糊塗塗就過了一天。」

兩人談話間，一個青衣童子捧著面水進來。楊夢寰剛洗過臉，緊接著又送上一盤細點，陶玉陪夢寰吃過點心，兩個人步出小客艙上了船頭，這時，大約有初更左右，月光下急風拂面，頓使人精神一爽。夢寰看雙桅上風帆滿張，順水順風，船快如箭；不過這艘雙桅巨帆太大，雖然快逾狂奔怒馬，但在艙中卻覺不出快，可是站在船頭上，就感到江風疾勁，拂面飄衣。

楊夢寰回頭問陶玉道：「陶兄，我們現在要到哪裡去？」

金環二郎笑道：「今天亥初時分，接到敝幫中傳來信號說，在南昌附近，發現兩個可疑和尙……」

楊夢寰不待陶玉話完，就接口道：「是不是也發現了我師妹的行蹤呢？」說過了，他才覺著問得太急，不覺臉上一紅。

陶玉微微一笑，接道：「目前還很難說，令師妹芳蹤尙未發現。不過那兩個行腳和尙的穿著長相，卻和劫持令師妹的兩個行腳和尙一樣，敝幫南昌散布弟子雖然不少，但是因接尤總舵主的金蛟令旗傳諭，不敢不報。二則是看出那兩個行腳和尙武功不弱，不敢下手，怕一擊不中，驚走了兩人，反為不美。因此用本幫特殊傳信之法，報到了長江總舵。」

楊夢寰又追著問道：「現在我們的船可是往南昌走的嗎？」

陶玉點點頭道：「我和尤總舵主接得消息，立時起碇發船，本想把這消息告訴你，但見你好夢正酣，又不便驚擾。」說到這裡頓一頓，又笑道：「看楊兄剛才情急之狀，必和令師妹相處極好，對嗎？」

楊夢寰被陶玉問得臉上一紅，一時間不好答覆什麼，過了半晌，才點點頭笑道：「她是個純潔善良的少女，一點事故不懂，因而我才為她擔心。」

陶玉俏目深注在夢寰臉上，笑道：「楊兄縱不肯說，小弟從你情急神態之中，也看得出來。」

楊夢寰正待答話，突然想起了一件事來，沉吟一陣，問道：「陶兄可知道貴幫為什麼要擄我師妹嗎？」

陶玉搖搖頭，道：「這件事我的確是不清楚，但楊兄儘可放心，待尋得令師妹後，我當親見齊壇主，問明原因就是。」

兩個人愈談愈投機，陶玉對夢寰更是親切，大有相見恨晚之感，直到三更過後，兩人才回到艙中安歇。

八　奇僧秘事

第二天，天色剛亮，船已靠上了南昌碼頭。金環二郎陶玉牽著夢寰一隻手，下了雙桅巨帆，碼頭上早已有天龍幫的弟子在守候著。兩個人剛剛下船，立時有三個青衣大漢迎上去，長揖請安，陶玉單掌還了半禮，問道：「那兩個行腳和尚，落腳在什麼地方？」

中間一個四旬左右的大漢，垂手稟道：「弟子已派人監視兩個和尚行蹤，昨夜他們落腳在南昌西關悅來客棧，此時大概還沒有動身？」

陶玉回頭對夢寰一笑，吩咐那三個大漢道：「你們留兩人帶著我的赤雲追風駒，等著尤總舵主一塊兒去，一個人給我們帶路上悅來客棧。」

中間那大漢，似乎是三個中的頭目，留下左右兩個大漢牽馬等人，自己帶著陶玉、夢寰逕奔悅來客棧去。

夢寰雖看出金環二郎在天龍幫中身分地位，似乎比尤鴻飛還要高些，但他自己是客人，對天龍幫的弟子，不能不客氣點，回頭問那青衣大漢：「兄台高名上姓？」

那青衣大漢，受寵若驚地望著夢寰，躬身答道：「兄弟叫水蛇李五，承龍頭幫主恩典，派在長江總舵手下吃飯，負責南昌三百里內的水路買賣。」

夢寰又問道：「悅來客棧那兩個行腳和尚，可帶有一個白衣少女同行嗎？」

李五搖搖頭，道：「兄弟接到總舵金蛟令諭後，立時派人四出查訪，悅來客棧兩個行腳和尚，和金蛟令諭查尋的人頗覺相似，因此傳訊總舵，請命處理，不過除了那兩個和尚之外，倒未見到有別人同行。」

楊夢寰本來興沖沖的，聽完話，冷了半截，回頭望陶玉，陶玉笑道：「兩個和尚既然可疑，我們不妨先去看看，令師妹必已得崑崙派拳劍真傳，如果他們不用卑劣手段，令師妹自然不會甘心就範，江湖上無奇不有，有時候閱歷較武功更爲重要。」說完話，一疊聲催水蛇李五帶路。

三個人一陣快走，不大工夫，已到了悅來客棧。

這悅來客棧，是南昌西關一座很大的客棧，房舍毗連，不下百間。三個人到店外，太陽還不過剛剛升起，兩扇黑漆店門還未開，水蛇李五三不管，舉起拳頭在門上一陣狠擂，大門開處，一個店伙計睡眼惺忪地擋在門口，看樣子想發脾氣，但一見水蛇李五，嚇得兩隻睡眼大開，不顧再扣扣子，躬身一個長揖，道：「李五爺，你老好早啊！」

水蛇李五冷冷問道：「昨夜裡落腳你們悅來客棧的兩個行腳和尚走了沒有？」

店伙計又躬身陪笑，答道：「兩個大師父住在二進院中，大概還沒有走。五爺要找他們，請稍坐一下，我這就去叫他們起來見你。」

李五微一搖頭，道：「不必了，你帶我到他們住的房間去！」

店伙計看夢寰和陶玉都背插長劍，水蛇李五也帶著兩把水叉子，看苗頭就有點不對，哪裡還敢多說話。領著三個人，直奔二進院中，在一座兩室通達的房間門前停下，高聲喊道：「兩

位大師父，醒醒啦……」

店伙計喊了四、五聲，可是房間中毫無回音，逗得水蛇李五性起，飛起一腳，踢得兩扇門應聲而倒，三個人搶入房間一看，水蛇李五只驚得一怔，夢寰和陶玉也呆在那裡半天講不出話，店伙計更是嚇得直打哆嗦。

房間中哪裡還有什麼和尙的影子，只見兩顆血淋淋的人頭，並排放在靠窗案上，兩張木榻上，橫放著兩具無頭屍體。

水蛇李五細看案上人頭，正是自己派來監視兩個行腳和尙的手下兄弟。

金環二郎問淸楚死的兩個人是天龍幫弟子後，氣得他一張粉臉變成了鐵靑顏色，冷笑兩聲，把眼光又投在水蛇李五的臉上。

這一下，水蛇李五所感受到的驚恐，似乎比初見到兩顆人頭時更爲嚴重，兩道眼光中無限乞憐，望著夢寰求救。果然金環二郎陶玉慢慢移動著腳步，向水蛇李五逼去，一面笑著說道：「李舵主好粗心啊！這樣重大的事情，你怎麼只派兩個無閱歷、武功的人來監視呢？他們死得很冤。」

李五面如死灰般，垂手答道：「弟子派來監視的人，的確都是南昌水舵中的高手。」

陶玉冷冷一笑，道：「這麼說，是我錯怪你了？」

李五道：「弟子不敢，只求陶香主法外施恩，恕弟子萬死之罪。」

陶玉突然一上步，擒住李五一隻手腕，淡淡笑道：「饒了你原無不可，只是天龍幫森嚴幫規何在？輕敵妄動，兩個野和尙你就盯不住梢，還談什麼發號施令，情雖可憫，罪不可恕！」說著話，左手突出，直向李五「肩井穴」上點去。

楊夢寰見陶玉滿臉笑容中，突下辣手，不覺心頭一震，無暇思索，右手施一招「腕底翻雲」，架住陶玉左手，勸道：「這件事怪不得李舵主，也許那個行腳和尚有非常的本領，要不然他們也劫不了我師妹。」

金環二郎微微一笑，放了李五被握的一隻手腕，道：「那我就看在楊兄面上，饒他一次。」

李五雖經金環二郎放了手腕，但神色間餘悸猶存，垂手肅立，似乎對陶玉輕輕鬆鬆地放過他，仍未全信。

金環二郎卻好像完全忘了剛才的事，很細心地在兩具無頭屍體上察來看去。

約過了一盞熱茶工夫，他才回過頭對夢寰道：「楊兄的推想不錯，兩個野和尚確非庸手，他們點穴的手法，不但制住穴道血脈，而且還傷到筋骨，這就難怪本幫中弟子，連番吃兩個禿驢的大虧了。」

說話間，長江神蛟尤鴻飛也趕來店中，他查驗過兩個下屬屍體之後，皺皺眉吩咐水蛇李五，把兩個弟子屍體一併用棉被包起來抬走，這件事與人家悅來客棧無關，不准借故生非，找人麻煩。

水蛇李五，巴不得早點離開，聽完話，立時親自動手。包好了兩具屍體，扛在肩上，躬身告退。

李五走後，尤鴻飛歉意地對夢寰道：「想不到對方竟是這等扎手，損傷了本幫兩個弟子不算，又害得我們撲了個空。不過他們昨夜既住在此地，現在料也去不了多遠，南昌四外八百里以內的本幫弟子，此刻大概都接到了通知，除非兩個和尚有飛天遁地的本領，此外諒他們也難

逃過本幫眼線，楊老弟儘管放心，快在午時，慢則今夜，定可有兩個和尚的行蹤報來。」

楊夢寰心中雖然焦急，但又不得不裝出若無其事般，答道：「尤老前輩和陶兄為追尋我師妹事已盡到最大心力，楊夢寰已覺得內心不安，為此事損傷了貴幫中兩個弟子，尤覺抱憾。」

尤鴻飛回道：「陶香主、楊老弟，事情既已如此，急在善後，以老朽之見，不如暫返船上，從長計議。」

三個人走出悅來客棧，店門外早有兩個青衣大漢牽著陶玉的赤雲追風駒，恭候一側。金環二郎接過馬韁，牽在手中，和夢寰並肩步行，尤鴻飛跟在兩人身後直向江邊趕去。

三個人剛剛到達江邊，瞥見水蛇李五匆匆忙忙地迎過來，他先對三個人見了禮，然後垂手對陶玉稟道：「弟子始才接得舵下兄弟報告，兩個和尚行蹤出現在南昌東北二十里的地方。」

陶玉劍眉一揚，俏目中驟射出兩道冷電般的神光，注視著李五問道：「消息沒錯嗎？」

李五躬身答道：「弟子天大膽，也不敢欺騙香主。」

陶玉放下臉，回頭對尤鴻飛道：「尤總舵主由水路向北攔截，我和楊兄乘我赤雲追風駒由陸路追趕。」

說畢，縱身躍上馬背，轉臉對夢寰招手道：「楊兄快請上馬。」

楊夢寰看他一張粉也似的俊臉上，眨眼間，就有幾個不同的表情，喜怒無常，變化莫測，但每次對自己講話，卻總是一副笑臉，心中暗忖：這人對我倒是不錯，只是心地難於捉摸，以後對他，還得小心。

他這裡略一思索，陶玉已連聲催請，夢寰只好一縱身，也躍上馬背，坐在陶玉身後，他剛

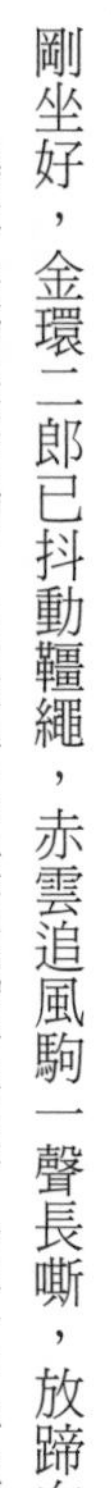

剛坐好，金環二郎已抖動韁繩，赤雲追風駒一聲長嘶，放蹄向前行去。

楊夢寰初乘寶駒，只覺得馬快如飛隼出塵，兩耳中呼呼風響，路旁的樹木景物，閃電般向後倒去，不大工夫，已跑了二十多里。

金環二郎一勒馬韁，收住赤雲追風駒，回頭對夢寰笑道：「兩個野和尚如再往北走，必須要渡鄱陽湖，這成份可能不大，我想他們八成由此叉道轉往西北，渡贛江過樂北，進入九嶺山脈，因爲他們既發覺有眼線盯上，必然要設法擺脫。不瞞楊兄說，江南一帶水旱碼頭，大都有我們天龍幫中的弟子，兩個和尚在南昌悅來店中玩那一套割眼線的手法，相當高明，這說明兩個賊禿驢不但武功不錯，而且江湖中的閱歷經驗也很豐富，自然不是初出道的人物，我想他們定然知道，要避開我們天龍幫中眼線，只有早些進入九嶺山區。」

楊夢寰略一沉吟，答道：「小弟初涉江湖毫無經驗，陶兄看著怎麼辦都好。」

陶玉笑道：「水蛇李五的報告如果沒錯，我推想兩個野和尚，必然要進山區，我們仗著赤雲追風駒的腳程，在中午前就可以趕上他們，假如他們不走這條路，那就無法躲避開我們散布弟子的監視。」說完話，一帶韁勒轉馬頭，向西北方向追去。

正急奔中，忽聽得金環二郎叫道：「果不出我所料，那兩個和尚就在前面。」

夢寰視線，被坐在前面的陶玉擋住，正想偏頭看去，突感眼前一亮，金環二郎已騰身離鞍，黃衣飄風，突如一隻穿雲巧燕，一掠之勢，直飛出三丈開外，落在道中。

陶玉在飛離馬背時已收住韁繩，他人離馬鞍，赤雲追風駒也同時緩了下來。楊夢寰放眼看去，只見陶玉橫身攔在路上，距他三尺左右，站著兩個和尚，一個身材高大，肩負禪杖，一個身材矮小，背插戒刀，兩個人穿著一色的灰僧衣，腰中繫著一條三尺寬窄、白麻編織的帶子。

陶玉攔住兩個和尚去路後，卻對楊夢寰招著手，笑道：「楊兄快些下來。」

夢寰縱下馬背，搶兩步和陶玉並肩站著，細看兩個和尚面貌，那身材高大的粗眉環眼，一張臉黑如鍋底，長相十分兇惡；矮小的一個，面黃似蠟，骨瘦如柴，但兩隻老鼠眼中卻神光隱現，一望即知，有著極深的內功火候。

兩人神情都很鎮靜，並未被金環二郎躍下馬背的快捷身法所震驚，四道眼神先把陶玉和夢寰從頭到腳地打量一陣，又同時轉臉望望那匹赤雲追風駒，然後慢條斯理地說道：「兩位施主，這匹馬實在不錯。」

陶玉劍眉一揚，微笑答道：「怎麼？二位大師父有意思化我這匹馬的緣嗎？」

那身材矮小的和尚，兩聲呵呵乾笑道：「出家人行腳慣了，馬雖不錯，但和尚要牠沒有用，小施主的善心好意，貧僧師兄弟心領著就是。」

陶玉轉過臉低聲對夢寰道：「楊兄小心戒備，這兩個野和尚有點怪道。」

夢寰點點頭，還未及答話，那身材高大的和尚，已冷笑兩聲，接道：「和尚一張嘴，吃遍天下，兩位施主，如果存心打出家人的主意，可當心死後要遍歷十八層地獄。」

陶玉仍然是滿臉微笑，道：「兩位大師父言重了。」

說完一句話，笑容突斂，剎那間粉臉上如罩寒霜，翻腕抽出背上環劍，又冷冷問道：「在南昌悅來客棧中，殺死本幫兩名弟子，可是你們兩個野和尚幹的嗎？」

那矮小僧人，鼠目一翻，陰森森一笑道：「佛門廣大，來者不拒，小施主如有意步貴幫中兩名弟子後塵，佛爺一樣的超渡你早登極樂。」

陶玉又放下臉，冷笑道：「這麼說起來，在唐家集那片荒涼墓地中截劫崑崙派女弟子，重

傷本堂四個弟子，也是兩位大師父幹的好事。」

那矮小僧人，仰起臉，一陣大笑道：「出家人講求一個緣字，和尚順手化了一筆人緣，也算不得什麼大事。」

楊夢寰看他說得輕輕鬆鬆，不覺也動了怒火，厲目喝道：「出家人慈悲爲懷，你們兩個披著佛門袈裟的人，卻無惡不作，殺人劫色，樣樣都幹，現在你們把她藏到哪裡去了？」

半天不講話的高大僧人，此刻突然插嘴冷冷接道：「這位施主可問的是那位穿白衣的小姑娘嗎？」

夢寰道：「不錯，現在她人在什麼地方？」

大和尚笑道：「需知佛法無邊，那位女施主既經我佛慈悲，渡入空門，你這一生就不要再想見她。」

楊夢寰聽後連打了幾個冷顫，劍眉軒動，熱血沸騰，翻腕握劍把，三尺霜鋒出鞘，正待出手，金環二郎已搶先發招，金環響處，耀眼劍鋒直點向那瘦小僧人前胸。

矮和尙一聲冷笑，縱身一避，讓開金環劍，借避招之勢，已拔下背上戒刀，矮和尙動作夠快，但金環二郎更快，一劍不中，第二招已隨著出手，金環劍斜削直刺，眨眨眼連攻八劍，直把那矮和尙逼退了一丈多遠。

楊夢寰仗劍觀戰，看陶玉出手幾招的確又快又狠，不由心裡暗暗佩服。

不過那矮和尙亦非弱手，吃陶玉搶了先機，一輪急攻迫得他無法還手，憋了一肚子怒火。金環二郎八劍攻過，略一緩手，矮和尙立還顏色，手中燦似銀雪般的戒刀立時搶攻，而且招術怪異，來勢莫測，剎那間萬捲冷風，光密如幕，直若一團光影般，向陶玉逼去。

陶玉看那瘦和尚，手中一戒刀，威勢非凡，哪裡還敢大意，金環劍也舞個風雨不透，但聽金環交響，劍風似輪，兩人這一交手，轉眼時間，就是二十個回合。

陶玉一面力鬥，一面暗暗稱奇，看不出這矮瘦和尚，竟有著這麼大本領，心知不施出殺手絕招，一時間決難取勝，心念一動，劍招生變，施出海天一叟李滄瀾傳他的連環三絕招「海市蜃樓」、「夜半烽煙」、「天網羅雀」，劍搖寒星萬點，直若驚濤裂岸。

海天一叟李滄瀾，天生一代奇人，這三招是他半生心血，精研天下各派劍術後，獨到絕學。前二招雖然淩厲，但旨在亂人耳目，克敵致勝全在那第三招「天網羅雀」上面。金環二郎幼隨李滄瀾，深得海天一叟鍾愛，盡得真傳，這連環三絕招，他已下過數年苦功，但還是他生平第一次施用，果然威勢奇大，非同凡響，那矮瘦和尚雖有著一身本領，也是招架不住，但覺一團銀虹中挾著金環錚鳴，當頭罩下。

百忙中，和尚舉起手中戒刀一封，縱身躍開，可是金環二郎殺機已起，哪還容他逃出劍下，一聲冷笑道：「野和尚，你還想走嗎？」

一沉腕，劍尖金環正套在矮和尚戒刀上面，順勢一推，冷鋒直逼那矮和尚握刀腕上。

矮和尚戒刀被金環套住，再想抽刀招架，哪裡還來得及！一怔神，一隻右手已被陶玉金環齊腕切斷。

金環二郎斬斷那矮和尚一隻手腕，似乎心猶未足，一抖金環劍，把劍尖金環套奪的戒刀，拋出去兩丈多遠，金環劍借勢又向那矮和尚前胸點去。

陶玉劍招剛剛送出，突聞得萝寰大叫道：「陶兄，留神暗器。」

金環二郎雖聞警語，但攻敵劍勢仍然不變，只隨勢一翻，三把兩刃飛刀，貼著他衣服飛

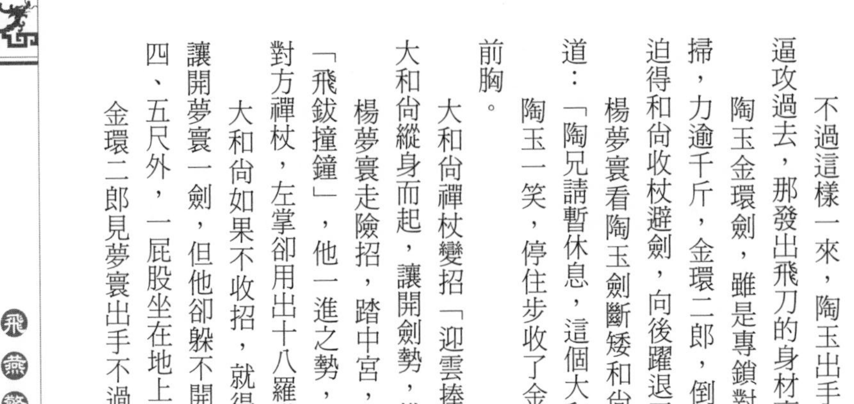

過，說危險，也實在夠險，差不到一寸，就要打中。

不過這樣一來，陶玉出手劍招準頭失了不少，那矮和尚才逃命在金環劍下，待陶玉第二劍逼攻過去，那發出飛刀的身材高大和尚，鐵禪杖已「橫掃千軍」捲風襲到。

陶玉金環劍，雖是專鎖對方兵器的奇形兵刃，但那和尚鐵禪杖足足有鴨蛋粗細，一杖橫掃，力逾千斤，金環二郎，倒也不敢硬接，閃身避開一杖，劍化「金絲纏腕」反削對方右手，迫得和尚收杖避劍，向後躍退五尺。

楊夢寰看陶玉劍斷矮和尚右腕之後早已躍躍欲試，不容金環二郎再搶攻，仗劍急出，喊道：「陶兄請暫休息，這個大和尚讓給小弟吧！」

陶玉一笑，停住步收了金環劍，楊夢寰趨勢一招「神龍搖尾」，冷森森劍鋒，直點大和尚前胸。

大和尚禪杖變招「迎雲捧月」硬架長劍，夢寰一沉健腕，劍化「旋風掃雪」，猛攻下盤，大和尚縱身而起，讓開劍勢，鐵禪杖「獨劈華山」當頭一擊。

楊夢寰走險招，踏中宮，欺步上身，逼近大和尚身邊，長劍迎截右腕，左掌同時劈出一招「飛鈸撞鐘」，他一進之勢，兩絕招一齊出手，劍招是追魂十二劍中的「迎風斷草」，逼住了對方禪杖，左掌卻用出十八羅漢掌中的一記「飛鈸撞鐘」。

大和尚如果不收招，就得被截斷手腕，只得猛提丹田真氣，把下擊之力，向旁邊一滑，讓開夢寰一劍，但他卻躲不開左掌，小腹上著著實實地挨了一下，只打得一個高大身軀摔出去四、五尺外，一屁股坐在地上，手中禪杖落地，口裡鮮血直噴。

金環二郎見夢寰出手不過三招，就擊傷了對方，心中又是敬佩，又是妒忌，嘴裡卻笑著說

道：「崑崙派劍術果然不凡，小弟佩服極了。」

夢寰一縱身躍近受傷的大和尚，劍尖逼在前胸，卻轉臉望著金環二郎答道：「陶兄太過獎了，小弟劍術，較陶兄相差甚遠了。」

金環二郎淡淡一笑，不再答話，緩步走近夢寰身側，望著那和尚，笑道：「剛才聽你們兩個野和尚口氣，倒是不小，誰知卻是這般膿包，就憑你們這幾下毛手毛腳，也敢和我們天龍幫作對？」說到這裡，笑容一斂，粉臉變色，又冷冷問道：「你們截劫的白衣少女哪裡去了？」

大和尚吐出一口鮮血後，冷笑道：「佛爺不幸落敗，殺砍任憑你們，用刑迫供，那是休想。」

陶玉笑道：「那我倒看看你是不是鋼鐵鑄成的羅漢，你只要能忍得住，不說也罷。」

說完話，一回頭，瞥見那斷腕矮和尚，趁空兒向西溜去，陶玉右手一揚，一只金環脫腕飛出，黃光如電，去勢快極，只聽那斷腕矮和尚一聲慘叫，金環擊中光頭，直打得腦漿迸出，栽倒氣絕。

陶玉笑嘻嘻地跑過去，撿起金環，就在僧衣上擦乾血跡，套上右腕，牽著赤雲追風駒走回來，對夢寰笑道：「先送一個上西天，留一個慢慢收拾，我就不信，逼不出他的口供，不過這地方是官道，難免驚動過路的人，咱們把他帶到一個沒人的地方再說。」

說著話，右手突出，點中了和尚的「風府穴」，挾上馬背而去。

楊夢寰默默無語，一切都聽金環二郎的安排，陶玉牽著馬，走到一荒野中，解開和尚穴道，並用推宮穴的手法，活了他血道。

不大工夫，和尚醒了過來，金環二郎滿臉春風笑道：「大師父，我看咱們還是彼此方便些好，你說出那白衣少女下落，我讓你自己選一個死的方法，怎麼樣？」

陶玉不待和尚說話又接道：「好吧，你既然一定想試試味道，那就怪不得我，咱們看看是你能忍呢，還是我的手辣？」

說畢，朝著夢寰一笑，飛起一腳踢得和尚打了兩個滾，解開他腰中白麻帶子，捆了和尚兩隻腳，倒吊在一棵矮樹上，又點了他「臂儒」，「肩井」兩穴，撿了一捆野草燃起，剎那濃煙上騰，連燒帶薰，只薰得和尚涕淚交流，汗如雨落，他兩臂穴道被點，失了作用，何況金環二郎守在身邊，每當他一掙扎，立時就點他關節穴道，一會兒工夫，又點了他「委中」、「築賓」、「公孫」三穴，這一來，和尚手腳都不能再動，只有挺著火燒煙薰。

楊夢寰站在旁邊，看得心中大是不忍，和尚雖非好人，但用這種方法逼供，也太殘忍了一點。轉臉看陶玉，他似乎玩得興趣很濃，笑容滿面，洋洋自得。

楊夢寰暗道：這人看上去美如處子，心地卻狠毒得可怕。

那和尚究非鐵打，如何能忍受得住，只得連聲告饒。陶玉放下大和尚後，笑道：「怎麼樣，你要是再不肯說，咱們就再試驗幾種新奇的方法如何？」說完話，滿臉春風，意態間甚是得意。

和尚光頭上已被人燒得傷痕累累，皮綻肉焦，慢慢地緩緩氣，答道：「那白衣少女，已被我幾個同門師兄接走了。」

陶玉揚了揚劍眉，笑道：「這麼說，你們師兄弟還真不少？」

和尚驀地睜大了被煙薰紅的淚眼，答道：「不錯，就憑你們兩個微末之技，我就是告訴你們實話，你們也無法奪得那白衣少女回來。」

金環二郎一陣大笑後，又問道：「那你就說出來我們去試試吧。不過我先得把話說明白，如果你有心用詐，想騙過我們，當心我有更好的方法懲治你。」

大和尚略一沉吟，道：「你們如果真想見那白衣少女，可去大湖山清風寺，找主持方丈一明禪師……」

說到這裡，頓一頓又道：「我能說的只有這些，其他的恕難再奉告了。」

陶玉笑道：「崑崙派的女弟子，可也在清風寺中嗎？」

大和尚冷冷答道：「那就不知道了。」

陶玉道：「你知道的，真說完了？」

和尚點點頭，還未及答話，陶玉突然拔劍掃去，露鋒過處，血濺三尺，大和尚一顆頭直飛出去八、九尺遠。

楊夢寰想阻止，已來不及，皺著眉道：「陶兄，你怎麼會真相信這和尚的鬼話，他在施詐，騙我們。」

陶玉把金環劍還入鞘中，笑道：「楊兄說得不錯，我也不相信和尚的話。」

夢寰奇道：「那你殺了他，不是沒辦法再逼問實情了嗎？」

陶玉笑道：「野和尚狡猾得很，再問他也不會說出實話。他透露出大湖山青風寺一明禪師，不外有兩種作用，一是嫁禍於人，二則想害我們吃苦。一明禪師如不是一代俠隱，必然是一代怪傑，很多江洋大盜，不少老年洗手歸隱空門。不過野和尚千慮一失。他沒有想到他能知道一明禪師底細，一明禪師也會知道他們出身，兩個和尚人雖已死，但形貌模樣我已深記心中，我們上大湖山青風寺先以客禮晉見，如果一明禪師是一位俠隱人物，必不齒兩野僧劫色惡行，那就很容易說出這兩個野和尙出身底蘊。假如他們是一丘之貉，我們就動手逼供，事不關一明禪師，他決不會忍刑不招。要想追尋令師妹下落，大湖山青風寺，是非去一趟不可。楊兄，以爲小弟的話，可有點道理麼？」

楊夢寰聽得點著頭，笑道：「陶兄高見，小弟佩服極了，我們就動身好麼？」

陶玉笑道：「楊兄心情，恐早已如熱鍋螞蟻，小弟豈敢延誤楊兄千金一刻的時光。」說著笑著，帶過來赤雲追風駒，一縱身躍上馬背，又笑道：「快些上馬吧！我們趕到樂化吃午飯後，就連夜進九嶺山脈。」

夢寰道：「山路崎嶇，羊腸一線，陶兄赤雲追風駒縱然神駿，恐怕也難越度那千峰百嶺，幽谷深壑。我看不如把兄坐馬，送交尤總舵主，代爲看管如何？」

金環二郎大笑道：「赤雲追風駒如不能翻山越嶺，那還稱什麼千里神駒，楊兄請儘管放心上馬，明天中午前，我們就可以趕到大湖山下。」

楊夢寰半信半疑地跳上馬背，陶玉一抖韁，馬如箭發，不過一刻工夫，已跑出二、三十里，到達了贛江岸邊。

陶玉勒馬江岸，仰起臉一聲長嘯，嘯如龍吟，響徹雲霄，夢寰聽出那長嘯聲中，隱含節奏，心知必是天龍幫中一種暗號，只是不便追問，正懷疑間，突然見江心急馳來兩艘快船，不大工夫已靠岸邊。

金環二郎拉著夢寰一隻手，聯袂登舟，另一艘船上兩個搖櫓大漢，躍下船把陶玉的赤雲追風駒也牽上了船，一舟乘人，一船渡馬，雙櫓撥水，兩舟齊發，不過一刻工夫，已渡過滔滔贛

江。

陶玉縱身上岸，回頭吩咐搖櫓大漢道：「你們見著尤總舵主時，就說我和崑崙派中楊大俠，趕赴大湖山清風寺去了。」

說完話，滿臉笑意，挽著夢寰手，飛上馬背，一抖韁，神駒驟發。但見沙塵滾滾，如狂飆掠空而去。一陣急馳，足足有兩百里路，陶玉收韁停馬，已到了九嶺山脈邊緣的一座小鎮高湖集，這時天色還不過是未時光景，兩百里行程就不過一個時辰左右。

陶玉飄身下馬，指著前面起伏的山嶺，笑道：「前面那連綿無際的峰嶺，就是九嶺山脈，我們要橫穿九嶺過義寧，再走一百餘里，才能到大湖山下，算起來還要走六、七百里左右。」

楊夢寰心惦霞琳安危，恨不得一步到大湖山下，聽完話，不覺一皺眉頭，答道：「這麼說，我們今晚是趕不到了？」

陶玉笑道：「六、七百里山路，中間不知要渡多少削壁深壑，就是熟路緊走，以小弟這點微末輕功來說，總得要一天一夜時間……」

兩人匆匆走進一家飯店，吃完一餐飯，陶玉又買些乾糧帶上，牽著赤雲追風駒，騰身上馬，寶駒通靈，似是已知要趕山路，昂首一聲長嘶，放蹄如飛。

片刻工夫，進了山區，放眼望去，但見山嶺銜接，重峰疊嶂，雲山相連，不知有多深多遠。

走了一陣，楊夢寰見山勢愈來愈險，深澗陡壁，處處險阻，羊腸小道，盤繞而上，暗忖道：這等險惡山勢，赤雲追風駒縱然通靈，只恐亦難飛渡。心念方動，突聞胯下寶駒發出一聲雷鳴似的長嘶，雙耳猛向後一豎，三尺長短的馬尾和身子伸成了一線，一個急躍，縱出去一丈

多遠，楊夢寰驟不及防，幾乎被摔了下來。趕忙胯下加力，扣緊馬身。寶駒顯神力，馱負著兩人，揚蹄直竄，登山渡澗如履平地，不知道翻過多少山峰，躍過多少溪澗。

這一陣狂奔，足足有一個時辰，金環二郎才收住韁停下來，和夢寰跳下馬背讓馬休息了一會兒，又繼續縱騎趕路。

這時，晚霞已盡，天色入夜，幸好東方天際捧出來一輪明月，夢寰雖然已看出陶玉對寶馬流露出憐惜神情，可是陶玉依然放轡奔馳，不肯稍停。

這一來，反使楊夢寰心中大感不安，低聲說道：「陶兄赤雲追風駒，雖是蓋世無匹的神駒龍種，但這等狂奔的趕路方法，縱是寶馬，也難當受，不如我們停下來多休息一會兒，明天趕到，也不算遲。」

金環二郎回頭一笑，道：「楊兄此刻的心，恐早已飛到了大湖山清風寺中，晚到一刻，你就多一分憂慮相思，我這冷僻的性格，一向和別人落落寡合，天下人能使我放在心中的只有兩個，一個是我授業恩師，一個是我師妹，想不到和楊兄一見投緣，現在加上你，我心目中放有三個人了，知己難得，就是寶駒累死，小弟也心甘情願。」

楊夢寰聽得心頭一震，暗想：這人心地狠辣異常，只看他逼問那和尙口供的殘忍手段，真虧他想得出來，而且行刑時神態自然，行若無事。奇怪他對我倒是一片真誠熱情，個中道理，很是費解，但無論如何，別人對自己如此友愛，倒是不能負人。

想了一陣，激起真情，無限感激地答道：「陶兄對我楊夢寰，說得上義重情深，但恐我報答無日，這份雲天高誼，我只有永銘肺腑了。」

陶玉又回過頭，兩眼盯在楊夢寰臉上正色答道：「既稱知己，何分你我，你要這樣說，那就有些見外了。」

楊夢寰天性純真，被陶玉這一說，他竟答不上話來，但他是極端聰明穎慧的人，心裡打了幾個轉，被他想出幾句自解窘迫的話來，他笑問陶玉道：「陶兄剛才說起令師妹來，想她對陶兄定很關心吧？」

金環二郎微微嘆息道：「我師妹李瑤紅稱得上一位巾幗女傑，武功和我在伯仲之間，才貌尤絕，我們從小在一塊兒長大，相處雖然不錯，但還談不上情愛二字，我幾年江湖行蹤，見過不少絕代美女，但能在我師妹之上的，還沒有見過，以後有機會，我當給你們引見引見。」

楊夢寰本想告訴他，已會見過李瑤紅了，但話到口邊，想想不對，如果據實相告，恐怕會引起他們之間的誤會，這檔事，只有暫時隱在心中，以後再遇上李瑤紅時，多加小心就是。

兩人一騎，放轡如飛，不到三更時分，已橫越過九嶺山脈，到了義寧縣城。兩人在義寧休息一陣，待馬身上汗水一乾，立時又縱轉趕路。不大工夫，又進了幕阜山脈，神駒腳力，果然不凡，五更天就到了大湖山下。

陶玉取出乾糧，拉夢寰在一塊山石上坐下分食，夢寰一邊吃，一邊打量眼前的山勢，這大湖山雖不很高，但卻不小，淺山綿連，不下數十里方圓，清風寺既非一座名刹，當然是不大容易尋得，看著想著，不覺發起愁來。

陶玉看夢寰劍眉微鎖，知他在愁著怕找不到清風寺和一明禪師，微微一笑，問道：「楊兄滿臉愁苦，可是怕找不到清風寺嗎？」

夢寰點點頭答道：「這數十里方圓之地，峰嶺深壑無數，我們總不能完全找到。」

金環二郎大笑道：「這個你儘管放心就是，既然來到了大湖山，還愁找不到清風寺嗎？不

要說到處有獵人樵夫可問，就是沒有樵夫獵人，我也有辦法找得著清風寺，我們現在好好地歇一陣，養養精神，說不定見到一明禪師後還得有一場拚鬥。」說完話，閉目靜坐，運氣行功。

楊夢寰看他說得很有把握，也不多問，依樣靜坐行功調息。

兩人內功都已有很多根基，不過頓飯工夫，疲倦頓消，金環二郎躍起身笑道：「我們去清風寺吧！」說著話，人已縱躍而起，展開提縱身法，向前面一座高峰上奔去。

楊夢寰急起直追，回頭看那匹赤雲追風駒，竟也跟在兩人身後追來。

陶玉輕功造詣極深，施展開後，捷如喜鵲移枝，但見黃衣飄飄，如一隻巧燕穿雲，眨眼間攀登了幾十丈高。回頭看夢寰果然被他拋後了一丈多遠，心裡暗暗高興。

這時太陽剛剛升起，兩人站在峰頂望去，只見滿天金霞，照耀千百座起伏山峰，松柏青翠，景物若洗，朝露如珠，閃閃生光，大自然中含蘊的清幽之氣，頓使人心胸一暢，塵念盡消。

陶玉極目搜望一陣，回頭對夢寰道：「太陽已經升起，怎麼連一個樵夫也看不到，恨起來，我一把火把大湖山燒個寸草不留。」

夢寰聽得一怔，正待答話，金環二郎指著北方笑道：「前面遙見紅牆，必是一座廟宇，我們先去看看再說，要不是清風寺，我們再施用火攻。」說完也不待夢寰答話，縱身向正北方奔去。

夢寰追在陶玉身後，翻越過兩道山嶺，果見兩座山峰交接處的鞍部，有一座規模不大的廟宇。

兩人一陣緊趕，不過一刻工夫，已到那廟宇前面，抬頭看去，只見匾上橫題著「青風寺」三個金字，一對紅漆圓門大開著，一直可以看到大殿。這座寺院，連大殿算起來也不過有八、九間房子大小，紅磚圍牆，白石舖路，大門內小院中滿種著松竹，看上去這座寺院，似是修建不久。

金環二郎當先而入，穿過前院一段白石通道，登上七層石階，進了大殿，正中供案上兩盞長生燈，仍吐著熊熊光焰。一座尺餘高的石鼎中香煙裊裊，兩個人看這大殿布設極爲簡單，除了那供案上兩燈一鼎之外，就只有供奉的三尊佛像，但卻打掃得纖塵不染。

陶玉轉過頭對夢寰道：「看來這一明禪師倒像是一位有道的高僧……」話還未完，驀聞得身後一個冷冷的聲音，接道：「兩位施主是什麼地方來的？找一明禪師有什麼事？」

陶玉和夢寰同時一驚，轉身望去，只見大殿門口，站著一個三旬左右的灰衣僧人，一張臉蒼白得看不出一點血色，瘦骨嶙峋，神情冷落，但兩隻眼中，卻神光炯炯。金環二郎打量了和尚兩眼，俏目流轉，滿臉笑意答道：「大師父輕功不錯，你什麼時候來的？我們都不知道。」一邊答話，一邊向和尚走去。

那灰衣僧人兩隻眼睛盯住陶玉，不停冷笑，神態十分鎮靜。

夢寰這幾天和陶玉相處，已知他性格，愈是笑得春風滿面，下手也愈是狠辣，怕他把事情弄僵，趕忙一個縱身攔在陶玉前面，深深一揖，道：「在下是崑崙門下弟子，這位陶兄是天龍幫的香主，我們拜訪一明禪師並無惡意，只是想請問他一件事情。」

灰衣和尚又一陣冷笑道：「兩位來找一明禪師，可知會見他老人家的規矩嗎？」

夢寰只聽得一怔，道：「這個我們卻是不知?還得請大師父指教一、二。」

灰衣僧人臉上現出無限詫異，問道：「什麼人讓你們來的?那他為什麼不告訴你們規矩呢?」

楊夢寰本想把事情經過，告訴那灰衣僧人，話要出口，又想到不對，假如那個和尚和一明禪師有什麼源淵，說出來反而不妥，一時間沉吟著答不出話。

那灰衣僧人見夢寰沉吟不語，一揚兩條濃眉，怒道：「你這人怎麼吞吞吐吐的，你要是不說是什麼人告訴你的，那你們就不要妄想見一明大師。」

金環二郎在夢寰身後，接口笑道：「我們能找上大湖山清風寺來，就不怕見不著他。清風寺彈丸之地，我就不信他能躲到哪裡去，惹得我發了狠，一把火燒光你們和尚廟，挖地三尺，看看他要不要出來見我?」

灰衣僧人冷冷接道：「那你就燒燒試試?」

陶玉格格大笑道：「你認為我不敢嗎?我就燒給你看看!」說著話，真的從懷中取出火摺子，就要放火。

楊夢寰心中大急，一個箭步縱過去，攔住金環二郎道：「陶兄使不得，有話好說。」

陶玉見夢寰情急之狀，收了火摺子，轉臉望著那灰衣僧人笑道：「不是看在楊兄面上，我就當真燒了你們這座土地廟般的小寺院，看看那一明禪師能奈我何?」

灰衣僧人在陶玉取出火摺子準備放火時，並不伸手阻攔，只是圓睜著兩隻怪眼，望著金環二郎冷笑，他似乎誠心要看陶玉是不是真有放火的膽量。

直待楊夢寰攔住了陶玉，收好了火摺子，他才冷冷地問道：「你們兩個，當真不知道求見

一明禪師的規矩嗎？」

楊夢寰正色答道：「自然是真不知道，所以請大師父指點指點。」

灰衣僧人雙眉一揚，傲然笑道：「兩位既是當真不知規矩，還有可原諒的地方，你們請吧。一明禪師豈是輕易見得的嗎？」說完話，轉身欲去。

楊夢寰急聲叫道：「大師父請留佛駕。」

和尙轉過身，夢寰深深一揖接道：「我們從千里外，兼程來此，旨在拜見一明禪師請教領益，萬望大師父賜示一、二，楊夢寰就感激不盡了。」說罷，滿面黯然，又是一揖。

灰衣僧人皺皺眉道：「你們既是一定要見一明禪師，那就得先闖過我這一關。」

楊夢寰還未開口，突聞身後一陣格格笑聲，金環二郎已自出手，左掌「飛瀑流泉」，右手「分雲取月」，兩招一齊攻去。

灰衣僧人看陶玉來勢如電，快速至極，倒也不敢大意，一閃身，避開七尺，陶玉卻停住步笑道：「我還以爲是什麼大不了的規矩，原來是先要闖你那一關，你怎麼不早說呢？早說了，免去我們多磕了半天閒牙！」說完話，不待對方回答，黃衣飄飄，拳腳齊出，又向那灰衣僧人攻去。

那灰衣僧人這次不再退避，左手一招「拒虎門外」，封住了陶玉攻勢，右手「鴻雁舒翼」猛劈右肩，陶玉上步側身，輕輕一閃，避開了掌勢，雙掌一合疾分，欺進了和尙身邊，猛點「膺窗」、「陰交」兩穴。

灰衣僧人看陶玉下手辣極，而且借勢出手，陰滑無比，不覺心頭一震，暗想：看不出這嬌如美女般的娃兒，竟是身負絕學的高人，心念初動，陶玉兩手已逼近穴道，趕忙向後一仰身，

施出鐵板橋功夫，全身平貼地面，猛向左邊一翻，才算讓開了陶玉一招。

金環二郎收招一聲冷笑，道：「怎麼樣，你是不是還要再試幾招？」

灰衣僧人被陶玉說得一張蒼白臉上泛起了兩頰愧紅，過了半晌才冷冷答道：「你突然出手，搶制了先機，算不得什麼本領，我們再拆幾招試試，如果我真的敗了，自當領你去見一明禪師。」

陶玉看他仍不認輸，激得心火暴起，但他心裡愈是火大，臉上的笑容也愈是甜美，只見他微笑著不住點頭，答道：「大師父說得不錯，那我只有再拜領幾手高招了。」說著笑著，人也慢慢地向灰衣僧人身邊走去。

待離那灰衣僧人三尺左右，猛地一躬身，右手疾如電閃，「雙龍取珠」點向雙目。

灰衣僧人已領教過陶玉笑裡藏刀的手段，早有準備，陶玉剛一發動，和尚亦蓄勢出手，左手「托缽渡江」，右手「排山運掌」，架來勢，攻中盤，雙招並出。

陶玉見和尚有備，不待招術用老，點出右手，倏地收回，縱身一躍，凌空而起，從和尚頭頂飛過，人未落地，灰衣僧人已跟蹤攻到，一招「金豹露爪」，搭向陶玉右肩。

金環二郎反手一記「手揮琵琶」，架開了和尚掌勢，不過他吃虧在腳未落地，半空中架人一擊，力道很難用實，一招硬接，被震出六尺開外。

灰衣僧人剛才和陶玉動手時，吃陶玉施出李滄瀾傳授的兩招絕學急攻，幾乎吃了大虧，一時間弄得他莫測高深，估不透陶玉究竟有多大本領，這一招硬打，和尚心裡頓時有了數，不覺膽氣一壯，縱身追擊，雙手搶攻，一霎時，拳影點點，四處風生。

兩人這一動上手，和剛才形勢大是不同。和尚越打越快，掌風也愈加凌厲，陶玉功力比和尙要稍遜一籌，不能硬接人家掌勢，處處避人掌力正鋒，搶攻上吃虧不小。

夢寰看陶玉落處下風，有心上去替代，又怕他心中不快，只好蓄勢旁觀，只待陶玉露出敗象，立刻動手接迎。

兩人動手到十回合之後，突聽金環二郎叫道：「楊兄請留神看這和尙拳路，是不是和那兩個野和尙是同一路子？」

夢寰留心一看，果然不錯，灰衣僧人拳招，確和截劫霞琳那兩個和尙拳路很多相像，似是同出一源，不覺也動了心火，叫道：「陶兄請停手休息，待小弟接他幾招！」

金環二郎一面打，一面笑道：「我要早下毒手，楊兄必然怪我心狠手辣，你就是不肯當面說出來，我也會想得到的，現在我再下毒手，你可不要怪我了。」

楊夢寰被陶玉一語道破心中隱密，不覺臉上一紅，微一怔神，陶玉拳勢已變，但見黃衣飄動，快似蝴蝶穿花，繞著那灰衣僧人團團亂轉，而且下手投足，著著指向要害。

夢寰看得暗暗驚心，竟自分辨不出陶玉身法拳路，只見一體黃影，越轉越快。他哪裡知道，這是海天一叟李滄瀾以畢生心血，研創出的一套絕技，三十六招「飛絮拳」。看上去和沈霞琳在「水月山莊」力鬥長江神蛟尤鴻飛時，所用的流雲掌有些類似，只是招術身法之深奧微妙，要比流雲掌高明上十數倍了。

金環二郎施出「飛絮拳」後，勝券已握，十回合之後，那灰衣僧人已被他迫得汗流浹背，夢寰心中一動，暗想：陶玉手狠慣了，他要一掌擊中這灰衣僧人死穴，就沒法子找到一明禪師了。正待勸阻陶玉，不要傷了和尙，還未及開口，突聞一聲悶哼，那灰衣僧人已吃陶玉點中「期門穴」，栽倒地上。

金環二郎收住掌勢，回頭看夢寰時，見他呆呆地望著那灰衣僧人出神，不由一笑道：「你發的什麼呆，是不是覺得我下手重了，如果都像你那樣的仁慈心腸，還走什麼江湖？需知我不傷敵，敵必傷我，既然動上手，勢成水火，心存仁慈，徒招惡果。你以後要記著我幾句話，江湖上比我陶玉手段更辣更狠的人，何止千萬，技不如人，死而無憾，假如因一念仁慈，縱敵掌下，敵必借勢反擊，到時候追悔莫及，抱恨泉下！」

楊夢寰搖搖頭，答道：「小弟並非怪陶兄手辣，我是在想……」

金環二郎俏目一轉，接道：「你是在想，這和尚如果死了，我們就見不著一明禪師，對嗎？其實你是多此一慮，臭和尚鬼話連篇，你怎麼能當真信他！他拳路既和截劫令師妹的兩個野和尚同出一源，自然是一窩蛇鼠，一明禪師當然也不是什麼好人，清風寺方圓不過數丈，哪裡會真的找不到。可慮的是老和尚也許真有點本領，等一下見面後，難免要大費一番手腳，再說我下手並不太重，『期門穴』又非死穴，大概過一會兒他就可以醒來。」

楊夢寰雖覺陶玉的話有些道理，但心中並不盡以為然，不過不好反駁，只有微笑著點頭。果然不大工夫，那灰衣僧人悠悠醒來，夢寰縱身躍過去，蹲下身子，想用推宮過穴手法，幫他舒暢血道，哪知他右手剛剛伸出，灰衣僧人一抬右臂架開了夢寰的手，冷冷說道：「哪個要你多事，我自有活穴暢血的辦法。」

說完話，掙扎著坐起來，閉上眼運功調息，楊夢寰怔了一怔，退在一邊，陶玉卻滿臉微笑，走近和尚身邊，看他運氣活穴。

足足有一刻工夫，灰衣僧人才睜開眼睛，緩緩站起身子，望了陶玉兩眼，又一聲冷笑，道：「我敗在你的手中，只能帶你一個人去見一明禪師，你那位同伴，卻是不能同去。」

夢寰站一邊急道：「那怎麼行，我們既是一塊兒來，自然要一塊去見一明禪師。」

陶玉回頭對夢寰笑道：「野和尚想害我吃苦，不過我不在乎，你在大殿上等我，我去把他拖到大殿來見你！」

夢寰道：「讓陶兄一人涉險，那更不成，我非得跟去不可。」

陶玉微微一笑，望著那灰衣僧人，和尚嘴角間浮現出一種陰森森的笑意，不再阻攔，轉身出大殿，沿一條甬道，向殿後走去。

兩人跟在和尚身後，出了後門，穿過一片松林，直向一座懸崖中下去，夢寰心裡暗覺奇怪，怎麼這一明禪師放著寺院不住，卻住在山崖下面。

陶玉也皺著兩道劍眉，集中全神，默記去路，他的想法和夢寰又自不同，他想，這斷崖下面，也許有著極厲害的布置，準備引兩人入伏。

那灰衣僧人帶兩人下了懸崖之後，沿著盤旋曲折的山谷，向裡面繞進。金環二郎一面走，一面打量山勢，只見這條山谷，越來越狹，半里之後，僅可容一人通過，兩邊峭壁夾持，形勢險惡至極，立時緊走幾步，迫在那灰衣僧人背後，功行右臂，力聚掌心，只要一有警兆，就突然下手，先斃了那帶路的灰衣僧人。

可是那灰衣和尚，渾如不覺一般，只管繞著山谷前進，又拐了幾個彎，眼前景物突然一變，山谷已到盡處。前面又一座高峰攔路，三峰環立，中間是一塊四、五丈方圓的草地，灰衣僧人指著壁間一個洞口，冷冷說道：「一明禪師，就住在那山洞之中，你們如果不怕死，就請進吧！」

陶玉細看那壁間石洞，入口處約有四尺大小、丈餘深淺後，又向右邊彎去，裡面黑黝黝的，景物莫辨，略一遲疑，楊夢寰已搶到前面，道：「陶兄請在洞外等我，待小弟進去瞧瞧。」

金環二郎伸手攔住夢寰道：「深山古洞中，多藏有毒蛇猛獸之類，待我問過和尙再入洞不遲。」

灰衣僧人不待陶玉開口，已冷冷答道：「出家人不打誑語，石洞中縱有猛獸毒蛇，也傷不了你們，何苦借故推托，如果你們心裡害怕，在未進洞前，還來得及退走。」

幾句話說得陶玉粉臉泛紅，揚了揚劍眉，冷笑道：「就是龍潭虎穴，我也不怕，如果石洞中不是住的一明禪師，當心我出來時，把你亂劍碎屍。」

灰衣僧人仰面望天，一陣呵呵大笑道：「你只要進了石洞，就別想活著出來！」

陶玉吃和尙一激再激，心頭火起，回頭對夢寰道：「楊兄請看住這和尙，別讓他跑了，我進洞去看看，如果裡面沒有人，出來再和他算帳。」

說完話，閃身入洞，楊夢寰叫道：「陶兄，還是讓小弟進去吧！」說著話，人也向石洞中撲去。

灰衣和尙一伸手拉住夢寰道：「你們兩個人，總該留一個活人收屍吧？就是一定要尋死，待他死過了，你再去送死不遲。」

楊夢寰回頭望著和尙怒道：「你怎麼知道他一定會死？我看倒未必見得！」

和尙又一陣冷笑道：「你不信就等著看看！」

夢寰一揮右臂，掙脫和尙拉著的一隻手，道：「我就不信……」話未完，人又向石洞撲去。

灰衣僧人搶上一步，攔住洞口，厲聲叱道：「你一定要進洞，等你同伴出來再進不遲，你懂不懂求見一明禪師的規矩？」

夢寰吃他厲聲一叱，不覺怔了怔，暗想：既是人家規矩，那就不能冒犯。只好耐心在石洞外面等著。約過了一刻工夫，突聽洞中傳出來一聲大叫，接著一陣急風颯然，陶玉雙手捧胸，縱出石洞，粉臉上慘白如蠟。

楊夢寰大吃一驚，急搶一步，扶住陶玉，問道：「陶兄，你傷了什麼地方？」

金環二郎俏目閃光，望著夢寰，一語不發，暗裡卻在運功調息，臉上神情十分痛苦。

楊夢寰看他模樣，受傷似乎不輕，一陣難過，熱淚盈眶，黯然嘆道：「陶兄為小弟事，受此重傷，楊夢寰感愧死了！」

金環二郎搖搖頭，嘴角間浮現出一絲安慰的苦笑，夢寰扶他在草地上坐下，看他腕上套的四只金環，只剩下了兩只，心知他腕上金環原是當暗器施用的，必是剛才在石洞裡打了出去。

陶玉坐在草地上，調息了一陣，臉上痛苦神情減去不少，緩緩站起身子，從懷中取出兩粒丹丸吞下，才對夢寰苦笑道：「那一明禪師當真是身懷絕技的人，我入洞之後，擋得住他兩記掌風，已感不支，第三招力道更是奇大，洞中地勢狹窄，閃避不易，被掌力震傷內腑，我還了他兩只金環後，退了出來。」

夢寰無限關切，問道：「你覺得傷得重嗎？」

陶玉道：「我已吞下兩粒九轉保命丹，這丹丸是出自我師父好友，天下第一奇醫妙手漁隱蕭天儀之手，料已無礙。如果三個月內不再復發，當可無事。即使復發，也無大要緊，我師父

內功精深，乾元指功獨步天下，只要內腑不被震碎，他老人家總有辦法給我治療。只是楊兄見一明禪師的心意，恐怕無法即日如願了，只有待小弟趕回黔北總堂，邀請幫中高手，再來清風寺。」

夢寰回頭望那灰衣僧人，冷漠的神情之中，略帶驚異，似乎對陶玉能接擋一明禪師兩記掌風一事，大感出意料之外。再看陶玉臉色，漸漸好轉，沉吟一陣，說道：「陶兄向黔北總堂邀請高人，雖是上策，但往返需時不短，再說陶兄為小弟事冒險受傷，我如不犯難一試，於心何安？不如待小弟入洞試試再說，也許陶兄接他三掌之後，已耗去他真力不少，小弟趁他元氣未復之際，再入洞以求其僥倖。」

陶玉知他一心惦念師妹，勸阻恐難生效，皺皺眉頭答道：「楊兄既然執意一試，唯望小心，切不可勉強躁進，小弟守在洞外，恭候佳音！」

楊夢寰回身問那灰衣僧人道：「我現在入洞，可冒犯貴寺的規矩嗎？」

和尚冷笑道：「一個人到了該死的時候，縱有梵音警鐘，也是勸他不醒。」

夢寰淡然一笑，不再答和尚的話，飄身躍入洞中。向裡走去，轉了兩個彎，形勢逐漸開朗，兩壁相距越來越寬，但仍甚黑暗，夢寰運足目力，向前看去，只見兩丈外隱隱現出一團灰影，似是一個人盤膝而坐。

楊夢寰暗忖那隱現灰影，可能就是一明禪師，立時聚氣運功，蓄勢待敵，一面緩步前進。又走了四、五步，陡覺一股勁道，迎面襲來，夢寰雙掌平胸推出，硬接一記掌風，攻來潛力，雖被擋住，但已感到心神震盪，馬步不穩。略一怔神，對方第二道掌又自攻到，這次力道較第一次攻來潛力加重很多，夢寰又硬接一掌，整個身子，被震退了四、五步遠，氣浮血湧，

眼花耳鳴，趕忙斂氣凝神，剛穩住搖擺的身子，對方第三道潛力又自攻來。

果如陶玉所說，第三次力道更是奇大，楊夢寰哪裡還敢硬接，急急一閃，避開正鋒，雙掌斜著劈出。他本意只想避開正鋒後，拚盡餘力，再擋受一擊，立時躍退，縱被震傷內腑也可輕些，可是他忘了這四、五尺寬窄的夾道中，如何能施展輕功閃避的身法？他一急之下，無意又用出「五行迷蹤步」來，隨勢發掌，暗合了五行生剋的妙用，輕輕把對方的強勁力道化解開去。

這下觸動了夢寰靈機，平日百思不解的「五行迷蹤步」變化，突地了然胸中，智珠在握，精神大振，縱身一躍，猛進八尺，已隱可看出一明禪師坐著的人影。

一明禪師見三記掌風，竟是阻擋不住夢寰，反被他欺進八尺左右，口中咦了一聲，兩掌交替打出，連攻七招，這七招距離既近，力道也較前三掌威猛很多，但均被夢寰以五行生剋變化，靈巧精微的身法，足不離三尺之地，借力化力，破解七招。

夢寰破解了一明禪師十掌攻勢，正待再向前逼進，忽聞一明禪師嘆道：「長江後浪推前浪，一代新人勝舊人，和尚老了。」

楊夢寰停步長揖，高聲喊道：「晚輩楊夢寰，叩問老禪師金安。」說完話，跪拜下去。

一明禪師又一聲長嘆，答道：「請恕貧僧殘廢之人，不能迎接，小施主請起來一談。」

楊夢寰口裡答道：「晚輩正要拜見老禪師，有事請教。」

暗地裡卻全神戒備，緩步對著一明禪師走去。夢寰走了四、五步，突見眼前火光一閃，接著那和尚身側亮起了一盞油燈，瑩瑩青光，照明石洞。夢寰凝神向一明禪師看去，只見一個鬚髮虯結、連在一起的怪人，盤膝端坐在一個用草編成的墊子上面。一件淡灰僧袍直拖地上，耳

鼻都已被那連結的鬚髮掩住，只有兩隻眼中神光炯炯，和微笑時露出的一口白牙。

在這整天不見天日的石洞中，又陡然看了這樣一個怪人，楊夢寰雖很膽大，也不覺心一涼，遲疑了一下，才又緩步前進。

一明禪師突然放聲一陣大笑道：「小施主請放心吧，你已連拆了我三輪猛攻，老和尚已到力盡技窮地步，只管前進無妨，貧僧自入石洞之後，已十年未和生人晤面了，難得小施主的駕臨，請到這邊小坐，老和尚和小施主暢敘一番。」

楊夢寰聽完話，膽氣一壯，走近一明禪師跟前，抱拳長揖，道：「打擾老師父清修了。」

一明禪師抬起一雙神光逼人的怪眼，深注夢寰臉上一陣，笑道：「看小施主的功力，尚不到拆解我掌力的程度，但我三輪掌風，均被小施主化解開去，在這寬不到五尺的夾道之中，就是比老僧功力深厚的人，除了硬接掌力之外，也無法用閃避的身法，躲開我的掌力，但小施主竟能用精妙奇特的身法，借力化力，連拆我十招之上，這身法不只是老僧未見過，就是當今武林道上，見過的人，恐也不多，小施主懷此武林中聞所未聞的奇技，必然是受過高人傳授，不知找我這四肢不全，與世無爭的人，有什麼教言吩咐？」

楊夢寰躬身答道：「老禪師潛修山中，必已是參得了佛家奧秘，弟子打擾清修，尚望恕罪。」

老和尚呵呵一笑，道：「小施主年少老成，勝而不驕，尤屬難得。剛才老僧已算敗在小施主手中，你有什麼事但請吩咐，老和尚知無不言。」說完話，伸出瘦如雞爪般一隻左手，指著旁邊一塊青石，示意夢寰坐下。

九 金環二郎

楊夢寰心知這鬚髮虯結的老和尚，過去必是一位空門高人，潛修深山，如非是參悟了佛門秘奧，定有著難言隱衷，心念及此，油生敬仰，深深一揖，才如示坐下。

老和尚看夢寰拘謹多禮，一派溫文，心中亦甚喜愛，大笑著問道：「小施主駕臨荒山，當非無因而來，有什麼事直講無妨。」

夢寰略一沉吟，隨把霞琳被擄，又被截劫的事很詳盡地說了一遍，只把陶玉辣手刑訊那和尚口供一段隱了起來。

一明禪師聽完了夢寰的話，全身微微發起抖來，半晌才長長一聲嘆息，道：「出家人造此冤孽，實在愧對我佛，不過這件事關係太大，貧僧如推腹直告，那截劫令師妹的兩個和尚來歷，小施主必然要冒奇險去追尋令師妹的下落，縱然小施主身懷絕學，恐怕也有去無回。」

老和尚話未完，夢寰已接口道：「但請老禪師指示一條明路，晚輩就感戴不盡，涉險歷難，非所計較。」

老和尚閉上眼，不再答夢寰問話，燈光照著他顫動的雙手，和那波動的灰色僧衣，嘴唇微微啓開，顯示他內心正感受到極大的激盪。

足足過了有一刻工夫，一明禪師突然睜開兩眼，眼睛裡含蘊了兩眶晶瑩的淚水，右手緩緩

提起垂在地上的僧衣，夢寰隨眼望去，只見一明禪師兩條腿自膝以下，已全被截去，不覺心頭一震，問道：「老禪師的腿……」

老和尚鬆開提起的僧衣，放聲一陣大笑，道：「小施主自信比我的功力如何？」

夢寰道：「老禪師掌力雄渾，功力較晚輩深厚多了。」

一明點點頭，道：「小施主雖已得高人傳授絕學，但功力火候，還嫌不夠，如欲往救令師妹，那無疑飛蛾投火。但我已敗在小施主的手中，依武林規矩來說……」說到這裡停住，突然雙手合十，仰臉祈禱，道：「我佛慈悲，恕弟子洩露師門隱密之罪吧！」說著話，眼中淚珠兒滾滾而下。

夢寰坐在一邊，看得心中大惑不安，從一明禪師幾句話中，他已聽出一點端倪，劫截霞琳的和尚，必是和一明禪師同出一源。

一明禪師祈禱完後，激動的神情，漸漸平復下來，嘆道：「小施主所探詢令師妹被擄去處，正是貧僧的出身師門。我因違寺中戒律，被截去雙腿，逐出門牆，連我親傳的弟子，也同遭逐出。我們師徒歷盡艱辛，才在大湖山修築了這座清風寺，我因雙腿已斷，不願再見生人，幸好寺後有這一座天然石洞，遂遷居此處。老僧未被逐出門牆之時，在寺中地位不低，難免有很多弟子暗中前來探視，因為寺中戒律嚴酷，凡是被逐出門牆的人，就不准門下弟子探看，一經發覺，立時處死，為避免株連無辜，我遷居這石洞之後，就立下了一個不合情理的規矩，凡是來見我的人，不問是誰，必先接我十招以上掌力，十年來有不少人進過這座石洞，但都吃我掌力逼退……」話到此處，老和尚突然一陣急喘，口角間湧出來兩行鮮血，人也搖搖欲倒。

夢寰心中大驚，趕忙雙手扶住他，連聲問道：「老禪師，你怎麼樣？」

一明禪師喘息了一陣，苦笑道：「我在被逐出門牆之時，已被他們用透骨點穴法點了我『藏血』、『腹結』兩穴。這兩處穴道，一屬肝膽脈，一屬氣血相交要害，如用普通點穴手法，立可置人死地，但如救治得法，不難醫好，但我所受，是我師門的獨門點穴手法，除了寺中幾個師叔師兄能夠解得以外，天下武林同道能解透骨點穴法的人，恐怕很難找出來了！」

夢寰問道：「那麼老禪師是不是能解得呢？」

一明禪師搖頭，笑道：「我雖然懂得一點訣竅，卻是無法解開。」

夢寰低頭默然。一明禪師又喘息一陣，接道：「他們用透骨點穴手法，點了我『藏血』、『腹結』雙穴，留下我一條性命，但並非真的饒恕了我，只不過是多讓我受十年活罪罷了，剛才我發掌攔擊小施主時，用力過多，致引得傷穴發作。」

夢寰黯然接道：「想不到晚輩無意之中，引發老禪師的傷勢。」

老和尚搖搖頭，截住了夢寰的話道：「就是貧僧不和你動手，我也活不過六個月了，這十年來，我獨處石洞，原想以本門內功心法，療治傷穴，哪知十年苦功，盡屬白費，近月來自覺肝膽一脈，逐漸痲木，而且不斷擴展，『腹結』氣血交接之處，每日子午兩時，疼如刀割。雙穴傷勢既發，已難久於人世，我在死前，能把師門惡跡，揭露出來，雖然對師門不忠，但總算替天地間留下了一份正義……」

老和尚話未說完，一陣血翻氣湧，連著吐出來四、五口血，而且鬚髮顫動，全身發抖，看神態模樣，已知他極力在忍受痛苦。

夢寰心中大慌，苦於無法下手替和尚解除痛苦，只有扶住一明禪師身子，黯然落淚。

過了好一陣工夫，老和尚才鎮靜下來，接道：「我這潛養傷穴的事，連追隨我的弟子也不

知道，就是初見小施主時，我也不準備洩露師門隱密，後來又想到，我如不說出這件隱秘，不但令師妹無法救得，就是天下武林道上，也永不會知道那冰霜封鎖的深山之中，一座莊嚴宏偉的寺院裡，會住著一群身披袈裟，外貌仁和，其實兩手血腥，無惡不作的空門弟子，老和尚死後亦愧對我佛慈悲了。」

話到這裡，突然雙目閃動，神態肅穆起來，推開夢寰扶在身上的一隻手，又道：「他們作惡的巢穴，僻處深山，人跡罕到。我那幾位師叔、師兄的武功，已進入爐火純青之境，登峰造極之候，天下能和他們對抗的人，實在寥寥可數。再加上寺中有一株奇樹，可產天地間僅有的奇物雪參果，功能起死回生，返老還童，服一粒，助長功力不少，這株天地間靈氣孕育而成的奇樹，不幸生於其地，助長了他們兇焰……」

夢寰聽到這裡，心頭一震，忍不住插嘴接道：「老禪師所說的，可是那隴、青交界處，祁連山青雲岩的大覺寺嗎？」

一明禪師奇道：「你怎會知道呢？」

夢寰道：「晚輩聽一位老前輩談過那株雪參果，晚輩就隨口而出，不想被我猜對了。」

老和尚並不尋根究柢，又接著說道：「不錯，正是祁連山青雲岩上那座大覺寺，貧僧就是爲勸阻我師叔及掌門方丈，稍斂惡行，而遭逐出門牆……」說至此處，老和尚已支持不住，又吐出一口血，暈了過去。

夢寰急急扶起和尚，用推宮過穴手法，推拿他「藏血」、「腹結」兩穴，殊不知透骨點穴法，和一般點穴法大不相同，楊夢寰替一明禪師推拿了半晌，仍是毫無作用。

過了足足一刻工夫，老和尚慢慢睜開了一雙失神的環眼，微搖著頭，道：「我已經不行了，小施主千萬別涉險到大覺寺去！你就是一定要去，也要多請些高手同去，入洞時你化解我掌力的身法，似乎是一種極爲至高的武功，移步出手，招招含蘊玄機，正好用來以弱敵強。我知道那不是你們崑崙派中所用的身法，小施主必是另從高人學來，傳授你這身法的人，也許有望和我師叔、師兄們一相抗衡……」

說到這裡，已是上氣不接下氣，神情痛苦萬分，但他仍斷斷續續地說道：「我幾位師長……不但武功登峰造極，而且我三師叔靈空，更練成一種極歹毒的百毒掌……力，中人……必死……只有乾元指神功……可……破……」

老和尙極困難地說出他最後一個破字，似乎是言猶未盡，但已再難續說下去，兩眼一翻，口中鮮血泉水般湧出，全身抽動一陣，閉目逝去。

楊夢寰目睹這出污泥而不染的高僧，死狀奇慘，心頭升起了一份愧咎，如果自己不來尋他求教，也許他還能多活一段時間。

想著想著，潸然淚下，扶正他屍體，倒身拜了兩拜，帶著奪眶熱淚，緩步出洞。

楊夢寰滿懷沉痛，出了石洞，陶玉正急得在洞外走來走去，回頭見夢寰帶著滿臉淚痕出來，心中一驚，躍過去拉著夢寰一隻手，問道：「你怎麼了？」

夢寰搖搖頭，慘然道：「我沒有什麼，可是一明禪師死了。」

金環二郎轉了轉俏目，笑道：「臭和尙死了你哭什麼……」

夢寰還未答話，站在旁邊的灰衣僧人，突然接道：「你怎麼滿口胡言亂語，我不信就憑你那點功夫，能傷了我師父？」

楊夢寰黯然嘆道：「老禪師功力深厚，我豈是他敵手，是他自己傷穴發作而死。」

灰衣僧人不再理會夢寰，一閃身躍入石洞，片刻工夫，手握一對金環而出，一語不發，兩手齊揚，一對金環並出，猛向夢寰打去。

這一下距離既近，發難又出意外，饒是夢寰應變夠快，右肩也吃一只金環擦傷。

陶玉金環表面看去形如手鐲，其實環上有著極細極小的尖刺，鋒利異常，金環擦夢寰右肩過，帶走他一片衣服，劃破了一寸多長一道血口，雙環餘力不衰，打在四丈外山石上面，只見灰衣僧人雙環打出之後，人也跟著向夢寰撲去，楊夢寰右手一招「拒虎門外」架開和尚攻勢，說道：「大師父且慢動手，我還有話未說完！」

灰衣僧人雙睛突出，臉色鐵青，已是悲忿極端，哪裡還會聽夢寰的話，人如瘋虎，拳腳齊施，一味地猛撲狠打。

楊夢寰只是閃避封架並不還攻，連拆了十幾招，他仍是不肯還手。

金環二郎一旁觀戰，看得心中大感不耐，尖聲叫道：「楊兄既存仁慈之念，你就乾脆退開，讓我來收拾他吧！」這時候陶玉卻恪守著武林規矩，不肯以二打一。

楊夢寰知道如果陶玉動了手，這灰衣僧人必無生望，只好施出師門天罡掌中的三絕之一「赤手搏龍」，一下扣著那和尚右腕脈門，正色說道：「令師確因傷穴復發而死，你再入石洞，細看他『藏血』、『腹結』兩穴，自然明白，老禪師在離開青雲岩大覺寺時，已遭同門用透骨點穴法，下了毒手！」

灰衣僧人聽了夢寰話後，果然鎮靜下來，兩眼中簌簌淚下。

夢寰鬆了他被扣右腕，和尚立時又回石洞裡去，陶玉側目望了夢寰一眼搖搖頭，緩步走到

山石旁邊，撿起兩只金環，套在右腕上。

夢寰拉陶玉在石洞外面，把入洞會見一明禪師經過，很詳細地說給陶玉。任他金環二郎生性冷僻，手辣心狠，也聽得心裡面冒上來一股冷氣，嘆道：「這一明禪師倒不失為一個好人，他那些同門師叔、師兄，對自己師侄、師弟，下了這等毒手，手段也太陰毒了些。」

夢寰看陶玉竟也流露出淒然感懷神情，心中很覺快慰，兩人在洞外等了有頓飯工夫，仍不見那灰衣和尚出來，夢寰心覺有異，拉陶玉進入石洞，走到洞底一看，只見那灰衣僧人，已撞壁死在一明禪師身邊，腦漿迸出，死狀甚慘，只有一明禪師身邊那盞孤燈，仍然是青光瑩瑩。

楊夢寰把兩具屍體排好，滿腮淚水，跪拜下去，低聲禱告：「楊夢寰如能救助師妹無恙脫險後，定當重來清風寺奠祭兩位大師父的亡魂英靈。」禱畢起身，和陶玉攜手出洞，搬了很多山石，把洞口封了起來，陶玉倒未反對，而且還幫著夢震動手。封好石洞之後，兩人依原路登上懸崖，通靈的赤雲追風駒，正在峰上樹林邊吃著肥嫩的野草，一見兩人，長嘶一聲跑近身側，陶玉挽著夢寰一隻手，雙雙躍上馬背，放轡奔去，路過清風寺，向裡看去，廟門依然大開，大殿仍舊屹立，可是這短短的一、二個時辰的工夫，主持這寺院的人，卻已埋恨九泉，橫屍山洞了。

看著那依舊青山，使楊夢寰心中洶湧出很多感慨，千百萬年來，青山未變，可是不知有多少英雄豪傑，已盡做古人，那一坯黃土之下，恐只餘幾縷鬚髮未化了。想著想著，頓覺人生若一片浮雲流水，碌碌一生為誰辛苦，待煙消雲散，留在人間的又是些什麼？

由江西到甘肅，有水旱兩條路可走，走水路是由湖北乘船沿江而上，渡三峽進四川，再棄

舟登陸入甘肅，起旱則由湖北過陝西省境進入甘肅，這一段遙遙的旅程，如依一般商旅來說，自然都走水道。但金環二郎仗著赤雲追風駒的腳程，棄船起旱，而且沿途上除了打尖餵馬之外，很少休息，這赤雲追風駒，果然是一匹並世無雙的寶馬，日夜兼程，速度不減，五日夜狂奔急馳，第六天中午時候，已到了甘肅省境中的靈台縣。

楊夢寰看寶駒經了五天五夜的長途奔馳，神駿之態，消失不少，垂鬃鞍鐙上，滿是塵埃，心中既感激陶玉，又覺著有些慚愧，很激動地握著金環二郎的一隻手，道：「陶兄和小弟萍水相逢，竟肯如此幫助……」

陶玉一皺眉頭，接道：「你要是心存感激，那就是不願交我這個朋友，其實是我願意來西北玩玩，如果我不高興來，你就是求我也沒有用。」

夢寰聽得一怔，金環二郎卻格格大笑起來，拉著夢寰右臂，道：「我們找個客棧，要先好好地休息一天，這地方已離祁連山不很遠了，一明禪師說大覺寺中和尚，一個個身負絕學，也許不是危言聳聽，我們兩個人實力薄弱，只宜暗中下手，順便再偷它幾粒雪參果嘗嘗。」

夢寰默默隨在陶玉身後，心裡卻在盤算時間，他想：師父和澄因大師，一天都是七、八十里腳程，如日夜兼程緊趕，可能已到了大覺寺中。如果霞琳真的被大覺寺和尚擄去，兩位老人家或能碰上，只要碰上，那自然非要救助霞琳出險不可，問題是師父和澄因大師求得雪參果後，就匆匆離開青雲岩，未能得到霞琳被擄消息，或者是，押送霞琳的和尚，還未趕到大覺寺來……」

陶玉轉頭看夢寰雙眉微鎖，不知在想什麼心事，遂笑問道：「你又在想什麼？」

夢寰笑道：「我在想師父是不是已離開了大覺寺？」

陶玉笑道：「你師父？那是崑崙三子了？」
夢寰聽他話裡毫無尊敬之意，心中微感不悅，繼而又想到他生性冷僻，也就罷了，點點頭笑道：「我師父和另一老前輩澄因大師，聯袂到大覺寺中去求雪參果，療治我三師叔的傷勢，只是不知兩位老人家，是否已經離開了大覺寺？」
金環二郎對夢寰師父的行蹤，似乎缺乏興趣，既不問夢寰三師叔受傷經過，也不問他師父由何時何地出發到大覺寺來，只淡淡一笑，牽著馬和夢寰並肩進了一家客棧。
兩人在客棧中休息大半天。那赤雲追風駒，也經店伙計洗刷去身上和鞍鐙上的塵土。陶玉待馬兒刷好後，不停用手拂著牠的垂鬃，臉上神情甚是憐惜，良久後才吩咐店伙計多加草料，把馬兒飼好，然後獨自出店而去。
大約過了一頓飯的工夫，陶玉手中提著兩大包藥物和一只鐵鍋回來，到了房中，就連聲催店伙計準備一個木炭火爐送來。
夢寰看著他打開兩包藥物，很細心地檢查了一遍，然後混合放入鐵鍋，這時店伙計已送來火爐，爐中火焰熊熊，火勢甚是強烈，陶玉把鐵鍋架在爐火上，又從懷中取出一小包赤紅色藥粉，和入鍋中，合上鍋蓋，人卻坐在爐邊守候。
夢寰不知他在搞什麼鬼，直待陶玉坐下來休息時，才問道：「陶兄，你這是幹什麼？」
金環二郎笑道：「一明禪師告訴你，青雲岩大覺寺中的和尚都不是好東西，你信不信？」
夢寰答道：「我想他不致騙我們。」
陶玉道：「我也相信他不會騙我們，所以咱們就來個以毒功毒的辦法！」
夢寰道：「你現在是不是在調製毒藥？」

金環二郎點點頭，笑一笑，卻不再答夢寰的話。楊夢寰自是不好再追問，只得冷眼旁觀。

陶玉待鍋中藥物溶化之後，又取出幾大包鋼針投入鍋中，把鍋蓋密合起來，任那爐中強烈火勢燒了一夜。

次日起身後，陶玉才開鍋蓋，取出鍋中幾包鋼針，只見針身已被藥水浸煉成一種藍汪汪的顏色，金環二郎收好幾包鋼針，牽馬出店，兩人又縱騎西上。

西北地廣人稀，而且多山，愈往西走，則愈難走。好在赤雲追風駒能翻越山嶺，兩人認定方向，單走捷徑，這樣一來，近了不少。又走兩天，到第三天他們已進入祁連山中。

陶玉放眼看山勢，重峰疊嶺，高接雲天，其雄偉氣魄，實非五嶽能及。這時雖已是深春季節，但山高氣寒，直若嚴冬，所幸兩人一身武功，不畏寒冷，放轡縱騎，越山直入。

夢寰看山勢越來越大，山風也愈加寒冷，心中暗忖道：這祁連山脈連綿千里，萬峰矗立，青雲岩在什麼地方，毫無線索，這等茫然尋法，何異大海撈針？心念及此，低聲對陶玉道：「陶兄，我看咱們總得先找個樵夫，問問路徑才行，難道我們當真要遍走這祁連山不成？」

陶玉勒著馬，回頭笑道：「走完祁連山每座山峰，我們不老死也差不多了。不過問路樵夫，也是白費，一明禪師不是說過，青雲岩僻處深山，人跡罕至嗎？如果真有樵夫知道那個地方，恐怕早已被大覺寺和尙殺了。」

夢寰沉吟一陣，道：「大覺寺和尙雖然惡行多端，但我想既是一座規模很大的寺院，總該是有人知道的，也許他們惡行隱密，不爲人知，別人只知那是一座莊嚴的寺院而已。」

陶玉道：「要是這樣，江湖上恐早就傳出大覺寺了。」

夢寰笑道：「陶兄所見，未必盡然，如果大覺寺僧侶們，僞善外貌，已得鄉愚信任，他們再不和江湖人物來往，武林中自然不會知道有這座大覺寺了，即使大覺寺問不出來，青雲岩總該探詢得到。」

金環二郎聽完，笑道：「楊兄所說雖有見地，但我的看法卻有不同。江湖上的事，不能以常情測度，就拿我們天龍幫說吧，分舵、弟子遍布江南水旱碼頭，但如非我們幫中的人，卻是很難尋到；武林道上都知道我們天龍幫總堂在黔北，究竟在黔北什麼地方？大概沒有幾個人能夠清楚，大覺寺既是惡僧們爲非作歹的巢穴，必是隱密異常，何況寺中還有一株雪參果樹呢，依我推想，不只他們巢穴不准別人涉足，恐怕方圓數十里內，都防範得相當嚴密。」

楊夢寰皺皺眉，道：「這麼說，那青雲岩大覺寺，是無法找到了。」

陶玉轉轉俏目笑道：「你先不要發愁，假如令師妹果真被他們刼擄來大覺寺，現在還沒有到，他們帶著人走，很礙手腳，沿途總要避人耳目，就算押送令師妹的和尚，有著上乘輕功，也不能放腿趕路。我想，他們至少要落我們後邊五天以上，咱們只要在五天之內尋到大覺寺就不會誤事。」

楊夢寰聽完話後，皺皺眉道：「祁連山這麼大，縱然仗陶兄寶駒腳力，也不能歷盡每一奇峰峻嶺。」

陶玉笑道：「那不要緊，我們選擇幾處峰高林密地方，幾把火燒他個鳥飛獸走，這地方不少萬頃以上的原始森林，一經點燃，勢必燎原，大概三、五百里以內都可以看到火勢，我們選擇一個高峰頂上隱住身子，大覺寺的和尚如果見到火勢，一定要派人來查看，咱們盯梢追蹤，讓他們自己帶咱們到青雲岩大覺寺去。」

楊夢寰聽得呆了一呆，道：「陶兄這法子倒是不錯，只是太陰絕點兒，幾把火如果燒光了祁連山，不但無數的飛禽走獸遭了殃，無處藏身，還不知道燒毀了多少樵夫村舍，更可惜的，是這價值無數的原始森林。」

陶玉搖搖頭，笑道：「這個你盡可放心，祁連山連綿千里，數不盡的插天高峰，大部峰嶺上都有積雪，我們要再往山中深入一段，恐怕每座山峰上都爲冰雪所封，火燒冰化，勢必如倒瀉江河，不出三天，火勢必爲冰雪化成的水所滅。幾把火了不起燒去了幾處森林而已，萬頃林木在這綿延千里的祁連山中，不過是滄海一粟，燒去幾處，算得什麼？做事瞻前顧後，愛心普及草木，那是兒女心腸。須知江湖上講求的是，心狠手辣，只求目的，不擇手段，不安心殺人，何以當得毒丈夫！你說我縱火引敵帶路辦法太過陰絕，不知除此之外，楊兄有什麼高明辦法？」

楊夢寰被問得瞪著眼答不出話，心裡暗暗琢磨：陶玉的話不錯，縱火引敵的辦法，雖然太絕了點兒，但除了這辦法外，的確別無良策。想了半晌，才答道：「陶兄說得是，咱們就放它幾把火試試，看能不能招來大覺寺的僧侶？」

金環二郎格格一笑道：「祁連山疊峰重嶺，一望無涯，除了縱火引敵帶路一途之外，別無可行辦法，咱們再往前走一段，深入山腹之後，選兩處縱火地方。」

楊夢寰初涉江湖，說經驗閱歷，比陶玉相差天淵，他剛才被金環二郎幾句話問得啞口無言，這當兒，只有乖乖地聽人安排。

陶玉放馬越山，急奔如電，赤雲追風駒只跑得通體汗水，他似乎渾如不覺。

這一陣縱馬急跑，總翻越二十餘座嶺，少說點也有百里左右山路，金環二郎才收住韁跳下馬，嘆口氣道：「再要不休息，馬兒就真的要累死了，那我們就得從千尋峭壁上跌入深壑。粉身碎骨不要緊，可是楊兄卻永遠不能再見你師妹了。」

話說得雖然輕鬆，臉上卻是無限憐惜神色，一面拂著寶駒垂望鬃，一面取出雪白手帕，擦拭著馬身上的汗水，楊夢寰只是呆呆地站在一邊，望著他發怔；他心裡洶湧著千言萬語要說，但又覺著一句話也說不出來，兩人相處時間愈長，楊夢寰也愈覺著陶玉性格無法捉摸。

金環二郎耗費了一盞熱茶以上的工夫，從頭到尾把寶駒擦拭一遍，才轉過頭對夢寰笑道：「我們就在這座絕峰頂上休息一會兒，選兩處縱火地方。」說著笑著，拉夢寰縱身躍上一棵松樹上坐下，取出乾糧分食。

楊夢寰淡淡一笑，想不出合適話說，只有沉默，一邊吃乾糧，一邊四顧山勢。兩人停身地方，原是一座極高峰頂，放眼看去，只見重峰連綿，無窮無涯，而且一色銀白，分不出是山是雪，較近幾處山峰上，也只能看出銀色山頂黑點斑斑，那大概是山峰上長的巨松之類樹木。楊夢寰窮目四下搜索，看了半天仍然是一無所獲，看不出一點跡象。

陶玉的兩隻眼卻盡望下看，突然他轉過臉對夢寰笑道：「楊兄，你看西南方兩峰之間，是不是一片大樹林，我們現在去放火，大概到午夜時候，三百里內就可見火勢了。」

夢寰順他手指望去，果見西南兩峰之間，隱現出一片黑黝黝的顏色，點點頭，道：「不錯，那正是一片森林。」

陶玉笑道：「好，咱們吃飽了就去放火。」

夢寰淡淡一笑，正待答話，一轉臉，突見正西方一點白影劃空而來，不大工夫，已到兩人停身峰頂，飛行如箭，快速至極，金環二郎大叫道：「好大的白鶴呀！怕有千年以上。」

說著話，縱身而起，躍高一丈五、六，手握松枝，一個倒翻，人已翻躍上松樹頂端，右手揚處，一只金環脫腕飛出，直向那掠空急飛的奇大白鶴打去。

楊夢寰想阻止他，已是遲了一步，陡見那大鶴轉過身來，巨翅一撲，陶玉打出的金環被擊落峰頂，接著兩翅一合，箭一般向下疾撲陶玉。

金環二郎想不到一隻白鶴，竟有這等威勢，一時間來不及拔劍迎擊，只好飄身下樹，那巨鶴下行之勢太快，陶玉這一飄身避開，巨鶴卻無法收勢，撞入樹中。但聞得一陣響聲，那數百年的巨松，被鶴身衝得枝葉紛飛。

巨鶴一擊不中，立時仰首疾升數丈，二次斂翅下撲陶玉。

這時，金環二郎已握劍在手，一招「仰觀天象」迎鶴掃去，陶玉剛才見那巨鶴撞入松樹之勢，心中已感驚異，劍招出手，用了八成真力。

哪知巨鶴竟似通達技擊一般，斂合的雙翅，突地一張，左翼迎劍疾掃，右翼借勢下擊，兩隻斂藏在腹下的鶴腿猛伸，雙爪直逼陶玉頭頂。

金環二郎劍勢吃鶴翅掃中，逼開一邊，且幾乎脫手，而那巨鶴右翼變爪，卻一齊襲到，迫得他仰身倒臥下去，借勢翻滾，才算讓開一擊。

哪知他身子剛剛挺起，巨鶴卻又襲到身後，這座山峰本就不大，而且冰雪封凍，光滑異常，陶玉剛才讓那白鶴一擊，已快到懸崖邊緣，此刻，巨鶴又從身後襲到，如果再往前縱避，勢將落入那萬丈懸崖，這情勢逼得他只有反身回擊一途，金環二郎劍施一招「回風弱柳」，轉身橫向巨鶴掃去。

劍勢出手，突覺被一股強力吸住，原來劍尖金環，已被巨鶴右爪抓住，同時那巨鶴左爪左

翼一抓一掃，也閃電襲到。

陶玉心頭一涼，暗想：完了，想不到我金環二郎，送命在這畜生的利爪之下。

在這間不容髮的刹那，突見一道銀虹，閃電而至，猛向巨鶴襲撲陶玉的右腿劈去，巨鶴左腿疾收，一仰首破空直上，陶玉不肯丟棄手中寶劍，連劍帶人被那巨鶴帶了起來。

楊夢寰出手一招，救了陶玉，大聲叫道：「陶兄，快些撒手，這白鶴的主人，小弟認得，等見面的時候，當爲陶兄討還金環劍。」

陶玉已被那白鶴帶飛到兩丈多高，聽得夢寰一喊，只好鬆手丟劍，身子剛落實地，探手入懷，取出一把毒針，仰首望著那直升巨鶴。

大白鶴升高到十丈左右突然停住，雙翅平伸，緩緩繞峰飛行，長頸下探，似在默察敵勢。

楊夢寰見鶴思人，想起了授自己「五行迷蹤步」法的朱白衣來。

近月來全仗「五行迷蹤步」精微的身法，驚走了開碑手崔文奇，保全性命；拆解了一明禪師雄渾的掌力，探得霞琳消息……他只管回憶往事，卻沒有注意陶玉手扣毒針，蓄勢待發。

那巨鶴繞兩周後，突然俯衝下擊，直撲夢寰。

金環二郎揚腕一把毒針，電射而出，十餘條銀線閃爍，逕向巨鶴打去，毒針細小，絲毫不挾破空風聲。陶玉心想萬無不中之理，只要那巨鶴中得一支，針上劇毒立時發作，任牠是千年通靈之物，萬難抵受得住。哪知陶玉毒針出手，巨鶴驀的右翼一撲，白羽搧處，一股強風自翼下捲出，陶玉打出毒針，盡被鶴翼搧出強風震飛，散落峰頂。

金環二郎這一驚，只驚得他呆了一呆，那大白鶴卻原勢不變，仍向夢寰撲去。

楊夢寰在括蒼山中已吃這大白鶴的虧，知牠兩翼神力驚人，鐵嘴鋼爪，裂金碎石，又知

牠是朱白衣所飼養之物，劍護面門縱身一閃，那巨鶴好像已看出是夢寰樣，撲擊之勢，頓時一收，右爪一鬆，金環劍落在峰上，眨眨眼沒有了影兒。

夢寰直待那大白鶴消失空際，才俯身撿起金環劍，送交陶玉，心裡卻暗暗想道：這巨鶴突然在祁連山中出現，莫非朱白衣也到祁連山來了？心念一動，又想起那夜荒墓中撿得羅帕，不自覺伸手入懷，正要掏出，金環二郎忽然問道：「那野禽好像是認識你一樣？」

夢寰笑道：「我和那大白鶴的主人，有過數面之緣，想不到牠竟也像識得我了，千年靈禽，當真非凡。」

陶玉冷笑一聲道：「將來我要見那野禽主人時，要好好教訓他一頓，免得以後他再縱放野禽欺人！」

夢寰本想把巧遇朱白衣的經過告訴陶玉，但聽陶玉話風，把遭巨鶴戲弄的一腔怨忿，遷怒到巨鶴主人的身上，只好把準備出口的話，又嚥了回去，兩隻眼卻盯在陶玉臉上，一副欲言又止的神態。

金環二郎問道：「你看什麼？是不是覺得我打不過那養鶴的人？」

夢寰點點頭，道：「那靈鶴主人，確實是一個身懷絕學的奇人，而且生性亦很高傲，萬一我們遇上他時，最好是不要動手，由小弟引見引見。」

金環二郎微微一笑，卻是不答夢寰的話，緩步撿起金環，套在腕上，道：「走！我們放火去。」說完，向峰下躍去。

他這一笑，卻笑得夢寰心中怦然一跳。這一段時日相處，他對陶玉不可捉摸的性格，多少有了一點了解，知道他越是笑得好看，心中的怒火越大。那巨鶴既然在那祁連山中出現，朱

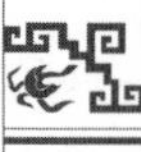

白衣自是極可能也到了祁連山來，假如碰上，陶玉自然要出言譏諷。朱白衣高傲性格，決難忍受，真動起手來，金環二郎是必敗無疑……他只管著想心事，陶玉已躍下了幾十丈，回頭看夢寰愣在峰頂出神，立時高聲叫道：「楊兄，快下去放火去啦！」夢寰應一聲急急追下，兩人一先一後，向西南方向奔去。

翻越兩座山嶺，果然有一片萬頃森林。對林望去，丈餘深淺已被交錯枝葉和繞樹藤蘿遮住了視線，林外積葉深達數尺，大多數均已腐爛，極目無際，不知有多少萬枝。陶玉高興地揚了揚劍眉笑道：「好啊！這一片原始森林，總要在萬頃以上，燒起來可有熱鬧看了，咱們分頭放火。」說完，沿林邊向西跑去。

楊夢寰慢慢地取出火摺子，望著參天林木，不覺黯然一嘆，這一把火，不知要燒死多少禽獸。

他幾次燃火摺子，要點燃林邊積葉，但終歸又縮回了手，陡然間霞琳的音容笑貌，飄浮腦際，楊夢寰一咬牙，正待動手點燃積葉，終於不忍，又放下了火摺。

他不再回頭，逕自向北一路走去。

這天午後，楊夢寰到了北邊山根下面，突覺著有些口渴，縱目環顧，這一片草地竟是看不到一處有水，靜立一會兒，隱約聽得極微的泉水聲音，自石壁一側傳來，心中一動，沿著山壁向右走去。

走了有二十丈左右，見一株巨松靠壁矗立，泉水聲就由那巨松後面山壁傳出。

夢寰撥開巨松枝葉上密繞葛藤，立時出現一個高可及人的石洞，因巨松正當洞口而生，再加上那密繞松枝葛藤，如不撥開，自是無法見得。

一陣柔和微風，由洞中飄吹出來，挾帶著撲鼻清香，夢寰想道：山洞中既有微風吹出，想必不會太深，而且口中正渴，水聲亦自山洞中傳來，且入洞去探視一番再作計較。心念既動，側身而入，一掌護身，一掌防敵，向前走去。

轉了兩個彎，前面已現亮光，淙淙水聲已是清晰可聞，心裡一喜，緊走幾步，出了石洞。洞外景物愈發秀麗，碧草如茵，奇花燦爛，柔風拂面，水聲潺潺，兩邊斷崖上，生滿古松，巨枝伸空，蘿帶飄垂，點綴得百丈長短，十餘丈寬窄的狹谷，更顯得清幽奇秀。

夢寰只顧鑒賞大自然幽奇景色，連口渴的事也忘了，突然，由五丈左右的一叢奇花後面，傳出來兩聲小鹿輕鳴，接著又聽到一個熟悉的聲音，嘆道：「等我寰哥哥找到我了，我就不能再留在這裡陪你玩了……」

聲音是那樣清脆，話說得是那樣天真，黯然中又帶著幽幽留戀。

楊夢寰只聽得心頭一震，不知是高興，還是悲傷，兩行英雄淚，奪眶而出。

正想高呼霞琳名字，突然心念一動，暗想：霞琳既被大覺寺中和尚擄去，何以會到了這幽谷中來，這中間必有原因，先得看看再說，不要弄出笑話。

心念一轉，擦乾淚痕，緩步向前走去，繞過那一叢奇花。寓目望去，只見那叢花旁邊一座小池，岸畔坐著一個白衣少女，赤著雙足，浸入水中，左肘抱著一隻小鹿，側臉望天，不知在想什麼心事。柔風吹過，飄起她散披在肩上的秀髮和白衣。

夢寰望著那秀麗無邪的背影，再也控制不住滿懷激動，正要跑過去，忽見那白衣少女，搖

搖頭，一聲幽幽長嘆，緩緩站起身子，把小鹿抱入懷中，伸手在那奇花叢中，摘了一朵花，猛一抬頭，看到了夢寰，高興得她秀目中熱淚盈眶，叫了一聲：「寰哥哥！」縱身一躍，直向夢寰懷中撲去。

楊夢寰雙臂一張，接住她飛來的嬌軀，突聽得哟哟兩聲鹿鳴，原來霞琳手中還抱著那隻小鹿。

霞琳放下小鹿，眼光中無限憐惜，望著小鹿道：「小鹿最乖，等我和寰哥哥說過話，再餵你吃。」

夢寰細看那小鹿，至多不過三、四個月，但這小動物似已和霞琳有了感情，放在地下，竟是不跑，偎在霞琳裙下，不住伸出舌頭，舐著霞琳雪白的足踝。

只見她大眼睛中淚珠兒，一顆接一顆，由腮上滾了下來，嘴角卻浮現出盈盈笑意，慢慢地合上了眼皮，偎入夢寰懷中，說道：「你的朋友對我說，你一定會來找我的，所以我每天都耐心地守在這兒等你。我很想騎那隻大白鶴飛上天去玩玩，但我怕你來了看不到我。你朋友的本領大極啦，我知道他不會騙我，果然你真的來了！」

幾句淡淡的話，勝過了萬千句懷念的傾訴，楊夢寰只聽得一顆心片片粉碎，緊緊抱住她玲瓏嬌軀，說不出一句話來，熱淚如泉，滴在懷中玉人的臉上。

霞琳微睜星目，笑道：「寰哥哥，你心裡難過嗎？」

夢寰道：「我……我心裡太高興了……」

說完話，正想低頭輕吻霞琳粉頰，突聞得身後一聲長嘆，接道：「你高興，我可苦壞了！」

夢寰急急轉身望去，不知何時，朱白衣已到了兩人身後，他仍是一身青衣，臉上神情略帶淒惻，眼睛中含蘊著一片淚光，深注著兩人。

夢寰臉上一熱，急鬆雙臂，放開霞琳，深深一揖，道：「朱兄賜授奇技之恩，楊夢寰還未報答，又承跋涉關山，遠來西北，救了我師妹……」

朱白衣揚了揚秀眉，轉動著星目，截住了夢寰的話，道：「你心裡感激我，倒可不必，我說的苦壞我，另有所指。你也來到祁連山，而且又來得這樣快，實在有點出我意料之外。不過你來得很好，你師妹一天問我幾百次，爲什麼她的寰哥哥不來？那當真使我作難，沒法只有騙她，說你很快就會來接她，想不到信口開河的謊言，竟讓我無意言中。」

說到這裡頓了一下，又笑道：「說騙她，也並非是騙她，假如你再晚到兩天，我就準備用靈鶴玄玉送她到饒州去找你，我想你如果探不到你師妹消息，很可能轉回饒州。」

夢寰點點頭，道：「天下事有很多事憑機遇，我要不是碰上天龍幫的金環二郎陶玉，恐怕也不會找上祁連山來。」

朱白衣笑道：「你來得這樣神速，究竟是怎樣走的呢？」

夢寰道：「陶玉有一匹蓋世寶駒，一日有千里腳程，而且還能夠翻山越嶺，借神駒腳程，才得早日到此。」

朱白衣道：「世上真有這樣神駿的寶馬，那真得見識見識。」

說完話，淒涼一笑，轉身緩步而去。

夢寰望著朱白衣纖巧玲瓏的背影，越看越覺他不像男人，猛然心念一動，想起那夜荒墓中羅帕留字的人，正待叫住朱白衣追問，突覺一陣幽香撲面，沈霞琳雪膚嬌軀，已偎入他的懷中，抬起臉兒，張著大眼睛，道：「你朋友對我真好，要不是他救我，我就不能再見你了！」說完話，眨眨眼，滾下來兩行淚珠。

楊夢寰知道她這段時日中，不知受了多少委屈，嫩稚無邪的心靈上，創傷不輕，摟著她無限憐惜地問道：「你一定吃了很多苦，對嗎？」

霞琳點點頭，帶著滿臉淚痕笑道：「那些和尚真壞，他們對我說，要把我送到一個風景最美的地方去住，我知道他們不存好心，我本來是不想活的，但我死了就不能再見你啦，所以我沒有死。不過不是你的朋友救我，我總歸是要死的！我知道那些和尚都不是好人。」說到這裡，她竟也浮現出兩頰羞紅。

夢寰掏出絹帕，低著頭替她擦去臉上的淚水，看她粉臉上透出兩片羞紅後，愈覺著嬌艷奪目，惹人憐愛，不覺伸手拂著她鬢邊散髮，十分溫存。

霞琳慢慢閉上眼睛，嘴角間微笑如花，似乎這一段時日中受到的委屈，剎那間完全消失。

楊夢寰看她笑得臉上梨渦深陷，心中似是十分快樂，不覺暗暗嘆息一聲，想道：這孩子雖還嬌稚，但看樣子情懷已開，我不過略示呵護溫存，她竟把連日所受的委屈，完全忘懷拋卻，她對我這樣情深，倒是不能負她。

想到這裡，腦際又浮起一個念頭：朱白衣是女扮男裝，似乎已無可疑，她不惜萬里，幫自己追尋霞琳，賜授奇技，暗中衛護，這些事都已超過了一個初識朋友的情誼，再想她那夜在鄱陽湖中指斷琴弦，不惜耗真力替師叔療傷，以及見自己時的異樣神情，恐都非無因而起，想著想著，頓感情愁滿懷，無法自遣，不覺呆在那裡。

霞琳睜開眼睛，看到夢寰發呆模樣，心中很覺奇怪，問道：「寰哥哥，你心裡不高興

了？」

楊夢寰低頭笑道：「沒有的事。」

霞琳抱起地上小鹿，道：「我得要餵小鹿鹿了，咱們到那邊山洞裡去吧？」夢寰跟在她身後，踏著青草向前走去，心裡卻在想著：剛才幸好沒有追問朱白衣，荒墓那塊羅帕是不是她留下的？如果說穿了，事情就更難辦！不如就這樣裝糊塗下去吧。好在這時日不會太長，等出了祁連山，自己就和霞琳回崑崙山去。

沈霞琳帶著夢寰走到山壁邊，指著一座石洞笑道：「我和你的朋友，都住在這座山洞中。」

夢寰細看那座石洞，約有兩丈多深，一丈多寬，裡面打掃得十分乾淨，霞琳拉著夢寰一隻手，進了山洞，靠右邊石壁下鋪著一條毛毯，還有一床很好的棉被，那大概是霞琳的舖位了，靠那舖位西頭，有一塊人工移置的大青石，上面放著幾瓶羊乳，還有很多野味水果之類，霞琳從大青石上取了一瓶羊乳，倒在手心，先餵了懷中小鹿，然後把瓶子給夢寰道：「寰哥哥你也吃一點吧！」

夢寰本來早就有些口渴了，因爲看見霞琳後，一陣悲喜交集，就把口渴的事給忘了。此刻霞琳一提，立刻感到口渴難耐，接過瓶子，一口氣把大半瓶羊乳喝完。

霞琳看夢寰喝得甜暢，早又開了一瓶等著，一見夢寰喝完，立時又把手中一瓶羊乳送到夢寰口邊。

夢寰看她大眼圓睜，淺笑盈盈，眼神裡流露出無限的溫柔，無限的纏綿，哪裡還忍得下心拒絕她，只好又喝了幾口。

霞琳微笑著合上瓶塞，抱起小鹿，又偎在夢寰懷裡，不大工夫，竟沉沉睡去。

夢寰看她睡得甚是甜香，臉上滿是笑意，不由一陣難過。暗想：這天真無邪的孩子，自被擄之後，恐怕就沒有好好睡過，此刻見到了我，似乎才放下了心，這一睡，不知要到幾時才醒，我得讓她好好地睡一覺才對。

心念一動，輕輕把霞琳移放毛毯上面，抱下她懷中小鹿，又替她蓋上棉被，靜靜地守在臥榻一側。

那小鹿繞著霞琳身子轉了一周，臥在霞琳身體右側，偎著棉被，也合上眼睛睡去。

夢寰看那小鹿甚是乖巧，忽然心中一動，想道：這隻小動物，已不知伴守霞琳幾天了，要離開這裡時，霞琳勢必極爲留戀難捨。待我去採些藤蘿，替這小鹿編製一個藤籃，好讓她醒來時歡喜一場。

想著想著啞然失笑，自己是二十幾歲的人了，怎的也會動了童心。

正待起身去採藤蘿，那隻小鹿忽然打個滾，跳了起來，跑到夢寰身邊，不停地張嘴輕叫。

楊夢寰怔怔地看著小鹿，不解牠意欲何爲。皺了半晌眉頭忽有所悟，取過羊奶，學霞琳剛才餵鹿模樣，把羊奶倒入手心餵牠，小鹿吃飽後，又回到霞琳身側臥下，夢寰望此情景，心中感慨叢生，暗想：這等動物竟是像有情感一般，可是世上卻有不少無情無義的人，看來很多人連小鹿也不如的了。

他走出石洞，抬頭一看，只見兩面山壁伸空的松枝上垂著很多藤蘿，都是又粗又大，正好用來替那小鹿編製藤籃，只是垂藤距離谷底太高，要想採到，勢必要先登上山壁，再爬上那伸

延空中的松枝不可。

夢寰留心打量山勢，立時猱身向山壁上攀登，楊夢寰輕身功夫，已得一陽子真傳，手足並用，很快地爬上了那百丈立壁。

楊夢寰看洞外右邊不遠處一株巨松上垂藤最多，正待躍上那巨松，揮劍斷藤，一轉臉見朱白衣靜站在一塊突出的大山石上，背他而立，一動不動，似乎正在用心看什麼東西。

夢寰心中一動，對著那塊山石走去，他心知朱白衣武功已到了出神入化之境，五丈內能辨出落葉聲音，自己登上峰頂，他必早已發覺，故而並未叫他。

哪知他走到朱白衣身後時，朱白衣仍然連頭也未回一次，竟是絲毫未覺一般。

夢寰呆了一陣，才低聲叫了兩聲朱兄。

朱白衣突然回過頭來，清澈如水般的大眼睛中，滿含淚光，臉上神情淒婉，淚痕猶新，黯然一笑，幽幽問道：「你不在谷底石洞中陪你師妹，上到這寒風襲人的峰頂做什麼？」

夢寰被問得一怔，又反問道：「朱兄既知峰上寒冷，何不回到谷底去呢？」

朱白衣眼神中忽然射出萬般柔情，低聲問道：「你……你上峰頂來，可是找我的嗎？」

夢寰又被問得一怔。這一怔，怔得他半天答不出話。朱白衣淒苦一笑，低聲吟道：「……淚向愁中盡，遙想楚雲深，人還天涯近。」吟罷，跳下山石，向北走去。楊夢寰緊追幾步，叫道：「朱兄請留步片刻好嗎？」

朱白衣回頭笑道：「一分依戀，增多了萬千離愁，你何苦……」話到這兒，他竟是再難矜持，簌簌淚珠兒奪眶而出。

楊夢寰聽得心頭一震，道：「怎麼？朱兄就要走嗎？」

朱白衣突然一咬牙，左手扯去頭上方巾，抖落一把烏雲，隨風飄飛，右手扯破青衫，裡面是一身玄色女裝，胸繡白鳳，腰束汗巾，纖巧玲瓏，嬌小可人，淡淡一笑，道：「我陪你師妹，在谷底山洞中住了三天，你心中多少總有點懷疑，深山絕谷，孤男寡女，這樣，你總該放心了吧？」

楊夢寰真情激盪，熱淚盈眶答道：「楊夢寰還不是善疑小人，朱兄……」兄字叫了出口，才覺著不對，趕緊改口：「朱姑娘千萬不要多心。」

朱白衣泫然泣道：「沈姑娘天真嬌稚，望你能善為珍視。今天我以真面目相示，也就是咱們緣盡之時，從此天涯遙隔，萬山千重，相見無日了。你……你自己多多珍重啦！」說完，回身一躍，人已到五丈開外。

楊夢寰只急得大聲叫道：「朱姑娘……朱姊姊……」也不知是他這聲朱姊姊的力量呢，還是朱白衣言未盡意，果然她又停住了腳步。

夢寰一連兩個急躍，才到了朱白衣身邊，看她亂髮飄拂，淚水未住，心中一陣感愧，也不禁淚若湧泉，把要說的話也給忘了。

朱白衣看夢寰呆在身側，星目中淚水一顆接一顆滴在臉前，臉上神情甚是痛苦，但卻一語不發，不覺心腸一軟，從懷中取出一塊絹帕，輕揚玉腕，替夢寰擦去淚痕。

這當兒，朱白衣好像完全變換了一個人樣，傲骨嬌氣，都化成綿綿柔情，側身相依，極盡嬌柔，她身上一種奇異甜香，撲鼻沁心，如芝似蘭，中人欲醉。

楊夢寰只感到那襲人甜香，薰得他心旌搖曳，迷迷糊糊的，握住了朱白衣兩隻細膩滑嫩的手，四目相對，默然無語。其實，這時也用不著說話，四隻眼神交投，彼此靈犀相通，已勝千萬句情話盟言了。

朱白衣有生以來，第一次被一個男人這樣握著她嬌嫩的雙手，何況這人又是縈繞她心上的情郎。情懷早動，哪裡能矜持多久，終於她把粉臉貼入了夢寰前胸，慢慢地把嬌軀盡偎入懷。

面對著嬌如春花，秀逸絕倫的玉人，楊夢寰也有點難再自持，正想張開雙臂，緊抱這投懷飛燕，突然腦際中閃掠過沈霞琳嬌稚的笑貌，這宛如一盆冷水，兜頭澆下，登時心中一涼，神志全醒。鬆了朱白衣兩隻玉手，緩緩推開她依偎懷中的嬌軀，退一步，黯然一笑道：「承姊姊多方援手，惠及我霞琳師妹，深誼隆情，楊夢寰鏤骨銘心，一世難忘。」說到惠及我霞琳師妹幾個字特別冗長。

朱白衣驟感如一支劍透心穿過，但見她粉臉上泛起來兩頰羞紅，嬌軀顫抖，目蘊淚光，深注夢寰，好半晌說不出話。

楊夢寰呆了一陣，才覺得這幾句話傷透了人家的心，想起了朱白衣療治師叔傷勢，傳授「五行迷蹤步」法，關關跋涉，救助霞琳的諸般好處，頓覺惶惶無地自容，感愧極處，反而不知說什麼才對，停立相對，彼此黯然。

朱白衣慢慢地恢復了鎮靜，淡然一笑道：「你師妹愛你很深，你以後要好好地待她，她那樣天真善良，是經受不起打擊的，就是她身陷危境時，仍時時以你爲念。」說完，轉過身子，慢慢向前走去。

朱白衣走到了兩丈開外，突然又轉過身子，走了回來，到夢寰三步外停住，說道：「大覺寺的僧侶們，武功奇特，自成招術，你和你師妹不宜在此地多留，最好立刻動身離開這裡。」

朱白衣說話時側臉看著別處，眼光就沒落到夢寰身上，說完話，不聽夢寰回答，心中難過

至極，不覺一聳秀眉，臉上現出怒容，待她看清夢寰神態之後，不僅怒意全消，而且剛剛平復的心情，又蕩起無限憐愛。

只見他目光遲滯，僵直而立。朱白衣一望即知，是傷痛過度，而又勉力控制著不讓發洩出來，致使真氣凝聚不散，時間一長，就要凝結成內傷，這是習練內功的人最忌諱的。

楊夢寰內功正在進境之時，最易走火入魔，何況他在「水月山莊」奠祭表姊玉娟亡靈之時，因悲慟過深，已經傷過了一次中元，剛才他感愧交加之下，無以自遣，致使真氣復聚，又傷中元，如不是朱白衣去而復返，楊夢寰不死亦得重傷。

朱白衣武功精博，一見即辨識出來，纖手揚處，連中了夢寰「命門」、「當門」、「肺海」三穴，只聽楊夢寰長吁一口氣，星目眨了兩眨，身子微微一晃，朱白衣愛憐之心再動，更是難以自持，不覺雙手並出，扶住了夢寰雙肩，幽幽說道：「你已經情有所寄，又何苦為我如此，我要不回來給你說話，你還要不要活？」

不管怎麼樣聰明的人，一旦陷入情網後，大概都有點糊塗，不是想得太好，就是想得太壞，朱白衣深情款款地一說，楊夢寰還是無話可答，既不好否認，也不能承認，只有長長地嘆口氣，垂頭不答。

朱白衣幾次輕啓朱唇，似乎有話要說，但卻始終說不出來，兩個人就這樣相對無言，不知過了多久時間，突然，正南方叢山中冒起來一股濃煙，朱白衣陡地轉身，躍上了一株巨松，張望一陣，直向谷底躍去。

楊夢寰看濃煙愈來愈大，心知必是陶玉放的火，心中又是一陣慚愧，暗想：陶玉為我，不惜他心愛寶馬，日夜兼程趕來祁連山中，現在我卻獨自躲在這幽谷中，讓他一個人放火涉險

……這一想，大感不安，再看朱白衣已然不在，叫了兩聲也無人應，只得急向谷底躍去。

楊夢寰再入石洞，看霞琳仍是酣睡未醒，他急欲去尋陶玉，不再遲疑，蹲下去推醒霞琳。沈姑娘睜開眼睛，先叫一聲寰哥哥後，才坐起來抱著小鹿笑道：「我心裡有很多話要對你說的，可是我一下子就睡著了。」

夢寰心惦陶玉，哪裡聽得下去，拂著她鬢邊散髮，笑道：「我去找一個人，咱們快走吧！」說完，不待霞琳答話，拉著她向洞外走去。

霞琳笑道：「我們都走了，等一下你的朋友回來了，怎麼辦呢？他看不到我們，心裡一定會很發急的，他待我那樣好，我是不願他心裡難過的！」說完，長長嘆一口氣，臉上笑容，隨之斂去。

楊夢寰抬頭望天，只見雲彩赤紅，已是夕陽西下時分，他的心情也像落日一般，異常沉重，望著對面峰頂上一抹金黃晚霞，說不出一句話來。

霞琳看著夢寰仰臉呆立，心中大感不安，慢慢地靠近夢寰，問道：「寰哥哥，你心裡怎麼不高興了？」

楊夢寰黯然一嘆，道：「我們走吧！她不會再來了。」

霞琳滿臉懷疑，溜了夢寰兩眼，卻是不再追問，把懷中小鹿放下，又倒一些羊乳，餵了小鹿，才和夢寰向峰上攀去，那小鹿追到立壁下面，跳來跳去地不住大叫，霞琳不時回頭探看，眼中滿是晶瑩的淚珠。

十　深山古墓

兩人攀上了峰頂，太陽已被那連綿山峰遮住了一半，金光照著那無數白雲皚皚的山峰，幻化出奇麗耀目的景色。

夢寰轉臉望霞琳，她仍然探頭留戀地望著谷底小鹿，依依神情，形露於外。

夢寰見她那等神態，雖然心中念掛陶玉，也是不忍著急催她，慢慢走到她身邊，拉著她一隻手笑道：「小鹿的媽媽會來照顧牠的，我們走吧！」

霞琳回過臉來，嗯了一聲，道：「這隻小鹿，還是你朋友捉給我玩的，那天在饒州我等你到天亮，還不見你回到客棧，我就去告訴師父和貞姊姊說，要去找你，師父和貞姊姊都不讓我去，但我心裡很想你，就一個人出去找你了。」

夢寰自見到霞琳後，一直就沒來得及問她遇難經過，此刻聽她一說，忍不住追問道：「那你又怎麼會被人擄去呢？」

霞琳嘆息一聲，接道：「我找了半天，可是找不著你，就坐在湖邊一棵柳樹下休息。忽然來了兩個大漢，他們裝著在看湖邊景色，趁我不防的時候，突然下手點了我的穴道，等我醒來，已被他們捆起來，裝在一輛馬車中，車的四周都蒙著黑布，看不到外面景色，我用的寶劍也在車廂裡掛著，可是我的手被他們用牛筋捆著啦。」

夢寰只聽得熱血沸騰，道：「他們還用什麼法子虐待你？」

霞琳悽惋一笑，接道：「我的嘴裡也被他們堵了東西，到了吃飯時，才替我取出來，我賭氣不吃他們的東西，餓了一天一夜，後來我想到你一定會到處找我的，我要是餓死了，你就沒有辦法找得著我了。」

夢寰一陣感傷，輕輕攬住她，道：「以後又怎會落在大覺寺和尙的手中呢？」

霞琳把頭靠入夢寰懷中，笑道：「我在車中，看不見外面東西，也不知道他們要把我送到哪裡，我心裡只想著，你找不到我時，一定會很焦急的。」

夢寰低頭看著她答道：「那是當然。」

霞琳嫣然一笑，又道：「那馬車正走的時候，突然停了下來，接著車外面就打起架來，我聽到兵刃交擊和呼叱聲音很是激烈，心想一定打得很厲害，過了一陣，打鬥停了，我認爲是你追來救我的，哪知車簾打開後，進來了一個和尙，把我從馬車中提了出來。」

夢寰道：「可是兩個和尙一起嗎？一個身材高大，一個身材矮小，都穿灰色僧衣？」

霞琳瞪大眼睛，道：「你怎麼知道呢？」

夢寰笑道：「那兩個野和尙都已被陶玉殺死了。」

霞琳不識陶玉，聽得莫名所以，茫然問道：「陶玉是你的朋友嗎？」

夢寰點點頭，道：「等一下你就可以見到他了，那兩個野和尙，又把你交給另外的和尙，押送到祁連山來，對嗎？」

霞琳突然臉上一紅，把頭埋在夢寰胸前，熱淚泉湧，浸濕了夢寰胸前衣服。

楊夢寰心頭一涼，低頭問道：「怎麼？那兩個和尙難爲你了？」

霞琳抬起臉兒答道：「兩個和尚壞死了，他們把我提到一片荒涼的墓地中，我的手和身子仍被捆著，沒有法子和他們打架，那個瘦小的和尚，取下我堵嘴的東西，被我咬了一口。」

夢寰心中大感焦急，頭上冷汗直往下滴，急道：「以後呢？」

霞琳緩舉衣袖，擦著夢寰腦門汗水，接道：「以後又來了一個穿黃色僧袍的和尚，罵了那個穿灰色衣服的和尚幾句，就替我解開了繩索，可是他卻又點了我兩處穴道，替我披了一件僧袍，用黃絹包了我頭髮，扶我出了那片墳地，又扶我上馬趕路，跑了半夜，又遇到了一個穿紅衣的和尚。」

夢寰暗裡說了一聲「好險」，不自覺地抱緊了霞琳嬌軀，無限憐惜地說道：「你當真吃了很多苦啦。」

霞琳悽惋一笑，又接道：「那個穿黃衣的和尚，把我交給了穿紅衣的和尚後，他帶我立刻趕路，日夜都不休息，那和尚雖然待我很和氣，但我知道他們都是壞蛋，可是我穴道未解，沒得辦法逃跑。」

夢寰默默計算時日，他和陶玉西行日期，雖和霞琳相差了兩天，但赤雲追風駒有日行千里的腳程，決非一般的長程健馬能及萬一，何以霞琳反而先到了祁連山中。

心中思解不透，只好問霞琳道：「那穿紅衣的和尚，就用馬帶你到祁連山來的嗎？」

霞琳搖搖頭，笑道：「他帶我走了兩天兩夜，第三天中午時到了一深山的寺院裡，那裡面也有很多和尚，在那裡等到了天黑，他們不知道在哪裡捉了兩隻很大的怪鳥，那鳥難看死了，穿紅衣的和尚對我說，要這兩隻大鳥把我送到風景最優美的地方去住，我心裡知道他們騙我的，我罵他，他也不生氣，就把我捆在一隻大鳥背上，他也騎著一隻大鳥，飛了一夜。」

夢寰暗想：怪不得他們比我和陶玉還要快，原來他們騎著鳥兒飛的，只是能馱著一個人在空中飛行的，只有大鵬、彩鸞一類鳥兒，大覺寺養了這些飛禽，數千里來去在一日之間，無怪他們惡行隱密，使人猜測不出。

只聽霞琳繼續說道：「到了第二天天亮時，那鳥兒飛不動了，就落在一片大樹林中休息，紅衣和尚把我從鳥背解下來，讓那怪鳥在樹林中抓了很多小鳥、野兔吃了，又把我捆上鳥背，向前飛行。以後每飛行幾個時辰，就得落下來休息，那怪鳥看上去很大很兇，可是沒有你朋友的大白鶴厲害。」

夢寰笑道：「那當然，大白鶴玄玉，是千年以上的神物，大覺寺養的怪鳥，如何能打得過牠。」

霞琳嫣然一笑，又接著說道：「兩隻怪鳥越飛越不行啦，一夜中就休息了六、七次，到了第二天上午，才飛進了山區。那紅衣和尚對我說，在太陽下山前就可以到那風景最美的地方了，他還告訴我說，他名字叫法雷，要我以後不要忘掉他。」

楊夢寰聽到這裡，忍不住接口罵道：「該死的野和尚。」

霞琳笑道：「他被你朋友從鳥背上打下去，那是一定要摔死的。」

夢寰笑道：「朱白衣救了你以後，就帶你在下面幽谷裡石洞中住著嗎？」

霞琳點點頭接道：「那和尚正在對我說話時，你朋友騎著大白鶴從後面追來了，他的本領大極啦，一揚手就把那紅衣和尚從鳥背上打了下去，又跳到我騎的大鳥背上，那怪鳥馱不動我們兩個人，落了下來，被你朋友一掌打死，另一隻怪鳥被那大白鶴啄死了。他帶我騎著大白鶴飛到了這山谷裡，又替我捉了一隻小鹿來玩，我問他，你在什麼地方，他說過幾天你就會來找

我，果然你就真的來了。」

夢寰又聽得一陣難過，這短短的月餘時間中，朱白衣加給他和霞琳的恩情，已使楊夢寰感到了一輩子報答不盡。

霞琳講完了被擄經過，頭靠在夢寰肩上，欣賞著黃昏山色。

突然，她發現了正南方叢山中，那一股濃烈的火焰，黃昏中更顯得威勢驚人，但見火星爆飛，濃煙瀰空，火勢不斷增長擴大。

沈霞琳芳心一驚，急聲叫道：「呵！寰哥哥，你看那邊山裡著火了，不知道要燒死多少小鳥了？」說罷，一聲長長嘆息。

夢寰被她一提，又想起了金環二郎，他本和陶玉約定好放火後隱藏附近，以便待大覺寺和尙勘查火勢時，順便追蹤，現在要找陶玉，自應先到火場看看，只是那片起火森林，距這裡路程不近，中間不知相隔著多少山嶺，而且天色已快入暮，夜晚間，要越渡那峭壁深澗，當是更加難走，如果不去，又深覺愧對陶玉，想了想，決心冒險夜行，轉臉對霞琳道：「走！我們到那起火的地方找人去！」

霞琳毫無思索地點頭一笑，似乎夢寰講的話永遠是不會錯的！兩個人展開輕功，下了山峰，向著那起火所在奔去。

天色逐漸地暗了下來，這人蹤絕跡的深山裡，根本就無路可走。一道道攔路深澗，一重重橫阻山嶺，嵯峨怪石，雜出矮松，暗夜裡愈覺著寸步難行，饒是楊夢寰和霞琳一身輕功，翻越過幾座山峰後，也出了一身汗水。好在那火勢越來越大，騰空烈焰，照紅了半邊天色，有那火光引路，還不致走錯方向。

看看離那片火光並不很遠，但走起路來，卻感到那樣遙長，兩人走走歇歇，不知不覺間已到二更左右。

霞琳已累得香汗透衣，停住步回頭對夢寰道：「寰哥哥，我累呢！」

其實楊夢寰也感到困倦，再加上腹中饑腸轆轆，更感難支，他和陶玉帶的乾糧，全放在赤雲追風駒上，剛才離山洞時，又正當情懷惆悵，忘了帶上幾瓶羊乳，霞琳童心嬌稚，更是不會想到這些，這當兒只覺得又饑又累，但他想陶玉恐怕正在到處找他時，立時精神一振，拉著霞琳右手，笑道：「你看就要到了，我們再勉強走一陣好嗎？」

沈霞嬌婉一笑，掙脫了夢寰的手，振奮餘力，向前跑去。又翻過兩座山嶺，她已跑得連連嬌喘，夢寰功力較深，又一心想著陶玉安危，還能夠支持，但見霞琳疲倦神態，心中又大感不忍，拉著她在一塊大山石上坐下，道：「你實在很累了，我們好好休息一下再走吧！」

霞琳回眸笑道：「我太沒有用啦！」說完，把上身偎入夢寰前胸，不大功夫，沉沉睡去。

夜風如剪，寒氣侵入，楊夢寰除了一身衣著之外，再無物能代霞琳禦寒，只有緊緊地把她抱入懷中。

驀然間，山風中夾雜著一陣急促的得得蹄聲，由遠而近，楊夢寰心中一動，暗想：這分明是馬蹄踏著山石的聲音，除了陶玉的赤雲追風駒外，天下恐怕再沒有第二匹馬能走得這種無路可循的峻嶺絕峰，立時氣納丹田，高叫了兩聲陶兄。

這靜夜中，兩聲高喊，直若龍吟獅吼一般，震得山谷回音，長鳴不絕。

果然，楊夢寰餘音剛住，正南方傳來了陶玉尖銳的應聲。在夢寰懷中沉睡的霞林，也被這兩聲大喊驚醒，沈霞琳不過剛剛挺身坐起，得得蹄聲已到兩人十丈以內。

夢寰一躍而起，陶玉人和馬已行到身邊，只見他一收轡繩，赤雲追風駒驟然停住。

人未下馬，兩道眼神已落在霞琳身上，他從頭到腳地把霞琳看了一遍，才翻身下馬望著夢寰，笑道：「這白衣姑娘，可就是楊兄的師妹嗎？」

夢寰點頭答道：「不錯，陶兄見笑了！」說完，替兩人引見認識。

霞琳望著陶玉一身奇異裝束和手腕上套的金環，心中很感奇怪，不覺望著陶玉微微一笑。

金環二郎本是內外兼修的高手，夜間辨物形同白晝，看霞琳露齒微笑，嬌美如出水白蓮，不禁心神一蕩，呆了一呆，才回顧夢寰，笑道：「果然不錯，無怪你差一點急瘋了心。」

夢寰道：「陶兄不要取笑，你怎會到了這裡，我們正要去那起火地方找你，走到此地，感到困倦難支，故而停住休息一下。」

陶玉笑道：「我們說好分頭放火，我點了幾處火苗後，回頭找你，你卻不知哪裡去了，害得我一陣好找。沒有找到你，卻碰上了大覺寺和尚，一言不合，動上了手，野和尚越打越多，我看情勢不對，又想你有可能遭了人家暗算，這樣打下去，縱然傷得幾個和尚，也是於事無補。因此衝出了他們圍攻，心想不如先找他們的和尚廟去，看看你是否在那裡，待救了你後，再放一把火燒他個烏煙瘴氣，哪曉得你卻找你師妹去了！」

楊夢寰聽得心中很感不安，歉然一笑，簡略地說出尋得霞琳經過。

陶玉冷笑一聲，道：「那大白鶴還能騎人，倒是少見。」

夢寰聽他話風，心中仍對朱白衣存著敵意，知他性格，極難捉摸，多作解釋，有害無益，好在朱白衣已經走了，既無遇上機會，也就不再深說，腹中正感饑餓，借機扳轉話題，笑道：

「陶兄來得正好，小弟正覺饑腸轆轆，我們帶的乾糧吃完沒有？」

金環二郎從馬鞍上取下乾糧，霞琳搶先接過，分出三份，一份給夢寰，一份自用，另一份送給陶玉，金環二郎一笑接過，又隨手放在一邊，卻不食用。

霞琳一面吃著乾糧，一面望著陶玉問道：「你爲什麼不吃呢？難道你不餓嗎？」

陶玉點點頭，笑了一笑，索性把那一份乾糧放入乾糧袋中。

楊夢寰吃飽後，精神隨之一振，沉思一陣，對陶玉道：「大覺寺中僧侶，雖是無惡不作，但他們人多勢眾，憑我們三個人的力量，自難除盡惡僧，掃穴犁庭……」

陶玉不待夢寰話完，接口笑道：「既然來了祁連山，如果不去大覺寺，偷他幾粒雪參果嘗嘗，那實在太冤枉了。」

金環二郎一語甫畢，一側暗影中陡然響起來幾聲冷笑，道：「雪參果豈是好吃的嗎？你們先嘗嘗這個味道。」話剛出口，幾點寒芒，挾著尖風，破空打到。

陶玉伏身一讓，三支奇形蜻蜓鏢，掠頂而過，夢寰、霞琳一左一右雙雙躍開，三鏢落空，打在一塊大山石上，直激得火星迸冒。

夢寰借一躍之勢，已拔劍在手，定神看去，二丈外濛濛夜色中並肩站著四個和尚，兩個手提戒刀，兩個手橫禪杖。陶玉首先發動還擊，揚手一把毒針打去，接著拔劍虎撲而上。

四個和尚武功，竟是無一弱手，禪杖戒刀，一齊飛舞，陶玉打出一把毒針，全被擊落。

這一瞬功夫，金環二郎已欺近四人，金環劍一陣格格急響，連攻三劍。

他這三劍左劈右掃，迅猛至極，最右一個用禪杖的和尚，被他逼退四、五尺遠。其餘三僧，初本無意聯手合攻，及見陶玉身手凌厲快速，才一齊出手搶攻，兩刀夾擊，禪杖直劈，三

般兵刃一齊攻到，同時那個被陶玉迫退的和尚，也還攻了一招，捲掃雙腳。

陶玉縱笑一聲，「一鶴沖天」，全身平空拔起來一丈多高，一避之勢，讓開了四個和尚的兵刃。

這時夢寰、霞琳兩支劍，亦雙雙搶到，夢寰心中恨透了大覺寺和尚，出手極是狠辣，長劍連施出追魂十二劍中絕招，三招未過，一個用戒刀的和尚，已被夢寰劈斷了一條左臂。

夜色中響起了一聲淒厲的慘叫，聲如梟鳴，刺耳異常。這一聲慘叫未停，接著又一聲悶哼，原來另一個用禪杖的和尚，已吃陶玉躍入空中後出其不意打出的金環擊中後腦，當場悶哼一聲栽倒氣絕。

四個和尚，眨眼之間一死一傷，另兩個活的，不覺心膽俱寒，一個猛劈兩刀，把夢寰迫退一步，一個橫掃一杖，逼開了霞琳寶劍，兩個和尚心裡一慌，忘記了還有一個要命的金環二郎，一向手辣心狠的陶玉，見有機可乘，還會客氣不成，左手一抖，一把毒針激射而出，兩個和尚在慌亂之中，哪裡還防得住這種細微無聲的暗器，十餘條銀線閃處，每人都中了不少，針上巨毒，一見血立時發作，只見兩個和尚一陣顫動，兵刃脫手落地，緊接著雙雙倒地死去。

這當兒，另一個僅存的和尚，向北溜去，陶玉望著和尚背影格格笑道：「賊禿驢你還想走嗎？」說著話，躍上了赤雲追風駒，一抖韁，驟如離弦弩箭，這時那和尚已若驚弓之鳥，頭也不回，一個勁亡命狂奔，這一來卻害得他死得更快。

陶玉追風駒快比流星，不到五十丈已追到和尚身後，金環劍探臂掃出，冷芒過處，一顆和尚頭隨之飛起，大概和尚是用足了氣力逃命，頭被陶玉金環劍齊齊斬掉後，他一個無頭身子仍往前衝了三、四尺，才栽倒地上。

金環二郎追殺和尚後，一帶轡繩，勒轉馬頭，又回到了夢寰身邊，躍下馬撿起剛才打出的一只金環，就在和尚屍體上擦乾血跡，套回腕上，這才望著夢寰和霞琳笑道：「看樣子，大覺寺和尚恐已得到什麼警訊，所以才派出很多野和尚搜尋我們。這四個，看上去是剛才和我動過手的和尚，大覺寺僧侶要真都是這樣膿包，那實在沒有什麼可怕，令師妹剛才出手幾劍相當不錯，你們師兄妹如果有興，咱們乾脆就闖到大覺寺去攪它個天翻地覆，如何？」

楊夢寰聽得一皺眉頭，沉吟半晌答不出活，他已得朱白衣留字勸告，要他和霞琳早日離此，他知道朱白衣絕不會危言聳聽，故意騙他，但又不好一口回絕金環二郎，一時間很難想得到適當措詞回答陶玉。

金環二郎看夢寰沉吟不答，不覺心裡有些生氣，轉眼看霞琳時，沈姑娘卻瞪著一雙大眼睛，望著幾具屍體出神，臉上神情無限淒然。

突然她轉過臉，嘆口氣道：「寰哥哥，這些和尚死得真可憐，我們挖個土坑，把他們埋了吧？」

夢寰看她眼中滿蘊淚水，不忍刺傷她善良的天性，點點頭，答應一聲「好吧！」當先拔出長劍，就地挖起坑來。

霞琳也拔出劍，幫夢寰挖坑。金環二郎站在一邊，只看得心裡冒火，臉上一片冷漠，只不過沒有發作出來罷了。

突然霞琳抬起頭來，望著陶玉笑道：「你爲什麼不幫忙呢？」

金環二郎聽得怔了一怔，這一句輕描淡寫的話，卻似有著無窮威力一般，陶玉連著哎了兩聲，不自主地彎下腰去，幫著兩人挖坑。

三個人費了有一盞茶工夫，掘了一個不小的土坑，把四具和尚屍體拖入坑中埋好，霞琳又去採了幾朵山花插在上面，這才滿意地望著夢寰和陶玉笑笑。

金環二郎不知為什麼，他怕看霞琳眼睛中那柔和親切的光芒，每當他和霞琳目光接觸時，霞琳總是帶著異常嬌憨的微笑，笑得是那樣純潔，那樣甜美，但陶玉卻有一種凜然不敢逼視的感覺，不自主別過頭去。

這時，天色已到三更左右。三人經過了一陣休息後，體力已逐漸恢復，再抬頭望那火勢，只見火焰沖天，火蛇飛舞，較前時不知猛烈多少倍。

陶玉指著那沖天火光笑道：「那片原始森林，當在萬頃以上，這一燒，一、兩天恐難熄滅，到明天晚上，千里以內都可以看到那猛烈火勢了！」

霞琳黯然一嘆，道：「那就不知道要燒死多少鳥兒了，咱們有沒有辦法把火勢熄去？」

夢寰搖搖道，道：「這不是三、五個人能力所及的事，你不要多想它了！」

陶玉笑道：「此刻大火已成燎原之勢，就是三、五百人，也沒得辦法可以熄滅；除非老天爺降下一陣大雨，再不然待那燎原火勢，蒸化了附近幾座山峰上的千年積冰，匯合成一股洪流，熄淹火勢，否則只有待那萬頃林木燒完後，自行熄去。」

霞琳正待再問，驀然聞得一聲淒厲刺耳的怪嘯聲傳來，這聲音難聽至極，但卻長短有序，暗合節奏，似是由人操縱一般。

霞琳心裡害怕，偎到夢寰身邊叫道：「寰哥哥，這山裡有鬼？你聽那聲音不是鬼叫的嗎？」

夢寰也覺得那異乎尋常的怪嘯聲，有點陰森森攝人魂魄，但一時間卻想不出怪聲原因，但

他知道那絕不是鬼叫，低聲慰霞琳道：「不要害怕，這聲音不是鬼叫。」

金環二郎凝神聽了一陣，霍然起身，接道：「這是一種綠林道上鬼哨傳音方法，那長短聲波中，暗含著他們事先規定的訊號，外人只有聽出哨聲中暗含節奏，卻是不曉得他們傳遞的什麼消息。這鬼哨有用五金製成，有用竹子製成，靜夜中可聞達數十里開外，你們再聽一陣，必然另有鬼哨聲音接合呼應。」

過了不久，果然那怪嘯聲音停了下來，間隔一刻時間，另一個怪嘯聲音響起，這次聽來十分遙遠，只隱隱聞得而已。

陶玉笑道：「這可能是大覺寺和尚們弄的把戲，這接合呼應的鬼哨聲，恐已在十里開外了，這樣傳達，一夜間可傳至七、八百里外……」

金環二郎話還未完，突然在他們停身的山峰上，連連響起長嘯。

陶玉翻腕拔出金環劍，道：「野和尚們今晚出動人數不少，現在已經有人搜尋到我們這裡來了。」

一語甫畢，驟見火光射到一座山峰上，幾條人影閃動，似是對著他們三人所在而來。

楊夢寰拉霞琳雙雙站起，低聲問陶玉，道：「我們要不要避開敵人搜索？」

陶玉橫劍笑道：「走不了啦，他們地勢熟悉，伏哨處處，看樣子他們已發現我們的行蹤了，剛才鬼哨傳訊，可能是調集援手，趕來圍擊我們。」

夢寰皺皺眉道：「這麼說，又要有一場拚搏了？」

陶玉格格一笑，道：「一點不錯，不下辣手，就沒法闖出他們的合圍之勢。要是等他們調集的援手趕到，事情就更麻煩。天亮前我們必須擺脫他們監視，然後才能出其不意，攻其無

備。敵眾我寡，人地兩疏，你們師兄妹如再存慈悲心腸，我們三個人就不要再想活著離開這祁連山了。」說完話，左手探懷取出了一把毒針。

楊夢寰暗想陶玉的話，說得不錯，此時此地，敵暗我明，一念仁慈，也許會留下了無窮禍患。

他心裡打了幾個轉，低聲對霞琳道：「等一會兒，如果和人動上手時，可不要處處留情了，目前我們處境十分不利，縱敵無異於害己。」

霞琳點點頭，淡淡一笑。

就在夢寰和霞琳講話的當兒，敵人已到十丈之內。黑夜裡，沈霞琳的白衣特別耀眼，但聽得輕微的尖風劃空而來，三點寒星閃電般全對著霞琳打來。

楊夢寰早已拔劍在手，看敵人暗器全對著霞琳一個人打，不由心頭火起，出手一劍「雲霧金光」，劍化一圈銀虹，把打來的三支暗器全都擊落。正待揮劍迎攻，突然一怪笑聲，一道寒光挾著尖風，凌空落下。來勢奇速如閃電襲到，夢寰本想閃避，又怕傷著霞琳，一咬牙，舉劍迎來勢硬架一招。

只聽得一陣精鋼交擊之聲，迸出來一串火星，楊夢寰驟感虎口一熱，右臂全麻，長劍幾乎脫手飛出。定神看去，三尺外停著一個身軀高大的和尚，手橫一柄銀尖燦爛的戒刀，臉上微帶驚異神情，似乎對夢寰硬架他一刀猛攻，大出意料之外，打量了夢寰一眼，才冷冷地問道：「你們是哪裡來的？那森林中的大火是不是你們放的？」

夢寰未及答話，陶玉已冷笑一聲，搶先答道：「不錯，怎麼樣？」

就在這一問一答之中，四面人影閃動，群僧已採取了包圍形勢，九個和尚，團團地把三人

圍在中間。

楊夢寰剛才和人接手一招，已知這次來的和尙，比剛才交手僧侶高明多了，哪裡還敢存輕敵之念，低聲告訴霞琳，要她小心戒備。

陶玉手橫金環劍，俏目來回轉動，看九個和尙，有八個穿著灰色僧衣，一個卻穿著大紅僧袍，剛才凌空襲擊夢寰的人，就是那穿紅色僧袍的和尙。

金環二郎久闖江湖，一望之下，心中頓時有數，大覺寺中的僧侶們，是以僧袍顏色，來代表輩份高低和武功強弱的。那紅衣僧人，不用問自然是這群和尙中的首領，金環二郎處在群僧包圍之下，不但絲毫不覺慌亂，而且還能冷靜地辨察敵勢，了然了敵情之後，才緩步走到夢寰身側，猛地一躬身，金環劍「玉女投梭」閃電般向那紅衣和尙攻去。

他這突然出手一劍，不但使那紅衣和尙感到意外，就是楊夢寰也想不到，看他緩步從容地走近身邊，還認爲他有話要說，哪知他卻出其不意地一劍刺向那紅衣和尙。

這一下，距離既近，發難又很突然，應該是極難躲過，但那紅衣僧人卻有著非常的本領，陶玉劍勢逼到時，封架已全來不及，只見他一個高大身軀，隨著劍勢向後一仰，雙腳用力一蹬「金鯉倒穿波」，人已倒竄出去了一丈二、三尺遠。

金環二郎見一擊不中，立時挫腰振腕，原勢不變，如影隨形般，追刺過去。

兩人一攻一避，快如電光石火，四周圍著的和尙，想出手攔擊陶玉都來不及。

紅衣僧人避開了陶玉忽然一擊後，已經緩開了手，待陶玉第二劍追襲逼到，立時振臂迎擊，身子還未挺起，右手戒刀已然掃出，寒光閃處，硬架陶玉金環劍。

陶玉已看出這紅衣和尙武功不弱，不下殺手，無望勝敵，一沉腕，劍變「金針定海」，霜鋒下點，三環齊鳴，避開了和尚迎架戒刀，鋒劍直點前胸。

陶玉這一招用得十分冒險，和尚戒刀掠著衣服掃過，差一點就要傷在刀下。

那紅衣和尚想不到陶玉竟冒奇險搶攻。他原想一刀架開金環劍後，先穩住敗勢，再搶機先，這一切迫得他不得不先避劍勢了。

只見他猛吸一口氣，把挺躍之勢，突然收住，隨著陶玉疾沉的劍鋒，仰臥地上，待背脊貼地，驟然向右邊滾開三尺，讓開了陶玉一著殺手。

這當兒，環伺四周的八個灰衣僧人，有四個急搶過來，想合擊陶玉，卻被夢寰、霞琳兩支劍阻擋住衝不過去。

那紅衣和尚連被陶玉兩劍迫襲，早已激起無名之火，不等陶玉再次出手搶攻，已斷喝一聲，手中戒刀舞起一輪銀盤似的光圈，猛攻過來。他含忿還攻，盡展所學，戒刀一招比一招迅猛，一招比一招狠辣，刹那間刀花如雪，光化瑞氣，連攻十二招。

陶玉金環劍展開迅猛的招術和紅衣僧人搶攻，劍光如浪，金環交鳴，這是一場生死決於瞬息的罕見搏鬥，不大功夫，已對拆百招以上。

原本分守在四周的和尚，見夢寰和霞琳雙劍綿密，力敵四僧毫無敗象，一聲大喊，合圍而上。八個和尚，把夢寰和霞琳圍在中間，杖劈刀掃，急如驟雨。

激戰二十回合後，沈霞琳已逐漸感到後力不繼，手中寶劍慢慢地緩了下來，楊夢寰和霞琳原是背靠背地站著拒敵群僧，雙劍相互策應救助。霞琳劍勢一緩，夢寰立時感到了情勢不對，長劍突施一招「杏花春雨」，劍化萬點銀星撒下。這一招威力奇猛，招數絕妙，群僧只覺劍風似輪，無法招架，當前四個和尚，全被迫得向後一退。

夢寰藉機轉身，長劍又一招「八方風雨」，把圍攻霞琳的四個和尙，直逼出去。他用這兩招劍勢，都是「分光劍法」中追魂十二劍招內，最爲精妙的二招，的確是凌厲無倫，八個和尙都被他迫退到四尺以外。

楊夢寰兩招絕學，迫退了圍攻的八個和尙，轉眼看霞琳時，只見她橫著寶劍微笑，似是對夢寰迫退敵人的劍招，異常讚賞。

夢寰心中暗道：這孩子有時候簡直膽大得莫名其妙，強敵環攻，生死一髮，她竟若絲毫不覺一般。

這當兒，那身著紅色僧衣的和尙，已和陶玉打到生死關頭，雙方都展開迅猛無倫的招術，搶制先機，戒刀如雪花飄舞，捲風生寒，金環劍似電掣虹飛，游龍穿空，陶玉左手扣著的一把毒針，就沒有打出的機會。

夢寰看那紅衣僧人手中戒刀，快中有穩，著著搶攻，似已搶了主動，陶玉眼下雖無敗象，但再纏鬥下去，很難討得了好。正想出手相助，突聞陶玉一聲尖喝，金環劍驟然一變，金環一陣連響，劍化寒飆掠空，刹那間劍氣漫天，寒光飛繞，眨眨眼連攻八劍。

這八劍凌厲如裂岸怒濤，那紅衣和尙果然是招架不住，被迫退了七、八尺遠，陶玉趁勢又打出左手扣的一把毒針，十幾條銀線電射襲去。

這一下只看得楊夢寰暗裡叫好，心想：人稱海天一叟李滄瀾爲近代江湖怪傑，看來當真是身懷絕學。陶玉這幾招狠攻，快速精微，不輸崑崙追魂十二劍招，迫得敵人還手無力時，再打出一把毒針，當得起手辣心狠，紅衣和尙武功再高，恐怕也要傷在毒針下面。

夢寰心念未熄，戰圈情勢又變，只聽那紅衣和尙一聲虎吼。左手袍袖舞動，毒針盡被擊

落，振臂騰起，凌空下擊，一個高大身軀，靈如掠波燕剪，一落之勢，連攻三刀。

這三刀，直把金環二郎迫得手忙腳亂，險象環生。楊夢寰心頭一驚，顧不得再管霞琳，揮劍一躍「龍形一式」，連人帶劍猛撲過去。

人還未到，長劍已變招「萬蜂出巢」，這一招是追魂十二劍中最精奧的一記絕學，但見劍尖顫動，如一蓬銀雨灑下，涼風撲面，耀眼生花。

紅衣和尚百忙中舉刀一封，夢寰長劍卻貼著他的戒刀，借勢滑下，和尚急收戒刀向後躍退，但仍是晚了一步，握刀右手的無名指和小指，已被夢寰劍鋒削掉。

紅衣和尚也實在夠狠，兩個指頭被削，手中戒刀仍然握著，陶玉哼了一聲，抖腕飛出一只金環，和尚在巨疼之下，一個失神，金環掠面而過，環上尖齒倒刺，帶走他半邊耳朵。

緊跟著金環二郎又一個虎撲而上，刷！刷！刷！又攻三劍。

紅衣和尚連受創傷，暴怒已極，架開陶玉三劍之後，忍痛還攻，刀走險招，形同拚命。

夢寰救了陶玉後，轉頭看霞琳又被八個和尚困住，幾個和尚大概都沒有存著什麼好心，不救同伴危難，卻集中對付霞琳，小姑娘劍招得崑崙真傳，無奈人嬌刀小，八人圍擊，四面受敵，這就迫得她無法施展縱躍的工夫，以巧制勝，捨長取短，哪能不陷入危境，一支劍左封右架，只累得香汗淋漓。

夢寰看在眼裡，越想越火，怒喝一聲，仗劍衝入，施展開「五行迷蹤步」，在禪杖戒刀中閃來閃去，人如飄風，形似魔影，左一劍，右一劍，一會兒工夫，八個和尚，全被他刺傷劍下，栽倒地上，呻吟慘號，不絕於耳。

陶玉仍在和那紅衣和尚作生死拚搏，楊夢寰剛才救助了陶玉一次，已覺出他心中不快，這

時，不便再出手幫忙，拉著霞琳，橫劍觀戰。

突然幾聲梟鳴般的哨鬼嘯聲傳來，而且聽來距離很近。夢寰料想必是敵人援手趕來，心中甚感焦急，只是不便招呼陶玉停手逃走。

金環二郎似乎也警覺到敵人又有援手趕來，疾攻三劍，猛地躍退。紅衣和尚一停手，才發覺同來八僧，全都負了傷，臥在地上呻吟。八僧武功雖然不高，但比起一般江湖武師並不遜色，以夢寰、陶玉和他動手的幾招而論，八僧合力縱然困人不住，但這片刻工夫，也不能說盡都被人傷於劍下，他哪裡知道夢寰施展開「五行迷蹤步」法後，八僧根本就沒法子看清他飄忽的身形，招架無從，只有等著受夢寰劍刺。

紅衣和尚見此情景，不覺一呆，就在他一呆剎那，陶玉兩手齊揚，雙腕上三只金環兩先一後飛出，和尚瞥見金環挾風襲到，趕緊一收心神，舉刀封架。哪知陶玉這次所用手法，極爲奇妙難測，和尚舉刀迎擊先到兩環，不料戒刀剛剛舉起，後出一環驟然加快，搶先打到，正好趁空而入，金光一閃，已到面門，和尚再想躲，哪裡還能夠，只覺一陣涼風撲臉，奇痛刺骨，金環已深入臉上一寸多深，熱血如泉，右眼爆出，疼得他一聲慘叫，暈倒地上。金環二郎卻一個急躍，凌空落下，尖笑聲中，金環劍探臂一掃，霜鋒過處，和尚被攔腰斬成兩段。

陶玉腰斬了那紅衣和尚後，回頭望著夢寰和霞琳一笑，撿起四只金環，仰臉一聲輕嘯，招來赤雲追風駒，笑道：「我們快些走吧！敵人援手馬上就要到了。」說完，把轡繩交到霞琳手中，自己卻當先向東躍去。

夢寰略一怔神，陶玉已到了十餘丈外，只得低聲對霞琳道：「你不是很困倦嗎？你就騎馬走吧。我得陪著陶玉走路。」

霞琳搖著頭，道：「你們都跑路，我也不要騎馬。」

夢寰看陶玉已是不見，心中甚感焦急，無暇再作多想，伸手抱起霞琳，縱上馬背，放轡向前追去。

那赤雲追風駒奇快無比，不到兩里路，已追上陶玉，霞琳騰身飛落到陶玉身邊，還未及開口說話，金環二郎已停住步回頭笑道：「我要不抽身就跑，你們必然要有一番謙辭，對嗎？」

夢寰吃陶玉一句話封住了嘴，想好的話反而說不出了，過了半晌，才笑道：「陶兄，你這樣對我們，真令我楊夢寰沒法子報答了。」

陶玉淡淡一笑，俏目掠著馬上的沈霞琳一掃而過，答道：「報答大可不必，我又不是留給你一個人騎的。」

夢寰知他天性冷熱無常，隨口一句話，未必有心，也就沒有在意。

霞琳看夢寰和陶玉站著講話，也跳下馬背，走近兩人，望著陶玉笑道：「你的馬當真好，快得像飛一樣。」

陶玉傲然一笑，道：「可惜這赤雲追風駒我已答應送給我師妹了！要不然就送給你騎。」

霞琳笑道：「那你師妹一定是很漂亮了？」

陶玉微微一嘆，轉臉問夢寰道：「我們現在到哪裡去？」

夢寰道：「咱們已無再留祁連山中必要，不如早些歸去吧！」

陶玉追著問道：「你們回江西，還是到崑崙山去？」

夢寰沉吟一陣，道：「我離開江西時，我三師叔還留在饒州客棧，不過，我想她找不到我

時，很可能先回崑崙山去；所以，我想先回崑崙山去看看，順便拜見我們掌門師叔。」

陶玉突然放聲笑道：「要是我們出不了祁連山呢？」

夢寰聽得一怔，道：「怎麼，難道我們逃不過大覺寺和尙的伏樁監視？」

金環二郎點點頭道：「我沒有和剛才那紅衣和尙動手之前，心裡實在沒有把大覺寺的和尙放在眼裡，雖然在大湖山清風寺時，我已領受過一明禪師雄渾的掌力，那時我心裡還想著大覺寺和尙，能和一明禪師功力相若的人，也不過三、五個長老而已，我們只要躲開他們三、五個人就行，但剛才和那紅衣和尙一場激戰後，使我對大覺寺中和尙又有了新的估計。那一明禪師當真沒有騙你，大覺寺中和尙不但高手如雲，而且刀法招術，確實自成一派，和一般江湖武師大不相同。不瞞楊兄，家師精通武林中各門各派武功，小弟雖然只學得家師武學十之一、二，但只要和人動個三招五式，對方施用手法來路，大概都可以看得出來！那就不難搶制先機，制敵於死，可是那紅衣和尙施用的刀法，小弟卻是認它不出，因此才有百回合以上的生死拚搏。而那紅衣和尙，看上去不過是大覺寺中一個當值捧香的弟子而已，像他那樣武功的人，大覺寺中不知道有多少，以此推斷，那座和尙廟裡，當真是有著不少極爲難纏的老和尙哩。」

陶玉說到這裡，頓一頓，繼續說道：「不過，剛才楊兄出手幾劍，威勢之大，爲小弟生平所僅見，那恐怕是你們崑崙派中的密傳絕學了。」

那追魂十二劍，本是崑崙派中最爲精奇的劍術絕學，除了當選的下一代掌門之外，不傳其他弟子，就是當選掌門，也得經崑崙三子會商同意，告祭了祖師神像，才能傳授。所以，武林道上，大都不知道崑崙派「分光劍法」中，還有這十二招奇妙劍式。一陽子尋取那《歸元秘笈》，冒著身受派規制裁之險，破例地傳給了夢寰，準備自己萬一在尋找《歸元秘笈》時殉

難，使崑崙派絕技繼承有人。

剛才夢寰為救霞琳和陶玉之危，連用了追魂十二劍中的三招絕學，使陶玉心中大為震驚。

夢寰不敢洩露派中秘學，無法為金環二郎解說，只有含含糊糊地支吾過去。

陶玉看夢寰隱技自珍，心中甚感不快，口雖未再追問，臉色已然不悅。

偏巧天真的沈姑娘，卻追著問道：「寰哥哥，你剛才打退那幾個壞蛋和尚的劍招，真是好看極了，等你有工夫時，把那幾招教給我好嗎？我學會了，就不怕那些壞蛋欺侮我了。」深注夢寰，臉帶微笑，眼神中流射出無限期望。

夢寰被問得大感尷尬，知她無心，允否兩難，只好別過頭去，裝著沒有聽見。

那曉得這一來，卻刺傷沈姑娘一寸天真芳心，眨眨大眼睛，滾下兩行淚水，慢慢地走到夢寰身邊，幽幽問道：「寰哥哥，你心裡惱我了？」

夢寰搖搖頭，霞琳又黯然問道：「那你為什麼轉過臉去不理我，我做錯了什麼事嗎？」

夢寰未及回答，陡聞一聲清嘯響起。嘯聲起自五丈開外，但眨眼間已近三人，一團勁風，撲向霞琳。楊夢寰回身一掌「雲龍噴霧」直擊過去。

這一招是三十六式「天罡掌」中三記絕招之一，楊夢寰又是全力打出，威勢極其強猛，哪知來人武功，更是不凡，左掌「移山填海」硬接夢寰一擊，右手已搭在霞琳肩上。

兩掌力道一接，夢寰被震退三步，一陣耳鳴眼花，幾乎收勢不住。

站在一側的金環二郎，在夢寰回擊一招之際，已拔劍在手，金環劍施出李滄瀾密授三絕招「海市蜃樓」、「夜半烽煙」、「天網羅雀」，劍聚一圈銀虹，挾著金環錚鳴，猛攻過去。

同時楊夢寰也拔劍在手，一招「穿雲摘月」指向來人咽喉。

來人是一個身著黃袍的和尚，看陶玉劍勢奇猛，再加上夢寰助攻一招，逼得他不得不暫讓犀鋒，他本想活把霞琳捉去，但這一來，已難如願，只好變抓爲推，掌心內勁外吐，把沈霞琳一個嬌軀震飛到一丈開外，人卻疾退兩步，讓開了陶玉和夢寰兩劍猛攻。

夢寰看和尚下了毒手，沈霞琳生死難卜，登時熱血沸騰，怒火高燒，大聲喊道：「陶兄請照顧下我師妹傷勢，野和尚有我對付。」他口裡說著話，手中長劍也隨同展開了分光劍法，只見精芒如電，寒光交掣，一味進擊猛攻。

那黃衣和尚卻憑藉一雙肉掌，力鬥夢寰長劍，雙掌起處，必有一股潛力隨勢而出，逼開夢寰長劍。

楊夢寰和人一交上手，已覺出對方功力，比自己高出來太多，五回合後就把追魂十二劍招混入分光劍法中施用，每遇險象時施用一招，必能把和尚迫退，解了危難。

黃衣和尚看夢寰劍法雖然迅猛，但功力火候，還嫌不夠，自己一套伏虎掌法，足可對付得了。只是他那劍法中夾雜著一些精微劍式，威力不可思議，每當他逼開夢寰長劍，要下辣手時，夢寰必有一式奇招攻出，把自己逼退，兩人纏鬥十幾回合，仍打個不敗之局。

再說陶玉扶起霞琳，只見她粉面慘白，雙目微閉，看樣子受傷不輕，立時探手入懷，取出一粒九轉保命丹，放入霞琳口中，曲下一條膝，把她輕攬懷中，時而轉臉看夢寰和那黃衣和尚拚鬥，時而望著懷中玉人出神。

突然又從夜幕中傳來了幾聲長嘯，金環二郎聽得心中一動，暗道：看那黃衣和尚功力，要比楊夢寰深厚許多，楊夢寰所以不敗，全仗那些精奇劍招拒敵，長久下去，夢寰劍勢被人摸熟後，勢必要傷在那黃衣和尚手中，此刻，敵人援手又到，楊夢寰當是必死無疑，他一死，這嬌

美無匹的沈霞琳，除了我陶玉之外，誰還能配得上她？他本在偷著看學夢寰劍招，想到嬌美絕倫的沈姑娘，劍招也不看了，抱起霞琳，縱身上馬，一抖轡繩，赤雲追風駒放蹄向前跑去。

楊夢寰一面力鬥黃衣僧，一面又擔心著霞琳的傷勢安危，不能貫注全神迎敵，及聞敵人援手趕來的嘯聲之後，心中更是焦慮，疾施追魂十二劍中連環三招，「起鳳騰蛟」、「朔風狂嘯」、「霧斂雲收」三劍回環出手，直若風雷並發，把那黃衣和尚逼退了六、七尺遠，趁機回頭，見陶玉帶著沈霞琳縱馬而去，兩人既走，後顧無擾，赤雲追風駒奇快腳程，必能擺脫敵人，陶玉必會善待霞琳，心頭一寬，鬥志大增，振劍搶攻，劍化「萬蜂出巢」，這一招凌厲無倫的崑崙絕學，威勢之大，實在驚人，但見寒光耀目中，化成一天銀星灑下。

那黃衣和尚受夢寰連環三招迫退後，心中已大感驚異，不敢再存輕敵之念，雙手同時入懷，右手取出一面銅鈸，左手摸出一支鐵筆，和尚剛剛把銅鈸、鐵筆取在手中，夢寰長劍已挾雷霆萬鈞之勢攻到。

黃衣和尚看夢寰這一劍猛攻，更是奇幻難測，直若千百支長劍，由四面八方攻到，簡直使人無從招架，心頭一震，銅鈸鐵筆同展絕學，鈸化一片金色光幕，護住身子，筆施「鳳凰點頭」，出手反擊。

但聞得幾聲金鐵錚鳴，銅鈸連封夢寰三劍快刺，就在這閃電的剎那，和尚鐵筆已逼到夢寰胸前「玄機」要穴。

楊夢寰看和尚銅鈸迅化一片繞身光幕，竟把自己一招「萬蜂出巢」的絕學封住，同時左手鐵筆又能抵禦反擊，心頭也是一寒，疾退三尺，長劍又變一招，「雲霧金光」架開和尚鐵筆。

兩個人這幾招精妙絕倫的快封急打，彼此都為對方的技業震驚，蓄勢相對，誰也不再搶先出手。

夢寰心知這一片刻平靜，接著就是一場更爲兇狠的拚搏，敵人援手即可趕到，時間一長，對自己更是不利。一咬牙，揮劍搶攻。這一戰是他生死所繫，一出手全力求勝，展開崑崙絕學追魂十二劍，招招指向要害，著著猛攻追進。他想要在敵人援手未到之前，先把這黃衣和尚制服劍下。

但這黃衣和尚，是大覺寺中第二代弟子十八高手之一，號稱十八護法羅漢中的伏虎羅漢元覺。銅鈸、鐵筆招術自成，封架、還擊，各盡妙用，銅鈸撤身，鐵筆攻敵，每一招一式，無不用得恰到好處，楊夢寰施出追魂十二劍招，也只能暫時把人家困入一圈銀虹之中，卻是無法傷得和尚。

纏鬥大約有一刻工夫，和尚們援手已至，元覺一見救應趕到，頓感精神一振，銅鈸疾舞，一片金光護身，鐵筆吐、吞、點、打，猛攻三招。

這三招迅快如電，楊夢寰不得不先求自保，抽劍封架鐵筆時，元覺卻借勢躍退出八尺開外。

楊夢寰收住劍勢，看四周已多了四個和尚，而且都穿著黃色僧袍，他還未看清敵勢，元覺已高聲叫道：「這小子劍招怪異扎手得很，大家亮兵刃圍他，不要讓他闖了出去！」

四個和尚同時探手入懷，每人取出一支鐵筆，一面銅鈸，分堵四方，把夢寰圍在中間，元覺鐵筆起處，當先攻了一招。

夢寰揮劍架開鐵筆，還攻二劍，逼退元覺，就這一瞬工夫，四個和尚已把合圍的圈子，縮成了一丈方圓，銅鈸護胸，鐵筆待敵。

處此情景，楊夢寰反而沉住了氣，仰臉一聲大笑，長劍抖起一朵斗大的劍花，寒光閃動，直刺元覺。

元覺銅鈸封劍，鐵筆還一招「雲龍抖甲」，夢寰側身避讓長劍疾轉，「倒撒金錢」反刺背後。他這時處在強敵環伺之下，每出手一劍都用追魂十二劍中招數，可以說招招殺手，著著狠辣。

無奈這五個黃衣僧人，都是大覺寺中十八護法羅漢之選，個個身負絕藝。夢寰反劍疾攻，出手極爲凌厲，哪知敵人早已蓄勢戒備，銅鈸起處，錚然一聲，架開長劍，火星迸飛中，鐵筆「寒花吐蕊」，已直逼向夢寰背後「脊心穴」。

楊夢寰長劍被封，立自驚覺，不及收劍，縱身向前一躍，身還未落，迎面寒光如電，當前的黃衣僧人鐵筆已迫近胸前。

夢寰匆忙中左手疾施一招「赤手搏龍」，五指斜出，搭向敵人手腕，同時吸氣下沉，硬把躍起的身子穩住，饒是如此，和尚鐵鋒筆尖，仍是劃破了夢寰胸前衣服，如非夢寰一招「赤手搏龍」扣住了和尚握筆左腕，這一筆就要楊夢寰當場送命。

雖是如此，那和尚可也吃虧不小，夢寰在極險中奇招突出，扣住左腕脈門，和尚頓覺血脈受阻，半身全麻，五指一鬆，鐵筆立時脫手。

另外四個和尚似是想不到夢寰拳劍擒拿樣樣都絕，這一招「赤手搏龍」高明得使他們同時一呆。

待他們要出手搶救時，楊夢寰已緩過了手，長劍頂住被擒和尚前胸，冷笑一聲說道：「你們哪個動手？我先殺了你們同伴。」

這一來，四個和尚果然都停住手，不敢逼攻，橫筆阻路，把夢寰圍在中間。

大覺寺十八羅漢，全以元字排名，十八人平日相處極洽，四人生怕夢寰真下毒手，慢慢地都退後兩丈左右，但仍分站四面堵住去路。

伏虎羅漢元覺，冷冷說道：「你既然進了祁連山，就別想再活著出去，不過今晚上我們饒你一次，你快些放手走吧！」

夢寰心知當前五個黃衣僧人，無一不是勁敵，縱然殺死一個，也難闖得出去。剛才一招擒敵，只能算險中取巧，人如早有戒備，決難得心應手，不如借此脫圍，倒是不失上策，心念一轉，微笑答道：「放他不難，但我還有事請教！」

元覺冷笑一聲，道：「你先說出來聽聽，看我們能不能辦到！」

夢寰道：「我問你的也不是什麼大事，你們五位大師父，可都是大覺寺來的高人嗎？」

元覺答道：「不錯。」

夢寰笑道：「五位大師父一色黃袍，又都使用銅鈸鐵筆，請教法號怎麼稱呼？」

元覺冷冷答道：「料你也出不了祁連山，告訴你未嘗不可，大覺寺中十八護法羅漢，全都施用銅鈸鐵筆，一色黃衣僧袍。」

夢寰聽得心頭一震，暗道：這麼說起來，這幾個黃衣和尚也不過是幾個護法弟子而已，那寺中方丈、監事之流，武功當是更高，無怪一明禪師再三告誡我，不讓我涉險西來，看來果是不假。

他原本還想探詢一下師父和澄因大師行蹤，但又想到一語錯出，即可能爲崑崙派樹下強敵，隨把欲問的話，又嚥回肚中，裝著若無其事般，淡淡一笑，鬆了扣著和尚的一隻左腕，轉身緩步而去。

五個黃衣僧人，果然都恪守著不追夢寰的諾言，並肩站著，看夢寰從從容容地走去。

翻過一座山峰後，夢寰才加快腳步，一陣急走，足足有六、七里路，夜色中群峰聳立，松濤如海，陶玉和霞琳，早已走得蹤影不見。

楊夢寰佇立一座積滿冰雪的峰頂上，心中暗暗發愁，這千百里綿延無際的遼闊山勢，要想尋得霞琳、陶玉，何異大海撈針，越想越覺得行止難決，仰望著耿耿星河，不禁愁慮滿懷。

不知道過了有多少時間，才覺著手足都已凍僵，峰頂上砭骨寒風，一陣比一陣凜烈，他活動了一下手足，慢慢地下了山峰，沿著一道山谷，茫然地信步走著。

他連經兩場驚險劇烈的搏鬥，早已困倦難支，再加上情懷惘惘，不知不覺地停下來，迷迷糊糊地躺在草地上，睡熟過去。

忽然一陣悠悠簫聲，把酣睡中的夢寰驚醒過來，睜開眼看，太陽已爬過峰頂，柔和的金色光芒，逐走夜幕，照射在谷中，映著峰上積雪，草上露珠，閃著耀眼的光輝。

夢寰坐起揉揉眼睛，陡的感覺到一陣寒意，不自主打了兩個冷顫，心中大驚，暗道：楊夢寰啊！楊夢寰！這當兒可是千萬鬧不得病，心念一動，趕緊閉目運行內功。

他昨夜在劇戰之後，站在峰頂受那奇冽寒風吹了許久，又在山谷露宿半夜，縱是內外兼修之人，也是當受不起，何況楊夢寰事先又未先運功力抵禦寒氣，早已被風寒侵入體內，待他醒來警覺，已是病魔深植了。

他運行一陣內功後，身體仍覺著有些不適，但仗一身功力，病勢一下子很難發作，只微微

感到有點頭痛，勉強站起來，想趕著去尋霞琳、陶玉。

突然，那停了的簫聲，又重新響起，柔韻裊裊，蕩空飄來。

這聲音聽去不大，但入耳卻清晰異常，初聞音韻，只覺柔媚婉轉，甚是動聽，但越聽越覺不對，那一縷簫音，有如深閨怨女婉歌，崑崙孤鳳哀鳴，聲聲扣人心弦，楊夢寰心頭一震，覺出不對，已然過遲，心神被幽幽之聲所扣，一時間六神無主，幻象隨生，眼前境界一變，只見娟表姊滿臉淚痕，含愁深閨，嗚嗚咽咽，哭個不停，一面低語輕訴，責罵夢寰負義忘情，只急得夢寰淚水若泉，百般宛求。

倏忽間，簫聲頓停，幽象消逝，待夢寰清醒過來，覺著眼中熱淚仍在奪眶而出，胸前衣服已被淚水浸濕一片。心中餘痛未復，簫聲重複再起，這次簫聲大異，關關百轉，琴瑟和鳴，夢寰只覺得心不由主，漸漸神魂飄蕩，急忙靜坐運力，行起調息吐納之法。

無奈簫聲裊裊繞耳不絕，片刻工夫，夢寰已禁受不住，頭上汗水如雨，幾乎要隨那簫聲起舞，幸好，正當那危急當兒，突聞得幾聲長嘯響起，和那簫聲遙遙相應，一陣工夫，俱都停住。

但這一折騰，楊夢寰已是苦難當受，站起來走幾步又栽倒地上。

剛才那特異簫聲中，吹出的曲調，有一種攝人魂魄的力量，楊夢寰以本身修為內功，去抵禦那幽幽簫音中的魔力誘惑，雖然那簫聲在楊夢寰無法忍受時，倏然停住，但已耗去了楊夢寰全身真力，這比他經過一場凶狠的拚搏還要厲害。栽倒後只覺著四肢無力，全身痠麻，好像從一場瀕臨死亡邊緣的大病中初癒一樣，侵入他體內的風寒，卻借勢發作起來。

十一 玉簫仙子

當夢寰掙扎著再起來時，突然覺得身上已發起高燒，頭疼欲裂，勉強走了幾丈路，不自主又坐下來。

他試行運氣，可是四肢關節要穴，都已不能由心主宰，丹田真氣，上達至胸，即留滯不動，連連試行數次，都是徒勞無功，這時，他意識自己真的病了，而且這病來得異常兇猛。心念目動，真氣隨散，頓覺全身一陣寒意由毛孔中透發出來，連坐著都覺得費力，他不得不向病魔服輸了，緩緩地仰臥地上。

這時，他神智還很清楚，看著天上浮動的白雲，四周山峰上的積雪，蒼翠的巨松，盛開的野花，幽谷是這樣寂靜，世界是這樣美麗，但他已失去了生命的信心，別說身處敵人勢力範圍之下，隨時有被敵人殺死的可能，就是敵人搜尋不到這條山谷中，像這樣人跡罕到的地方，一個病人，除了坐以待斃之外，還有什麼辦法可想，何況，還有虎、豹之類的猛獸，經常出沒，即使只是一隻餓狼，楊夢寰也沒有抵禦的能力了。

突然間，一陣刺耳的鳥鳴，劃破了山谷的沉寂，夢寰猛地醒來，隨眼望去，只見一隻奇大的怪鳥，低掠飛過。怪鳥形狀如鷹，但比鷹要大上十倍，兩翼開張，足有七、八尺大小。夢寰心中驀然一動，暗道：怪鳥這樣碩大威猛，形像非鵬非鸞，可能就是霞琳西來時所乘大覺寺中

養的怪鳥了。

夢寰追隨一陽子學藝十二年，不但盡得崑崙派中武學，而且還讀了一肚子書，不過他讀的書不盡是五經四書之類，而包括了儒、釋、道，樣樣都有，他雖然沒有見過那種碩大的怪鳥，但略一沉思，就想到那可能是屬於鵬類的一種猛禽。

正當心念轉動的當兒，那怪鳥突然又折反身來，急掠而過，去勢較來勢尤其快速。

這怪鳥突然折反回飛，又觸動楊夢寰一個意念，暗忖道：這大鵬要是大覺寺和尚養的，用牠們搜尋敵蹤，倒是不錯，心念及此，忽又憶起昨夜力鬥群僧時，那自稱伏虎羅漢元覺說的幾句話來，他說：「料你們也逃不出祁連山中。」如果他們利用這大鵬追尋敵蹤，那當真是難以逃避。掙扎欲起，立覺全身痛楚難當，心頭一涼，又頹然躺下，長長嘆息一聲，索性閉上眼睛，靜以待變。

太陽光照射在他的身上，他吃力地取下背上長劍，使自己躺得更舒服些，他已不再去用心思索，只是靜靜地等待著死亡，不管是被敵人殺死，或是讓虎、豹吃掉，病魔剝奪了他抵抗的能力和生命的希望，他安靜得沒有一點畏懼，同時不願再去回憶，只是領受那唯一能給他溫暖的陽光，不大功夫，又自沉沉睡去。

不知道過了有多少時間，突然一聲沉喝，把他由酣夢中驚醒過來，睜眼看去，三個身著黃袍的和尚，並肩站在距他五尺左右的地方，中間那黃袍僧人，正是伏虎羅漢元覺。

元覺臉上掛著一分冷冷的笑意，看夢寰睜開眼睛後，才傲然問道：「進了祁連山青雲岩百里以內的人，從沒有一個能活著出去。你躺在地上幹什麼？快起來，我們再鬥三百回合，看你能不能闖得過去。」

夢寰淡淡一笑，道：「我病勢沉重，哪還有力氣和你們動手，殺割活捉，我都認命，你們請動手吧！」說罷，又閉上眼睛，靜靜地躺著，神情十分安詳，毫無恐懼之感。

元覺冷笑一聲，銅鈸護面，慢慢地移近夢寰，看他臉上紅暈似火，卻似有病一般，蹲下身子，左手摸摸夢寰額角，確是高燒燙手，知他所言非假，沉吟一陣笑道：「我們要殺一個有病的人，自然是舉手之勞，不過你這樣死了也不會甘心，再說你昨夜作為，還不失英雄本色，現在我們破例的把你送到大覺寺去，交給掌門方丈發落，生死那要看你的造化了！」

夢寰睜開眼睛笑道：「生死的事，算不了什麼，我楊夢寰還不會放在心上……」

一語未畢，驟聞一個甜脆的女人聲音接道：「生死是人間大事，你這人真奇怪，怎麼竟不放在心上！」

三個和尚同時吃了一驚，轉身望去，不知何時，幾人身後已多了一個黑衣婦人。

這女人裝束詭異，臉上也蒙著一片黑紗，長垂數尺，全身除了兩隻白嫩的手外，再也看不到一點其他顏色，但身材卻異常玲瓏嬌小，右手橫握著一枝玉簫，站在大陽光下，真似一個黑色魔影，山風吹得她黑衣和蒙面紗飄動著，愈使人望而生恐怖之感。

元覺疾退三步，左手摸出鐵筆，喝道：「你是什麼人？快說，再要裝模作樣地嚇人，當心我們要動手了！」

黑衣婦人揚了揚手中玉簫，由那長垂數尺的蒙面黑紗中，發出來一陣甜脆動人的嬌笑，道：「你們三個掃地捧香的和尚，也配問我的姓名嗎？識相的趕緊給我滾回去，我看在幾個老和尚的面上，饒你們這一次……」說到這裡，聲音突然由緩和變成嚴厲，繼續說道：「如果你們再多說一句廢話，當心我要你們由羅漢變成怨鬼。」

這女人幾句話口氣好大，元覺和另外二僧，一時間倒被她唬個暈頭轉向，過了半晌，元覺才問道：「這麼說，姑娘是本寺方丈、監寺們的熟人了，請姑娘隨便列舉一位法號職掌，也讓我們回寺去有個交代。」

黑衣婦人似已不耐，身子一晃，曲膝跨足，陡然間已欺到三個和尙身側，玉簫左掃右打，眨眼間，攻了三僧每人一招。

這三招快速絕倫，三個和尙雖早有了準備，仍被迫得向後退避了六、七尺遠，那黑衣婦人出手如電，一招攻勢中似有幾個變化，若打若點，似劈似掃，使人有一種封架全難的感覺。

三個和尙各試一招，已然覺出對方招術奇幻難測，不覺全都一怔，元覺心中一動，突然想起一個人來，立時問道：「看姑娘這身裝束，芳駕可是玉簫仙子嗎？」

黑衣婦人笑道：「不錯，你們三個如果知道厲害，那就趕快回去，只要你們提起我來，想幾個老和尙還不至於罵你們沒用。」

元覺一聽，來人果是玉簫仙子，心裡登時冒上來一股寒意，這個神龍般隱現無常的女魔頭，三年前已到過青雲岩大覺寺一次，爲硬討一粒雪參果，和大覺寺的和尙們動上了手。她單人匹馬憑手中一支玉簫，把大覺寺擾了個天翻地覆，當時大覺寺三個長老，正在閉關期間，八個一代弟子，三個行腳未歸，一個被逐出門牆（即一明禪師），四個一代弟子，和二代遠字排名的弟子，大都出手，但仍被她取了一粒雪參果衝出了群僧圍截，因此玉簫仙子的名頭，在大覺寺中已非陌生。當時元覺本不在寺中，但他歸寺後，卻聽得同門中談起過那次驚險激烈的拚搏，因此，元覺一看黑衣婦那身奇異的裝束，頗似同門口中所說，三年前大鬧青雲岩的玉簫仙子，隨口一問，果然不錯。

這玉簫仙子三年前大鬧青雲岩時，力鬥一代弟子四人尙占上風，元覺和另外兩僧，自知非其敵手，但又不願就此退走，略一猶豫，玉簫仙子已是不耐，嬌叱一聲，縱身而上，玉簫左掃右打，瞬息間連攻十幾招。

這十幾招，招招奇幻莫測，三僧一齊出手，鈸封筆架，仍鬧得手忙腳亂，退避八、九尺遠，才算讓了開去。

元覺等接架了玉簫仙子這一陣快攻後，強弱之勢，已極明顯，三個和尙心裡都很明白，再不見機撤走，想生還相當渺茫，一語不發，轉頭就跑。

玉簫仙子望著三個和尙狼狽去遠，格格大笑起來，聲音雖很嬌脆，只是發自那長垂蒙面黑紗之中，卻使人有一種陰森森的感覺。躺在一側的楊夢寰，心裡不自覺生出一種寒意，暗自忖道：這女人趕跑了三個和尙，卻不知如何來收拾我這病人，看來今番是凶多吉少了。

直待那三僧身形消失之後，玉簫仙子才轉過身子緩緩走到夢寰身邊，問道：「你是哪裡來的？爲什麼會和大覺寺的和尙結了樑子？」聲音甚是柔和，似乎毫無惡意。

夢寰隔著那蒙面黑紗望去，隱隱見對方櫻唇微啓，臉上似乎帶著笑意，膽氣一壯，答道：「晚輩楊夢寰，是崑崙派門下的弟子，爲追尋一位朋友，深入祁連山來，遇上大覺寺和尙，一言不合，動手結敵，剛才他們追我至此，幸得老前輩仗義出手，救我一命。」

玉簫仙子冷笑一聲，道：「什麼老前輩不老前輩的，叫得難聽至極。」說著話，人卻蹲在地上，伸手摸摸夢寰額角，只覺滾熱燙手，隨又接著問道：「你好像病得不輕？」

夢寰苦笑一下，答道：「昨晚我和剛才那幾個和尙打了半夜，困倦難支，露宿半宵，不小心受了涼啦。」

玉簫仙子站起身子笑道：「那你現在是想死還是想活？」夢寰心中暗想：我死在此地，原不要緊，只是霞琳安危未知？既然生存有望，何苦硬要自絕生機。當下便答道：「想死如何，想活又如何，請賜示，也好待晚輩斟酌斟酌。」

玉簫仙子笑道：「我這幾年來，足跡踏遍了大江南北，也遇上過不少奄奄待斃的人，可是我卻從來沒有伸手救過。」

夢寰聽得心頭一震，暗道：最狠婦人心，果是不錯。

只聽玉簫仙子繼續說道：「你要想我救你，那就得先答應我一件事情，我知道崑崙三子那點本領有限得很，料他們也教不出什麼了不起的徒弟，你只答應今後跟著我走，我不但替你醫病，而且把我一身本領也傾囊相授，十年之後，保證你可稱霸江湖，我也不要你行什麼拜師大禮，只要你答應就行。」

夢寰搖搖頭，道：「背叛師門，武林大忌，我楊夢寰還不屑爲之。」

玉簫仙子笑道：「這麼說，你是存心想死了？」

夢寰道：「生死也算不得什麼大事，我還不放在心上。」說罷，索性閉上眼睛，連看也不再看玉簫仙子一眼。

但聽玉簫仙子一陣格格嬌笑道：「你這個人就快要死了，還是這般強嘴，我偏要把你醫好，不要你趁心如願地死去。」說完話，探臂抱起夢寰，施展開「踏雪無痕」上乘輕功，翻山急奔。

夢寰病勢正重，四肢軟麻，哪還有力掙扎，只得任其挾持著，向前跑去。

玉簫仙子翻越幾座峰嶺後，在一個山腳下面，放慢腳步，挾著夢寰登上一段峭壁，走進一片突岩下面。

兩邊都是插天高峰，這突岩卻生在雙峰之間，好像是人工借著那天然形勢，搭成的石帳一般，深有丈餘，下臨絕壑，形勢異常險要。

玉簫仙子放下夢寰後，慢慢地取下蒙面黑紗，現露出本來面目，笑對夢寰說道：「你現在還願不願跟著我走？」

楊夢寰轉臉看去，只見她膚白如雪，櫻唇噴火，黛眉如畫，星目欲流，襯著嘴角間蕩起的盈盈媚笑，嬌媚之態，逼得人不敢多看。楊夢寰看兩眼，不自主別過頭去。

玉簫仙子從懷中取出一粒白色丹丸，放入夢寰口中笑道：「你先吃了我這粒定神丹，等到天黑時，我到大覺寺去給你偷一粒雪參果吃，那雪參果是天地間無上奇品，一粒百病可除，看你現在情勢，病得實在很重，不用雪參果治療，恐怕三、兩個月內也難復元。」

夢寰看她一時間態度大變，心中甚感不安，觀察這女人行事性格，和陶玉有很多相似之處，冷熱無常，頗難捉摸。

處此情景，楊夢寰也只有暫時任她擺布，吞下定神丹，閉上眼假裝睡去，過了一陣，竟然真的睡熟。不知時間過了多久，夢寰被一陣口渴急醒，睜眼看時，天色已入夜，身旁四周，都堆滿了一種異常柔軟的草，大概是那黑衣女人，專門去爲他弄的。

這時，玉簫仙子也不知哪裡去了，這斷崖突岩下面，只餘下夢寰自己，他病中醒來，口渴難耐，忍不住低喊了兩聲要水。

可是，這等人跡罕至的深山中，千丈懸崖中的突岩下，玉簫仙子走了，有誰去理他呢？他

夢囈似的、幽沉地叫著口渴，一聲接著一聲不斷，而且聲音也愈來愈大，從突岩飄出去，挾在山風中，飄到很遠的地方。

但聞得山風松濤，一陣接著一陣而來，間有停歇時，靜得使夢寰聽到了自己鼻息聲音，他連叫數聲，卻是不聞回應。

這夜，大概是一個濃雲密布的晚上，夢寰轉臉向突岩看去，只見一片黑沉沉的，連一顆星星也沒有。偶然，一片紅光閃過，但轉瞬就消逝了，再看卻又不見。夢寰口渴愈來愈難忍耐，頭上的熱度，也逐漸增高。他神志似在半迷半醒狀態，不停地叫著要水。

突然，奇蹟發生了，一隻滑膩的手，把他輕輕地攬入懷中，冰冷的水壺放到他唇邊。他喝下半壺水，人好像清醒不少，轉轉臉，看那餵他水喝的人，正是玉簫仙子。

這當兒，她已取下了蒙在面上的黑紗，一個縱橫江湖的女魔頭，會突然變得異常溫柔，只聽得她輕輕嘆息一聲，說道：「你的病勢，相當沉重，看樣子，不用大覺寺的雪參果療治，恐怕沒法子好轉。可是大覺寺的幾個老和尙，都在寺中，要盜取一粒雪參果，實在很難。」她這幾句話，似是自言自語，也似是對楊夢寰輕訴。

夢寰喝過那半壺水後，似乎是暫時清醒了，他搖搖頭，笑道：「大覺寺和尙很多，你一個人如何能打得過那麼多的人呢？」

玉簫仙子嘆口氣，道：「可是不用雪參果，恐怕你的病，很難好轉！」

楊夢寰笑道：「我們萍水相逢，你爲什麼這樣關心我呢？你不是從不願伸手救人嗎？」

玉簫仙子笑道：「你好像是很想死，對嗎？我就是不讓你死，怎麼樣？」

夢寰苦笑一下，閉上眼，想再睡去，然而已酣睡了一日半夜，此刻毫無睡意，只覺身上忽冷忽熱，難受至極，雖極力忍耐，但仍不時發出輕微的呻吟。玉簫仙子內功精湛，黑夜視物猶如白晝，看夢寰勉力強忍痛苦，神情十分狼狽，初還冷眼旁觀，漸漸地心中不忍起來，微微一嘆，暗道：我半生來殺人無數，卻是從未動過半點憐憫之心，此刻，怎的會對一個病人，若有無限惜憐一般。她忖思良久，頗難自解，不自主地伸出手去，摸著夢寰額角，柔聲問道：「你現在心裡可感到很難過嗎？」

楊夢寰正值冷熱交侵，大感煩躁當兒，一揚腕推開玉簫仙子一隻手，喝道：「拿開你的手，不要碰我。」

玉簫仙子聽得怔了一怔，幾十年來，從沒有任何一個男人這樣對她，夢寰的蠻橫在她的心裡卻蕩起了一種異樣的感覺，這感覺很是微妙。這多年來，她第一次意識到自己是一個女人。

這個橫行江湖的女魔頭，突然變得溫柔起來，她慢慢地把身子移到夢寰身邊，而且舉手之間，小心異常，生怕再碰到夢寰，惹發他的脾氣。

她拔出背上玉簫，垂下頭，貼在夢寰耳邊，低聲說道：「我替你吹支曲兒聽聽好嗎？等你睡熟了我再到大覺寺去，無論如何，也要偷得一粒雪參果，給你醫病。」

夢寰轉過臉望她一眼，未置可否。

玉簫仙子卻柔媚一笑，玉簫放在唇邊，裊裊如縷地吹了起來，簫聲如百囀黃鸝，嬌啼乳鶯，夢寰漸漸地聽入了神，臉泛笑意，似已忘去了病痛。

玉簫仙子看夢寰傾耳細聽，狀至愉快，也越發吹得起勁，一縷清音，悠悠如靜水游魚，夢寰隨著舒情簫聲，緩緩地合上了眼睛。

正當他似睡非睡當兒，突聽得一聲厲嘯響起，玉簫仙子心頭一震，停住簫聲，低聲對夢寰道：「你只管安心休養，不要害怕。」說完話，霍然躍起，正待竄出突岩，一陣颯然微風，來人已擋在突岩出口。玉簫仙子只怕驚了夢寰，不待對方出手，已自先發制人，縱身疾撲，玉簫仙子猛攻三招，想把來人逼下斷崖。

可是來人武功奇高，且早已有備，手中兩隻虯龍棒，左封右擋，連架三招，人還站在原地未動。

玉簫仙子停手橫掣，一聲冷笑道：「虧你還掌著一派門戶，怎麼一點臉都不要，你再追我二十年，我還是一樣不理你！」

來人哈哈一陣大笑道：「女人家講話，最是不能相信，我早就知道你有情郎，你就是不肯承認，今天被我碰上了，還有什麼話說？咱們斷斷續續打了五、六年啦，你要不理我，咱們還有得打……」話到這裡，突然臉色一變，望著突岩中臥病的夢寰，面泛殺機，暗運功力，準備猝起發難，一舉擊斃情敵。

玉簫仙子看他目露兇光，注定夢寰，已猜透他的心意，一面全神戒備，一面冷冷說道：「這裡地方狹小，要打咱們到下面山谷打去！」

來人陰森森一笑答道：「那是最好不過。」說完，轉過身子似欲下崖。剛走一步，來人驀然一個轉身，一挫腰，閃電般向夢寰撲去。

玉簫仙子在來人翻身躍起時，已搶先出手，右手玉簫一招「橫斷巫山」連架帶點，把他猛撲之勢擋住，緊接著狠攻三招。

來人見玉簫仙子搶了先著，致使陰謀不逞，一時妒火高燒，暴怒已極。架開玉簫仙子三招後，一對虯龍棒，展開疾攻，但見雙棒飛舞，玉簫吞吐，轉瞬間兩人已對拆了三、四十招。

激戰中，玉簫仙子驀然心中一動，暗忖道：我們已交手過數十次，總是難分勝負，今天縱不惜以性命相搏，以求險勝，但也無法在幾百招內分出強弱，萼寰病勢過重，急待雪參果療治，何不借他助我一臂之力，先到大覺寺去，偷得雪參果回來，治好萼寰的病，再和他拚個死活不晚。

心念一動，立時急攻兩招，逼開對方雙棒，退一步笑道：「你今天當真要和我拚命的嗎？」

來人怔了一怔，答道：「咱們五、六年來打了幾十次啦，我從沒有一次存了和你拚命的心意。」

玉簫仙子格格媚笑道：「你這幾年來，到處追著纏我，究竟是安的什麼心呢？」

來人笑道：「這還用我再說嗎？我已對你講過好多遍了，你只要肯答應和我結成夫婦，我就把崆峒派掌門人讓給你當，咱們聯起手來，必可稱霸武林，打遍江湖。」

玉簫仙子嗔道：「誰稀罕去幹你們崆峒派的勞什子掌門，我現下有一檔事想請你幫忙，不知道你敢不敢答應？」

來人仰臉大笑道：「我陰手一判申元通豈是怕事的人嗎？就是龍潭虎穴，只要你說出來，我也去闖他一闖！」

玉簫仙子道：「我想你和我一起去大覺寺，偷他們一粒雪參果，你敢去嗎？」

申元通聽得一呆，遲疑了半晌，答道：「我們崆峒派和大覺寺互不侵犯，再說大覺寺三個老和尚禪關已滿，那所在不是好玩的地方。」

玉簫仙子冷笑道：「我早就看出來你陰手一判是個毫無膽氣的人，你不敢去，難道我一個

人不能去嗎？」

申元通吃玉簫仙子一激，怒道：「誰說我不敢去？不過你得先告訴我，你要雪參果幹什麼用？」說完，兩道眼神深注著夢寰。

玉簫仙子笑道：「告訴你也沒有什麼，我的兄弟病了，我要去替他偷粒雪參果來醫病。」

申元通陰森森一笑，道：「什麼兄弟不兄弟，不如乾脆說是你的情郎好些。」

玉簫仙子聽得臉上一熱，正待發作，繼而一想：憑自己一人力量，想偷雪參果，確實不易，爲了要早把夢寰病勢治好，強忍下一口氣，笑道：「你不要胡說八道，他是我兄弟一點不錯，你要不信那就算了，我也懶得和你多說，幫不幫忙在你，你要再亂說，可別怪我永不再理你了。」

申元通見她說得認真，不覺信了一半；再者玉簫仙子在江湖道上，只是心狠手辣而已，並無淫蕩聲名，尤其玉簫仙子最後那句，「可別怪我永不再理你了」，言詞之間，大有垂青之意，不禁心神一蕩，但仍抱著懷疑神態問道：「你有兄弟？我怎麼從來就沒有聽人說過？」

玉簫仙子故做薄怒，嗔道：「爲什麼要對你說？你又不是我的什麼人！」

申元通道：「不錯，不錯。」

玉簫仙子幽幽一嘆，道：「我只有這一個兄弟，要真的病死了，我也是不能活的。」

夢寰躺的地方，離兩人也就不過有七、八尺遠，聽得玉簫仙子，說自己是她的兄弟，心中又氣又急，要想挺身否認，又感力不從心。

只聽陰手一判大笑道：「既然是你兄弟，我申元通當得效勞，咱們現在就走如何？」

玉簫仙子回頭走近夢寰身側，深情款款地說：「兄弟，你好好的休息一下，姊姊去給你偷雪參果去。」說完，陡然轉身，和申元通聯袂飛出突岩，但見兩個人影一閃而沒，身法奇快無比。

突岩外，一陣陣呼嘯山風，伴著臥病的夢寰，他經申元通和玉簫仙子一鬧，剛才被玉簫仙子舒情簫聲催出的睡意，完全消失，心中湧出萬千感慨，他想起滯留饒州客棧的三師叔慧真子，不知是否已回崑崙山去，還有師父和澄因大師，是不是已求得雪參果趕回饒州。沈霞琳雖然有陶玉照顧，但不知她傷勢如何？……還有那朱白衣，奇情斷弦，恩拯師叔，賜授奇技，尋救霞琳，無限情意盡在不言中……萬千思緒，剎時間湧塞心頭，剪不斷，理還亂，越想越愁。

他呆想一陣，勉強爬起來，走了幾步，只覺兩腿一軟，又坐到地上，生龍活虎的楊夢寰，已被病魔折磨得成了廢人一般，他不禁暗自嘆息幾聲。

驀地裡，幾聲大震，有如山崩地裂一般，斷斷續續有一刻工夫，才完全沉寂下來。

夢寰不能躍出突岩查看，心中暗自忖道：這幾聲大震，可能是金環二郎放那一把火，燒化了峰下積冰，使得峰上的積冰失去支撐力量，倒塌下來，否則就是峰頂的巨石滾落，也難有這等驚人威勢。

幾聲大震過後不久，突然又傳來幾聲淒厲的鬼哨，楊夢寰暗道：大覺寺中和尚，又在搜查敵蹤了。我此刻病勢正重，若被他們發現了，勢將束手就縛。立時伏在地上，探首岩外，向下察看。這時，山風已吹散天上不少烏雲，間有雲開之處，閃爍著顆顆繁星，只見星光黯淡，夢寰又值病中，元氣不足，極盡目力，也只能略辨山勢概貌。陡然，一陣呼喝之聲，傳入石岩，緊接著幾條人影，由夢寰頭頂斷崖上，急躍而下，越過夢寰停身突岩，向谷底而去。

這一下，距離很近，夢寰看得甚是清楚，前面那人正是陶玉，手中提著金環劍，後面追他的，是三個穿著黃袍的和尚，每人手中，都拿著銅鈸鐵筆。

楊夢寰一望之下，即知道三僧都是大覺寺十八護法羅漢中的人物，銅鈸鐵筆的招數，奇詭難測，如果三人合擊陶玉，金環二郎勢必抵擋不住，心頭一急，忘記了自己是抱病之身，一躍而起，剛剛站起身子，突覺一陣頭暈目眩，不自主又倒在地上。

這一聲雖然不大，但在身負上乘武功的人聽來，卻甚清晰，三個追趕陶玉的黃袍和尚中的一人，突然停了下來，銅鈸護身，向突岩搜尋過來，待夢寰清醒坐起，那和尚已到了突岩出口。

和尚似是不敢輕敵躁進，銅鈸護著前胸，鐵筆蓄勢待敵，目注突岩中坐著的夢寰，問道：「你是什麼人？快說！」

夢寰伸手抓過身側長劍，暗自忖道：我現在無論如何是不能和人動手的，與其冒險一試，不如給他個不加理會。心念一動，不理那和尚問話，只是靜靜地坐著。

黃衣和尚連著追問兩聲，不見夢寰答話，也不見他迎敵，長劍橫放面前，靜坐不動，神情沉著，若無其事，好像根本就不把自己放在眼裡，這一來，和尚反而有些躊躇起來，估不透楊夢寰究竟是什麼來路。

僵持一陣，和尚心中已似難再忍耐，全神戒備著，緩緩向突岩中的夢寰逼去。

他既不動迎敵之念，心情十分平靜，索性把眼一閉，等著和尚下手。

他這出人意外的沉著，卻使黃衣和尚心中動起疑來。他繞著夢寰身邊轉了一圈，仍是遲疑著不敢下手。因爲，大凡一個習武的人，內功到了絕頂程度，鎮靜的修養功夫，也隨著功夫精進，所謂山崩地裂前色不變，虎躡於後心不亂，這種人輕易不肯出手，但如出手一擊，必如排山倒海一般，使人無法招架，夢寰愈沉著，那黃衣和尚愈感到莫測高深。

但事情不能就這樣完結，和尚終於出手，鐵筆試向夢寰點去，不過他出手用力極微，大部精神功力，都在準備著擋受夢寰還擊。

鐵筆寒芒眼看點上夢寰前胸，楊夢寰再沉著也不能不閃避了，側身向左一讓，哪知這一讓算洩了底牌，上身隨著一讓之勢，完全側倒在地上。

黃衣僧人哈哈一笑，道：「好啊！你倒是真夠沉著，佛爺差一點就被你嚇唬住了！」話說完，鐵筆一沉，疾點夢寰小腹，這一下，和尚疑慮已消，不再試招，鐵筆沉處，快如電掣。

面臨生死一髮，一種求生的本能，促使楊夢寰振奮抗拒。只見他一個翻滾，讓開和尚鐵筆，伸手抓起寶劍，挺身躍起，一招「春雲乍展」猛劈和尚後背。

黃衣僧人右手銅鈸回身一擋，蕩開楊夢寰長劍，鐵筆連下兩著殺手。

夢寰抱病迎戰，哪能支持多久，封開和尚兩筆疾攻下，人已支持不住，兩腿一軟，栽倒地上，長劍也被人家鐵筆震飛，脫手落到三尺開外的地方。

和尚哈哈一笑，道：「就憑你這幾下毛手毛腳的功夫，也敢到祁連山青雲洞來搗亂。羅漢爺也懶得問你姓名，還是早點送你上西天去吧！」說完，鐵筆直向夢寰「旋機穴」上點去。

這當兒，楊夢寰只有坐以待斃了，沉重的病勢，使他喪失了抵抗的力量，絕望中，他索性閉目以待。和尚鐵筆眼看點中了夢寰「旋機穴」上，突覺左肘間「曲池穴」上一麻，一條左臂頓失作用，鐵筆脫手落地。這一驚非同小可，陡然一轉身，銅鈸猛地平推而出，哪知身後連鬼影也沒有一個，反因力道用得過猛，全身不自主地向前衝了四、五步，才拿樁站住，正待收回

銅鈸，突聞「的」一聲輕響，右肘「曲池穴」上也是一麻，銅鈸登時落地。

這時，他左右兩條臂，一齊失去了效用，貼身直垂，動也難動一下，但他心中卻很明白，知道遇上了武林高人，用傳言的米粒打穴神功，擊中他兩肘要穴，心中一寒，只驚得光頭上冷汗直淋，刹那間，兇焰頓失，哀聲求道：「哪位高人駕臨，恕和尙有失遠迎呀，請看在敝寺幾位長老面上，不要再和小僧開玩笑了。」

他這幾句話，雖是震驚來人武功，有心告饒，但另一念意，是想抬出大覺寺幾位長老的名頭，嚇唬來人，他心裡明白，米粒打穴神功，是一種超凡入聖的武林絕學，江湖上具有這等身手的人，可以說絕無僅有，自已比人，相差萬倍，何苦徒逞口舌之強，而自尋死路。

只聽兩丈外暗影處傳來一聲冷笑，道：「大覺寺幾個和尙，能唬得住別人，但卻嚇不倒我，殺你實在玷污了我的手，快些給我滾開，再多廢話，當心我把你餵玄玉吃掉？」

和尙雖不知玄玉爲何物，但他卻知道，對方已允諾饒他不死，生死之間，哪裡還敢多說，一縱身躍出突岩，急步如飛而去。

楊夢寰死裡逃生，已聽出那是朱白衣的聲音，正要開口招呼，突覺微風一陣，耳際已響起甜脆的嬌笑，道：「幸虧我早來一步，要不然，你琳妹妹準得哭死！」

夢寰黯然一嘆道：「怎麼！朱姊姊又救了我師妹嗎？」

朱白衣笑道：「救了她，我就受罪啦，她剛能開口說話，就問我要寰哥哥，好像她的寰哥哥裝在我的口袋裡似的，你說使不使我作難？」最後兩句話雖然說得輕鬆，但聲音甚是淒涼。

楊夢寰只聽得感慨萬千，停了好半晌，才說道：「現在又承姊姊救了我的性命……」

朱白衣噗哧一笑，道：「你的嘴很甜，不過，只叫幾聲姊姊有什麼用？我問你，你現在和

我一起去看你師妹？」

夢寰被朱白衣說得臉上一熱，答道：「我目前病勢很重，恐怕走不得路。」

這確實是一件麻煩事，大白鶴玄玉又在守護著霞琳，朱白衣想了一陣，無限忸怩地說道：「那讓我揹著你走，好嗎？」

說著話，一隻軟綿的玉掌，已輕按在夢寰額角，只覺他頭上熱度甚高，不禁嘆息一聲，又道：「你當真是病得不輕！」

夢寰猶豫著道：「姊姊揹著我走，那恐怕不大方便？」

朱白衣一陣羞澀泛上心頭，呆了良久，說不出話來，她已在楊夢寰面前露了真相，以自己清白身子，揹著一個年齡相若的男人走路，的確有點不大像話，這是一件很微妙的事情，如果楊夢寰毫無猶豫，就讓朱白衣揹著走了，事情也就很平凡，偏是他那麼自作聰明的兩句話使朱白衣感到無限羞愧。

楊夢寰久久不聞朱白衣說話，心裡有點發起急來，琢磨剛才兩句話，確實大傷人心，不禁嘆口氣，道：「姊姊，你怎麼不說話呢？是不是我剛才說的話，傷了你的心？」

朱白衣勉強一笑，幽幽答道：「嗯！你知道傷了我的心嗎？人家好心好意要帶你去見你師妹，你倒是滿口道學正經起來！難道說我就下賤？」說著話，突然一陣委屈傷心，淚珠兒奪眶而出。

楊夢寰感到幾滴水珠淋在臉上一涼，警覺事態嚴重，心裡一慌，急聲辯道：「姊姊，我雖說錯了話，但實是無心之過，難道你就真的恨上我了？」說著話，他也急得星目中湧出淚水。

朱白衣內功超絕，眼神如電，雖以夜暗之中，楊夢寰一舉一動，仍難以逃出過翦水雙瞳，看夢寰一副誠懇的情態，突感心中一甜，破涕笑道：「你急什麼嘛？誰說我心裡恨上你了？」

夢寰囁道：「那你爲什麼要流淚呢？」朱白衣從懷中掏出一塊手帕替夢寰擦試著淚水，笑道：「人家傷心才落淚，可是你又爲什麼哭呢？」

夢寰一時間想不出適當措詞，甚感爲難，突然一伸腿，觸到了地上寶劍，心頭一動，想起了剛才被幾個和尚苦追的陶玉，立時對朱白衣道：「姊姊，我有一件事求你幫幫忙好吧？」

朱白衣嬌笑一聲，道：「說吧！我當盡力而爲，幾聲姊姊決不會讓你白叫就是。」

夢寰暗道：我叫你姊姊，還不是存心客氣麼？其實，你倒未必真的會比我年齡大些！心中在想，口裡卻求道：「剛才我見幾個和尚，追我一個朋友，向對面而去，和尚人多，我那朋友恐怕抵擋不住，姊姊去助他一陣，好嗎？」

哪知朱白衣聽完話，冷笑一聲，答道：「你說的，可是那個故作奇裝，腕套金環，打扮得不倫不類的人嗎？」

夢寰聽得一怔，道：「不錯，怎麼？他開罪了姊姊嗎？」

朱白衣又一聲冷笑，道：「憑他那點微末之技，也不配惹我生氣，不過像他那樣的朋友，不交也罷。」

夢寰聽得心中甚是感到不解，他原以爲陶玉見著朱白衣後，爲前邊大白鶴玄玉戲辱之事，說話開罪了她，既非爲此，雙方素未晤面，何以朱白衣竟這等厭惡陶玉？一時間思解不透，沉吟著說不出話。

朱白衣誤以爲批評陶玉那句微末之技，傷了夢寰的心，無限歉然，說道：「你怎麼不說話呢？是不是我說話，傷了你的心啦？」

夢寰搖搖頭，笑道：「沒有的事，姊姊不要多疑，我在想姊姊和陶玉素不相識，何以會那樣厭惡他呢？那人性格雖是陰沉些，但心地並非很壞，只是做事手辣一點而已。再說他對我楊夢寰施恩很大，一個人如不能恩怨分明，何以在世間立足做人，但我又不願勉強姊姊非去救他不可，故而難以開口！」

朱白衣輕微一嘆，道：「既是這樣，我就去救他一次，可是我又不放心你一個人留在這裡，我們一起去救他好嗎？」

夢寰道：「救人如救火，遲延不得，目前我病勢不輕，路都難走一步，帶著我去，太礙姊姊手腳，我守在這裡等你，待你救過陶玉回來，咱們再一塊兒去看我師妹。」

朱白衣起身笑道：「你一定要等我回來接你，這地方雖已被大覺寺和尚察覺，但和尚已被我用米粒打穴之法，傷了兩臂穴道，料他找不到援手之前，決不敢再來打擾，我在一刻工夫中，就可以回來！」最後那個來字剛出口，但見人影一閃，已到突岩數丈之外。夢寰看她身法，似較剛才玉簫仙子去勢，尤爲奇快。

朱白衣去後，夢寰病勢又轉劇烈，只感一陣陣冷熱交迫，痛苦難當。

正當他迷迷糊糊中，似覺有人進了突岩，隨口叫道：「姊姊回來了，當真是快。」耳聞一陣銀鈴般格格的嬌笑，道：「快嗎？姊姊心裡已急得快要死了！你的病好點沒有？快些把這粒雪參果吃下去，咱們還得早些離開這裡，大覺寺和尚追來了。」話剛落口，已把夢寰抱入懷中，同時，一粒鴨蛋大小，清香透人肺腑的雪參果，已放在他的口邊。

楊夢寰被雪參果清香之氣一逼，神志清醒了不少，轉臉看去，抱他的卻是玉簫仙子。陰錯陽差，使跟進突岩的申元通，心中存有的一點懷疑，完全消失。他高興得大笑著，說

道：「好兄弟，你快些吃下去吧，這雪參果是天地間第一神藥仙品，不管什麼病，吃下去馬上見效，我申元通自練成三陰掌後，今晚第一次出手施用，連傷了大覺寺三個和尙，除了爲兄弟你之外，我絕不肯拚耗眞氣，用出這等絕學。」言詞間，除了誇耀武功之外，還有討好用意。

楊夢寰只聽得心中又氣又急，正待開口否認，突見兩道寒光破空飛入突岩，申元通回手一棒，擊落打來暗器，怒道：「殺不完的賊和尙，當眞追來討死。」說著話，已縱身躍出突岩，緊接著是一陣兵刃交擊之聲，聽上去，打得甚是激烈。

玉簫仙子把雪參果放在夢寰口邊，但夢寰卻閉嘴不吃，不禁幽幽一嘆，道：「這雪參果得來不易，你竟不肯吃下，難道……」

玉簫仙子話未說完，卻聽突岩外陰手一判大聲嚷道：「快些要你兄弟吃下雪參果，咱們早些闖走，賊和尙越來越多，等一下，如果幾個老和尙也趕來，再想走就晚了。」

楊夢寰聽得心中一動，暗道：我賭氣不吃雪參果事小，但病勢卻無法好轉，目前身陷大覺寺勢力包圍之下，隨時有事故發生，霞琳傷勢未癒，師父情況不明，很多事都待去辦，不如吃了雪參果，先求病好再說。

那雪參果乃天地間鍾靈之氣孕育而生的神奇之物，非一般人工調製的丹藥可比，入腹之後，立生奇效。一股清涼，由丹田散行四肢，楊夢寰驟感精神一振，覺著病勢好了一半。

玉簫仙子看夢寰吃下雪參果，心中甚是高興，握著他一隻手，低聲笑道：「我們先離開險地後，再想法子對付陰手一判申元通，你現在稍作休息，待那雪參果的藥力行開後，我們就走。」說罷，星目中無限深情，望著夢寰媚笑。

片刻之後，楊夢寰已能運氣行功，想著玉簫仙子冒險盜雪參果療病深情，不禁心中一陣黯然。

此時，突岩外的打殺，越發激烈，陣陣金鐵交鳴之聲，傳入突岩。楊夢寰伸手抓起長劍，挺身躍起，玉簫仙子側目凝睇，見他精神振奮，病態盡失，心中甚是快慰，低聲問道：「兄弟，你可覺著病勢已完全消退了嗎？」

夢寰聽她叫得親熱，好像真有其事一般，倒沒法沉下臉出言頂撞，淡淡一笑，道：「不妨事了，承你取得雪參果，救我於病困之中，日後有緣，楊夢寰定當報答。」說完兩句話，大踏步向突岩外面走去。

玉簫仙子看他冷漠神情，甚感傷心，如以她平日爲人性格，早就下了毒手，但此刻，她已如春蠶作繭自縛，陷足情網，夢寰越是對她冷漠，她越感覺得他與眾不同，緊走兩步，攔在夢寰前面，幽幽說道：「大覺寺和尚，個個都身負絕學，你病剛好，身體還未復元，最好還是不要和人動手，讓我替你開路，我們先離開這危險的地方再說！」

夢寰道：「還有什麼好說的？離開這突岩後，咱們就各奔前程。」

玉簫仙子淒然一笑，道：「我要不護送你，你無法離開這祁連山。」

夢寰一揚劍眉，慍道：「我能到祁連山，就能出得祁連山去，用不著多操清閒心。」說完，一側身躍出突岩。

只見陰手一判申元通，手舞著一對虯龍棒，身擋突岩要隘，雙棒捲風，力拒八方環攻。這八個和尚一色黃袍，右手銅鈸，左手鐵筆，分站突岩上下左右，鈸飛筆舞，急如狂雨，但始終被陰手一判雙棒阻擋在五尺開外，無法越得雷池一步。

夢寰看突岩出口要道，全被棒影鈸光所封，如不擊退八個和尚，再無他途可循。正待振劍協戰，突覺身側一陣急風捲過，玉簫仙子已搶先出手。

申元通一見玉簫仙子助戰，不覺精神一振，大笑聲中，右手虯龍棒掃蕩鐵筆，一腳把左邊一個和尚踢下斷崖。

陰手一判力拒八僧，打了個勢均力敵，再加上一個玉簫仙子，幾個和尚哪裡還能抵拒得住，但見玉簫仙子翻飛，不到一刻工夫，她已連傷了兩個和尚，八僧去三，餘五個更是不支。申元通回頭見夢寰橫劍觀戰，心想炫露武功，大喝一聲，雙棒一輪緊打急攻，逼開上面兩僧，反向下面搶攻過去，下面原有兩個和尚，一個已被玉簫仙子點傷滾下斷崖，只餘一個，如何還能擋得陰手一判全力一擊，棒風到處，震飛和尚手中銅鈸，趁勢一腳，把和尚踢飛起一丈多高，栽下斷崖。

楊夢寰見據守突岩下面二僧，雙雙受傷落崖，正是大好的脫身機會，立時縱身一躍，出了突岩，提氣凝神，沿峭壁向下急奔。

哪知玉簫仙子在動手之間，仍然注意著夢寰的行動，見他乘機溜走，不由心頭火起，正想捨敵追趕，突然心念一轉，暗道：我如去追夢寰，申元通亦必捨敵跟去，他武功和我不相上下，窮纏不捨，大是討厭，趁他在拒敵分神之際，不如突下毒手，先結果了他，然後再去追趕夢寰，憑自己輕功腳程，不難趕上。念轉計生，暗中運聚功力，伺機下手，對夢寰溜走的事，卻裝做不覺。

陰手一判何嘗未發覺夢寰溜走，但他心裡卻另有打算，他對玉簫仙子稱夢寰爲親生兄弟一事，始終存有疑慮，夢寰溜走，那自是求之不得。

兩人各懷心事，卻便宜了四個和尚。申元通是想藉動手拖延時間，讓夢寰走得遠些，玉簫仙子，卻因伺機對陰手一判下手，不能專心對敵。

這一來，四個和尚才能對付著又支撐了不少時間。

激鬥中，玉簫仙子驀然一招「挾山超海」，把突岩上居高臨下的僧人手中鐵筆震飛，縱身搶上突岩，玉簫仙子又三招，把另一個和尚手中銅鈸擊落，二僧雙雙被迫退八尺開外。

她卻倏地轉身，氣聚丹田，功行左掌，猛向申元通後背撲去，玉簫仙子凌空疾點「腦戶穴」，左掌含力蓄勢，待申元通閃開玉簫一擊後，立時把全身功力凝聚的左掌趁勢打出，她料陰手一判在猝不及防之下，決難擋受自己畢身功力所聚的一擊。

就在玉簫仙子出手的同時，一聲長嘯，破空傳來，一團白影，從天而降，落地一掌，把申元通震退三尺。

玉簫仙子急收勁道，玉簫倒轉，直指來人「幽門穴」，她在一剎那間，已知來了強敵，反手一招，變成了搶救陰手一判，瞬息變化，詭異難測。

來人武功高，右手一記「揮麈清談」，封住玉簫，左掌「神龍現爪」兜頭抓下，隨手潛力逼人，威力奇猛無倫，玉簫仙子不得不疾躍後退讓人一擊。

來人不再迫進，卻望著陰手一判冷笑道：「申元通，本寺中弟子，和你們崆峒派毫無過節，何以竟下毒手，用你三陰掌連傷本寺弟子，又擅闖入本寺禁地，偷盜雪參果，意欲何爲？」

申元通細看來人，穿一襲月白僧袍，身材矮小，骨瘦如柴，年約六旬以上，正是大覺寺三老之一的枯佛靈空，不覺心頭一震，暗道：這老和尚今晚親自出手，看來凶多吉少，不作生死一搏，恐怕難得脫身了？他心念轉動之間，已自運功戒備，側臉對玉簫仙子說道：「來人是在大覺寺三老之一的枯佛靈空，動上手時，千萬小心。」

玉簫仙子嬌媚一笑，答道：「我們兩個人，難道還怕他不成？」

申元通還未及答話，靈空兩道逼人的眼神，已轉在玉簫仙子臉上，冷冷笑道：「這位女施主，可是在年前大鬧本寺，偷去一粒雪參果的什麼玉簫仙子嗎？」

玉簫仙子笑道：「不錯，貴寺中的雪參果實在不錯，我三年前吃了一粒後，就一直念念難忘，所以三年後，我又來啦。」

靈空呵呵兩聲乾笑，回顧身側四個弟子，問道：「你們來了幾個人？」

四個黃袍弟子，同時躬身答道：「弟子們共來八人，已有四人遭了毒手，吃那男女兩人打落斷崖，生死不知。」

靈空突然兩眼一瞪，望著玉簫仙子和申元通，冷笑幾聲，道：「兩位身手，實在不凡，半夜工夫，連傷本寺弟子達八人之多。」說話間，陡然僧袍拂動，不見他作勢移步已欺到兩人跟前，兩隻手左右分手，一擊玉簫仙子，一取陰手一判，身法奇速，無與倫比。

申元通兩手虯龍棒左打右掃，一齊出手，玉簫仙子避開了靈空一擊之後，手中玉簫也連下三著殺手，但靈空一雙肉掌，已窮極武術變化之妙，只是隨著棒勢、玉簫浮沉，並不收掌再攻。因此，被他著著搶去先機，申元通和玉簫仙子，空有兵刃在手，仍是被人逼得節節後退。

三人盤旋交叉，倏忽間交手數招，申元通和玉簫仙子，已被迫到突岩邊緣。

玉簫仙子心中暗自驚道：「老和尚這等身手，確爲生平所遇勁敵中第一高人，幸好剛才那一擊中途易勢，如果這老和尚晚來一步，申元通傷在我暗算之下，只餘我一個，恐怕難擋得這

和尚二十招的逼攻。」

枯佛靈空以大覺寺特異的武功「蛛絲掌」，對付兩人，但十數招後，仍是不能得手，心中也是暗自驚奇。因為那「蛛絲掌」是一種極為奇奧的武功，以陰柔之力為體，以黏、卸二訣為用，隨著敵人的拳掌兵刃，浮沉變化，借敵之勢，消敵之力。若一縷綿綿蛛絲，纏繞於敵人拳掌兵刃之上，和一般拳法掌法擊後必須收勢再擊不同。而玉簫仙子兩人實非一般武林人物可比，雖為靈空奇幻「蛛絲掌」所制，靈空一時間要想傷得兩人，卻也不是易事。

兩人被逼到突岩邊緣之後，不由激起怒火，玉簫仙子嬌叱一聲，玉簫左掌齊出，簫打掌劈，連攻十餘招，申元通也是斷喝一聲，虯龍棒驟施急攻，剎那間簫影縱橫，棒風如輪，靈空被兩人一陣快打急攻的威勢阻住，再難迫進一步。

三人又纏鬥一刻工夫，仍是僵持之局，玉簫仙子正待使出生平絕學求勝，靈空也不耐久戰，呼呼劈出兩掌，微一頓足，躍退五尺，凝神而立，運氣行功。

玉簫仙子已打出真火，抖簫要追，卻聽申元通大聲叫道：「快些退下！老和尚要用他百毒掌傷人。」申元通話出口，已抓住玉簫仙子右腕，聯袂縱下突岩。

靈空縱聲大笑道：「元通，你還想活著離開祁連山嗎？」僧袍拂處，宛如巨鳥飛躍而下，疾向兩人追去。

三人輕功，都已達上乘境界，快比電閃雷奔，已下了百丈懸崖。

申元通看靈空窮追不捨，心中暗自忖道：如讓他百毒掌施發出來，抵拒不易，我何不先發制人？心念一動，立時凝聚真氣，突然停步回身，揚腕厲聲喝道：「賊和尚窮追不捨，接我一記三陰掌風試試。」掌勢吐處，一股奇勁寒風，猛向靈空和尚捲去。

三陰掌歹毒無比，中人後陰寒侵肺腑而死。靈空和尚縱有一身深厚武功，也不敢稍有大意，立時停步吸氣，雙掌平推而出，以本身內家真功力，硬接申元通的三陰掌風。

兩股潛力一接，立時捲起一陣旋風。申元通略遜一著，三陰掌風吃靈空雙掌罡力一擊，立時流散開去，但陰手一判和玉簫仙子，卻趁機疾奔而去。

靈空見兩人走遠，追已無及，一腔怒火，無處發洩，遙空一掌向丈外一株碗口粗細的松樹劈去，掌力到處，樹身登時兩斷，碎枝飛葉，有如滿天花雨，散落三、四丈方圓，地上沙石也被擊得四處濺飛。

這時，四個未被打傷的黃袍和尚，已把四個受傷摔下斷崖的同伴，扶了起來，兩個已經氣絕身亡，另兩個也是奄奄一息。

靈空一皺眉頭，怒道：「你們不把傷亡的人送回去，還站這裡等什麼！」

四個弟子都知靈空脾氣在寺內三位長老中最暴躁，也最愛遷怒別人，氣忿之間，出手就要殺人，哪裡還敢答腔，負著傷亡同伴，急奔而去。

靈空餘怒未息，又赴那突岩查看一陣，大概也未發現什麼，又光了火，幾掌猛劈，把突岩一側兩個數百斤重的巨石，打得碎石迸飛，滾下斷崖，然後才長嘯而去。

靈空走後，那斷松旁邊一個巨石後面，走出來滿臉沙土的楊夢寰。

他趁申元通和玉簫仙子和群僧激鬥時，溜下斷崖。跑了一段路，陡然想起和朱白衣有約會，自己一走，勢將害她苦找，遂在峭壁旁邊一個大石後面隱藏起來。靈空追不及申元通和玉簫仙子，怒火發洩在山石松樹上面，劈斷松樹，激起沙石，不少斷枝飛葉，都濺落在巨石後面

的楊夢寰身上。

他見靈空掌勢那等威力，伏在巨石後一動也不敢動，直待靈空和那些黃袍和尚都去後，他才由石後出來。

這時，天上陰雲已全被風吹散，仰頭望去，星河耿耿，已是四更過後的天氣。

他走近那突岩下面的斷崖，幾面銅鈸、鐵筆，散丟地上，還有一片一片的血跡，隨手撿起一面銅鈸，坐在山根下，細細鑒賞，想著幾月來萬里行程中的奇遇、驚險，恍若夢境一般，塵世中紛爭相接，似是永無止境，父親替自己取名夢寰兩字，看來含意甚深……但這些奇麗如幻的遭遇，並不是夢，而都是鐵一般的事實，沈霞琳、李瑤紅、朱白衣、玉簫仙子，每人的音容笑貌，都很清晰地刻劃在他的心中，這些人都對他很好，而且也都有著出塵絕俗的美麗，這份情愛糾結，到最後又是個什麼樣的結局呢？萬般思緒，紛至沓來，又都是那樣茫茫渺渺，無法預料。

突然，聞得背後一聲幽幽輕嘆，道：「你在想什麼這麼入神？人家站在你背後半晌，你就不理人家？」

夢寰回頭望去，不知何時朱白衣已經到了他的身後。

他還未及開口，朱白衣已搶先笑道：「你看看，你臉上都是沙土，也不擦擦。」

說罷，從懷中取出一方羅帕，替他擦去臉上沙土，陡然間，她若有所覺的一怔，道：「怎麼？你的病完全好啦？……」

夢寰點點頭，笑道：「我吃了一粒雪參果，病勢馬上好轉，現在覺得比有病之前尤有精神，看來那雪參果確實是天間地上奇品了。」說著一頓，又問道：「姊姊可救得陶玉了嗎？」

朱白衣道：「他被大覺寺幾個和尙堵在一個谷中動手，我找了好久，找不到，心裡又念著你的安危，本想早些回來，但我知道，如不救了你那朋友，定要招你生氣。」

夢寰急道：「那你究竟救了沒有？」

朱白衣笑道：「傻子，我如沒有救他，怎麼會知道他被大覺寺和尙堵在山谷中動手呢？不過害得我一連翻登二、三十座山峰，才找到他們，幾個和尙都被我用米粒打穴之法擊傷，兩個和尙受傷逃走，一個卻被你朋友殺了。」

夢寰道：「那我得謝謝姊姊了。」

朱白衣道：「誰稀罕你謝，我只要知道你哪來的雪參果吃呢？」

夢寰也不隱瞞，當下把經過詳述一遍。

朱白衣柳眉一揚，道：「什麼玉簫仙子，分明是江湖女盜，我要遇上她時，非把她置於死地不可！」

夢寰笑道：「你和她無冤無仇，爲什麼非把人家置於死地不可呢？」

朱白衣似是想不到他這一問，登時嬌靨泛羞，眨兩下大眼睛，道：「爲你的琳妹妹呀！怎麼？我說得不對嗎？」

夢寰點頭笑道：「對！對！」

他一連兩個對字，說得朱白衣越發羞澀，突地她臉色一正，星目中神光閃動，逼射住夢寰。

絕美中，威儀逼人，楊夢寰心中只感到她一種高華懾人的氣度，迫得他不敢再看，不自主地低下頭去，低聲說道：「姊姊，你當真生了氣嗎？」聲音細弱，似有無限惶恐。

朱白衣見他神態一變後，黯然垂頭，像是恨自己，心中很感不安，嫣然一笑，道：「怎麼啦，看你那樣子，好像是受了我的氣一樣？有著滿腹委曲，難道我真的很厲害嗎？」

夢寰道：「姊姊神態之間，自含有一種威儀，使人不敢逼視。」

朱白衣笑道：「怎麼我自己就不覺得？」

夢寰笑道：「我在浙南寧溪縣城第一次見到姊姊時，就感覺到你和別人不同。」

朱白衣搖搖頭笑道：「我們第一次見面不是在寧溪縣城。」

楊夢寰略一沉吟，笑道：「不錯，是在括蒼山那條幽谷之中。」

朱白衣點頭笑道：「你的記性實在很好。」

夢寰突然心中一動，想起一件事來，抬頭問道：「在括蒼山時，我三師叔撿得了一張墨鱗鐵甲蛇皮，那蛇皮可是姊姊取去了？」

朱白衣笑道：「墨鱗鐵甲蛇，是很難得遇上的一種怪蛇，玄玉終日飛翔在大山深澤之中，找了好多年，才碰上那麼一條，待牠啄死蛇回去找我，你們已捷足先登，我看你們剝皮洗刷很是用心，也就樂得坐享其成了。」

夢寰道：「我聽三師叔說，墨鱗鐵甲蛇皮，可避刀槍，武林中人視若珍寶，我三師叔失了那鐵甲蛇皮之後，心中很久悶悶不樂。」

朱白衣盈盈一笑，道：「墨鱗鐵甲蛇皮雖然珍貴，但也算不得什麼神品，你們剝皮洗刷，費了不少手腳，我坐享其成，實在有點不好意思，過幾個月，我送你一件東西，不讓你們白費一場手腳就是。」

夢寰搖頭笑道：「我倒是未存那等奢望，送不送都無關緊要。」

朱白衣臉色一變，幽幽輕嘆一聲，默然不語。

夢寰心知又說錯了話，連忙岔開話題，笑道：「姊姊說我師妹已得你拯救，她現在什麼地方，我們去看看她好嗎？」

朱白衣不答問話，只是淡淡一笑，點點頭，帶著夢寰向霞琳養息處所奔去。

楊夢寰自知輕功和人相差很遠，因而一開始就全力施展，他吃得雪參果後，不但病體完全復元，而且精神較病前尤覺健旺，夜色中急步如飛，快若流星。

朱白衣卻是若無其事一般，青衣微飄，步履輕逸，不快不慢，始終和他聯袂並進。

兩個人奔走一陣，天色已是大亮，東方天際，彩霞絢爛，太陽已快出山了。

朱白衣突然停住腳步，轉臉望著那燦爛朝霞，呆呆出神，楊夢寰側目望去，只見她嫩臉艷紅，柳眉輕顰，圓睜星目含滿了晶瑩的淚水，嘴角微現著淒涼笑意，聖潔意態中，隱透出幽幽情愁，宛如一株盛放於冰雪中的梅花，清高中，是那樣孤獨、寂寞。

楊夢寰看得一陣感慨，低聲問道：「姊姊，你在想什麼？」

朱白衣回過臉笑道：「你看太陽剛出來，可是我們卻快要到了。」

夢寰聽得一怔，還未琢磨透朱白衣話中含意，她已眨下大眼睛，滾出來兩滴淚珠，笑道：「走吧！你師妹一定在思念著你。」說罷，當先向前衝去。

夢寰一面緊追，一面打量形勢，覺得當前山態形貌，甚是熟悉，及至爬上了前面一座山峰，才認出正是先前和霞琳會面的幽谷。

幽谷景物依舊，仍然盛開五色繽紛的山花，潺潺流水，青青芳草，松幹伸空，藤蘿飄垂。

兩個人下了崖壁，只見玄玉橫擋在石洞入口，一見朱白衣和夢寰到來，似是已知護守霞琳的任務已完，長鳴一聲，振翼而去。

楊夢寰急搶兩步，衝入石洞，見霞琳靠壁而坐，頭髮散亂，臉色憔悴，但卻瞪著一雙大眼睛，若在想什麼心事。一見夢寰到來，悽惋一笑，道：「寰哥哥，我知道你的朋友一定會對你說，所以我很安心地坐在石洞中等你。」

夢寰心中十分激動，忘記了身後邊有位多情多義的朱白衣，跑過去蹲下身子，拉著霞琳一隻手，拂著她散亂的秀髮，問道：「你的傷好了嗎？」

霞琳搖搖頭，道：「我被那和尚掌力震昏後，什麼都不知道啦，好像是陶玉救了我，不曉得為什麼，我清醒後，陶玉不見了，卻是你的朋友她守在我的身邊。我吐了很多血，若不是你朋友給我一粒藥吃，我恐怕就永遠看不到你了。」說完，眼光中無限感激，望著站在夢寰身後的朱白衣。

夢寰聽得心中甚是難過，黯然又道：「你現在可覺得好些嗎？」

霞琳未及答話，朱自衣搶先接道：「她傷得不輕，雖然服了我的八寶續命丹，也不是一、兩天內可以復元的，依我檢查她的傷勢情形來看，內腑已被震傷，她武功已有很好基礎，筋骨既然未被打斷，似是不應傷得這樣沉重，必是她在受人襲擊時，忘了運功抵拒，全然無備下，受人一擊，因而才遭震傷內腑。」

楊夢寰已知朱白衣武學淵博，高不可測，決非信口開河，聽完幾句話，心中更是焦急，當下未加思索，衝口而出，問道：「姊姊，這麼說起來，我師妹的傷勢是很危險的了？」

朱白衣雖已聽得夢寰叫過了千百遍姊姊，但都只有兩人一起，現下當著霞琳的面，不覺臉上一熱，呆了一呆，才笑道：「危險？只是需要較長時間養息。」

沈霞琳聽夢寰叫人姊姊，心中甚感奇怪，眼神盯在朱白衣臉上，看了半晌問道：「你不是男人，爲什麼要穿男人的衣服？」

朱白衣被她問得甚是尷尬，連忙脫下外面青衫，除去儒巾，露出一身玄色對襟密扣女裝，走到霞琳身邊坐下，笑道：「我沒有告訴你實話，你心裡恨不恨我？」

霞琳搖搖頭，笑道：「我不恨你。」說完活，轉臉望著夢寰，眼光中滿是懷疑，問道：「夢寰哥哥，你早就知道了，爲什麼不對我說？」

夢寰心中暗想：我隨便說句謊話，就可騙得過她，也可以消除她心中疑慮，使她安心養傷，只是面對這樣一個善良純潔的孩子，縱是好意的謊言，也是難說出口，就答不上話。

朱白衣輕聲一嘆，接道：「不要怪你寰哥哥，他就是知道了，也不好對你說的。」

霞琳似懂非懂地點點頭，道：「嗯，姊姊說得很對，你不讓他說，他是不能隨便對人說的。」

說完一笑，臉上疑慮全消，看著朱白衣前胸精工織成的白鳳，問道：「姊姊衣服上織的鳥兒真好看，等我傷好了，你教我織鳥兒好嗎？」

朱白衣既露本相，再無顧忌，輕輕把霞琳摟在懷中，笑道：「那當然好，你喜歡我就教你。」

霞琳很高興地偎在朱白衣懷中，仰著臉，又問道：「姊姊以後還要不要再穿男人衣服？」

朱白衣道：「穿上男人衣服，在江湖上走動，方便很多，這些事以後我再告訴你，現在你不要再多說話啦，好好養息傷勢，到中午時候，我用本身內功助你療治，等你傷勢完全好了，

我們再慢慢的談吧。」

霞琳點點頭，閉上眼睛，就偎在朱白衣懷中睡去。

夢寰呆呆地坐在一側，看著兩個絕世無倫的美女，相互偎守一起，也不知他心裡想到什麼？只管望著兩人出神。

朱白衣換著了女裝之後，那華貴逼人的氣度中，又流露著無限的溫柔，她抱著霞琳，如一個母親抱著孩子一般，臉上微泛笑意，神態是那樣慈愛。

此刻，石洞中寂靜極了，寂靜得聽到了心跳的聲音。

朱白衣看霞琳沉沉睡熟，對夢寰淺淺一笑，說道：「我走後，她恐怕就沒有睡過，一直坐守著等我們回來，這樣對她的傷勢妨害太大，我本來準備拚盡一瓶靈丹之力，促使她早日復元，可是現在不行了。不知爲什麼，我心裡也愛上她了，我要以本身真氣助她復元。這樣不但她傷勢可以完全好了，而且對她內功進境也有很大補益，不過，這需要三天三夜的時間，偏勞你替我們守住石洞，等她醒來時，我們就開始療傷……」

楊夢寰皺著眉，道：「姊姊這樣對她，我心裡實在感激，只是這種內功療傷，必然要耗去姊姊很多真氣，再說萬一大覺寺和尚尋到這裡來時，我恐怕抵擋不住……」

朱白衣笑道：「那不要緊，我要大白鶴玄玉助你，假如仍抵擋不住，你就用口嘯傳警，我自會抽身去幫你打敗敵人。」

夢寰點點頭，不再說話，兩隻眼卻盯住朱白衣看。

朱白衣被他看得嬌臉紅暈，微作薄怒，嗔道：「你這人看起來很老實，怎麼一下子會變頑皮了？你看什麼？我臉上又沒有花朵讓你欣賞。」

楊夢寰不是聖人，即使是聖人遇上了像朱白衣這等絕美高貴的女子，大概也有點飄飄然，難於自制，更何況她此刻薄怒佯嗔，備增嬌態，不自覺衝口而出，道：「姊姊穿著女裝後，那懾人英氣中，又隱透無限嬌柔，看起來，不像穿著男裝時，那樣威儀逼人，我越看就越想看。古人說，秀色可餐，倒非欺人之談了。」說完話，才感覺到，言詞之間，太過放肆，臉上一熱，低下頭去，不敢再看。

良久後，仍然不聽朱白衣說話，夢寰心中忖道：糟糕，這一下恐怕真的招惹她生了氣啦。心裡想著，微微抬頭望去，哪知朱白衣一對明如秋水的大眼睛，也正在含情脈脈地注視著他，嬌靨上紅暈如霞，目光中情愛橫溢，她一和夢寰目光接觸，立時把臉避轉開去。

石洞中又沉寂了。但夢寰和朱白衣兩人的心裡，卻像大海波濤一樣，洶湧翻動，兩個人誰也不先說話，誰也想不出適當的話說，相對沉默足足有一刻工夫，楊夢寰才緩緩站起身子，步出石洞，踏草地，信步走去。耀眼的日光下，各種顏色的山花，繽紛奪目，他的心中，也像雜陳著各色山花一樣，是那樣紛亂，但又是那樣美麗多彩。

他知道自己已面臨一次可怕的考驗，以後幾天中，他必須慎重地控制著自己的感情，他已感受到自己正逐漸地步入了情海邊緣，一不小心，就要跌入那茫茫無際，波浪滔滔的情海中。

他盡量使自己平靜，但那不是一件容易的事情……他捧起溪水洗了個臉，冰冷的溪水，使他神志清醒很多，心情慢慢地平靜下來了。

突然一陣醉人的甜香，沁人心肺，轉眼望去，不知何時朱白衣已悄無聲息地坐在他的左側，見他轉過臉後，微笑說道：「你一個人坐在溪邊，又想什麼心事？」

夢寰笑道：「我在想我師父，是不是已求得雪參果，回到饒州，還留在饒州客棧的三師叔，傷勢是否已完全好了？」

朱白衣道：「你師叔傷勢，儘管請你放心就是，別說她一身內功，相當精純，就是一個普通人，三天內也可以完全復元，我讓玄玉替她吸盡蛇毒之後，又替她打通了奇經八脈，像她那樣內功深厚的人，十二個時辰就會恢復功力，等我替你師妹療治好傷勢後，就用大白鶴送你們到饒州，或回崑崙山去？」

夢寰道：「那姊姊準備到哪裡去呢？可否和我們一起到崑崙山去玩玩，我想，師父和師叔一定會歡迎你！」

朱白衣搖搖頭，淒涼一笑，道：「你師妹傷勢好了，難道我還不應該離開你們嗎？她是那樣純潔善良，她已經把一顆心全部寄托在你的身上，你要負了她，她是無法活得下去，你師父、師叔歡迎我，那更是沒有必要，我替慧真子除毒療傷，又不是想藉此和崑崙三子交往……」

夢寰嘆息一聲，道：「我知道，姊姊都是為我。」

朱白衣隨手折下一朵山花，投在溪中，但見花朵隨波浮沉，順流而去，她卻站起身子，緩步向石洞中走去。

這時，朱白衣仍然是一身玄色女裝，長長的秀髮披在肩上，山風中，輕輕地飄動著，窈窕嬌小的背影，流露出無限淒苦，緩緩走進了石洞中。

楊夢寰心中大感不忍，但他知道此刻必須要有近乎冷酷的鎮靜，才能應付當前的環境，只好硬著心腸，轉臉他顧。

三天的時間，很快過去，朱白衣果然以本身真氣，替霞琳療治傷勢。這三天時間中，夢寰夜以繼日地和玄玉守在石洞外面，他內心有著很深的痛苦，他不敢多到石洞中去，因爲一到石洞中，必須要和朱白衣見面，他怕見她那充滿著憂傷的眼光，和那悽惋的微笑，以及沈霞琳嬌柔的笑容。

這三天中，除了沈霞琳外，朱白衣和楊夢寰都盡最大的克制能力，壓制著洶湧的情感，他們都不忍把痛苦加諸在純潔善良的霞琳身上。

十二 燭影搖紅

第四天中午時候，夢寰再也忍耐不住，踱到石洞入口一看，只見朱白衣和霞琳盤膝對坐在石洞中，四掌相抵，朱白衣正以本身真氣，在爲霞琳做最後一次治療，夢寰不敢驚擾，看了一陣後，悄然退去。

他爬上了峭壁峰頂，在一塊大山石上坐下。這塊山石旁，正是朱白衣撕碎青衫，初現女裝的地方。他兩肘放在膝上，雙手支腮，望著天上白雲，呆呆出神。

突然，一聲嬌脆而充滿憂傷的聲音，起自他身後，道：「你師妹的傷勢，已經完全好了，我也該走了！」

夢寰回頭望去，只見朱白衣面色憔悴地站在他身旁，夢寰吃了一驚，問道：「姊姊，你怎麼啦？」

朱白衣微一搖頭，笑道：「我很好，沒有什麼。」

夢寰嘆息一聲，道：「姊姊以本身真氣，替我師妹療傷，這對姊姊損耗定是很大。」

朱白衣悽惋一笑，道：「嗯！功力損耗了，我可以再休養復元，但刻劃在我心裡的創痛，卻是永遠沒有法醫治好了。你真狠，三天三夜的時間，你就不到石洞中去看看我。」

夢寰垂下頭答不上話，過半晌，才抬起頭來，說道：「我怕驚擾了姊姊。」

朱白衣苦笑一下，正待說話，突聽霞琳大聲叫道：「寰哥哥，原來你跑上峰頂來了……」

她一語未完，又看到了站在夢寰身側的朱白衣，立時叫了一聲：「姊姊，你也在這裡，我找不到你們，心裡快要急死了。」說著話，人也飛一般撲入朱白衣的懷中。

朱自衣本來已炫然欲泣，聽得霞琳一嚷，只好強忍下去，笑道：「你覺著傷勢是否已完全好了呢？」

霞琳笑道：「嗯！完全好了，姊姊這樣對我，你要是走了，我會想念你的。」

朱白衣輕輕地攬著她的柳腰，笑道：「姊姊走了，有你寰哥哥陪你玩，不是一樣嗎？」

霞琳抬起頭，滿是淚光，望了朱白衣半晌，說道：「姊姊，我有一件事求你，好嗎？」

朱白衣看她目光中無限眷戀，心中很覺感動，微笑著道：「你可是要騎那大白鶴？」

霞琳搖搖頭，滾下兩行淚水。

朱白衣從懷中取出一方羅帕，替她擦拭著淚痕，笑道：「不要哭，什麼事姊姊都會答應你的。」

霞琳兩臂一展，反抱住朱白衣道：「我不要姊姊再離開我們，你走了寰哥哥心裡也會難過的。」說完話就算了，她偏又轉臉望著夢寰，問道：「寰哥哥，姊姊走了，你心裡一定也很難過，對嗎？」

楊夢寰只好點點頭，輕聲一嘆。

她又轉過臉，望著朱白衣，滿臉期望，等待答覆。

朱白衣一直在沉吟難答，霞琳越是對她眷戀，難捨，她越覺得不應該留在這裡。她已自覺到夢寰一縷柔情，再難抑制，長相廝守，後果實在可怕。

霞琳見朱白衣良久不語，心中難過，一陣感傷，竟伏在朱白衣懷中嗚嗚咽咽地哭了起來。

朱白衣沒法子，只好點點頭，道：「不要哭啦，姊姊答應你。」

霞琳抬起頭，用衣袖擦擦臉上的淚水，拉著朱白衣一隻手，指著斷崖下一溪清流，破涕笑道：「我很多天沒有洗澡了，咱們去洗個澡好不好。」

朱白衣瞭望四周，人蹤絕跡，想起這幾天用本身真氣幫助霞琳療傷，也有三、四天沒洗澡了，她究未脫少女習性，霞琳一提，便覺非得洗不可。溜了夢寰一眼，說道：「你在這裡替我們守望，我和琳妹妹到谷底山泉邊洗澡去。」

夢寰坐在旁邊一直就沒有開口，事實上他很難插得上嘴，既不好勸朱白衣留下，又不好勸她離開，那只有一語不發，但心情卻十分沉重，及聽得朱白衣答應不走，明知這樣反不如她決絕而去好些，但不知怎的，皺起的眉頭卻突然一展，連聲應道：「好，好，我替你們守望，你們洗過澡後，招呼我一聲就是。」

朱白衣點點頭，嫣然一笑，拉著沈霞琳向谷底奔去。

楊夢寰望著兩人背影，心中泛起一種說不出的滋味，不是歡樂，也不是痛苦，給了他無窮困擾。

一轉臉，突見一個道袍長髯的人已快登上峰頭，一則來人輕功極好，身法奇快，再者夢寰心有所思，耳目失靈，待他警覺到時，來人已登上峰頂，夢寰生怕來人衝向谷底，立時一個縱躍，迎上去攔住去路，問道：「你是哪裡來的？找什麼人？」

那道人大約有五旬左右的年齡，方面大耳，背插長劍，兩眼神光充足，一望即知是有著極爲精深內功的人，看夢寰橫攔去路，當下停住步，望了夢寰兩眼，一臉肅穆神色，答道：「祁

連山這樣大，難道就不許人來嗎？」

夢寰聽得一呆，半晌答不上話。本來他問得就不合情理，荒山幽谷，自然是什麼人都可以來去，夢寰自知理虧，只好陪笑道：「在下並非有意找道長的麻煩，實因谷底中有人在洗澡，道長如能繞道更好，否則請稍候一刻，待她們洗完澡，再過不遲。」

那道長微微一笑，正欲轉身退走，突然又回頭問道：「小施主不像是山居的人，何以會到荒山中來呢？」

夢寰暗想道：好啊！我不問你了，你倒問起我來？正要答話，突聽峰腰有人喊道：「峰上可是楊夢寰麼？」

夢寰吃了一驚，轉臉向下望去，見喊自己的，正是三師叔慧真子。他正想下峰迎接，慧真子已登上峰頂，對那道人笑道：「這就是我對你說起的，大師兄門下弟子。」

那道人眼光又落在夢寰身上，這一次看得甚是仔細，從頭到腳地看了一遍，回頭對慧真子笑道：「的確是可造之才，大師兄眼光，究竟是比我們高了一籌。」

慧真子微微一笑，對夢寰道：「還不拜見掌門領受責罰，站在那幹什麼？」

夢寰心頭一震，暗自忖道：拜見掌門，那是應該，這領受責罰是爲什麼呢？難道我把三師叔丟在客棧不管，犯了欺師不敬的戒律嗎？但這是爲追尋沈師妹呀！他心裡想著，人卻跪拜下去。

那道人受了一禮後，揮手讓夢寰起來，輕輕嘆息一聲，道：「大師兄私授追魂十二劍，雖違了我們相約戒律，但事情實非得已，自應通權達變。」

慧真子要夢寰領受責罰，就是想逗出二師兄這幾句話，讓他自己說出，不追問一陽子私授

追魂十二劍的一檔事。他是崑崙派掌門人，只要說出口不再追究，一陽子就可免除受派規制裁了。

玉靈子何嘗不知道慧真子一番用心。他在饒州一見師妹後，慧真子就告訴他說，大師兄違了崑崙三子相約戒律，私授門下弟子追魂十二劍。玉靈子驟聞之下，確很生氣，當時雖未發作，但臉色很是難看。

慧真子一看情勢不對，立時轉變話題，談起自己到括蒼山的經過來，不過，她把一陽子款款關注的情意，隱起不少，刪繁從簡地說一遍，聽起來就理直氣壯。

玉靈子聽完經過，心中很是焦急，當時就遣童淑貞獨回崑崙山的金頂峰三清宮去，自己和慧真子聯袂趕來了祁連山。

那時慧真子傷勢已經痊癒，而且功力盡復，但一陽子和澄因西行未返，楊夢寰和霞琳雙雙未歸，她和童淑貞一時間行止難決，正値煩惱當兒，玉靈子恰巧尋到。

玉靈子何以能這樣巧尋到了慧真子呢？這就得歸功於楊夢寰追尋霞琳時，在饒州附近路旁留下的暗記了。玉靈子自然認出那是崑崙派中獨有的暗記，按圖索驥，找到了師妹。

師兄妹一番計議，決定先到祁連山接迎師兄。一路上，慧真子爲二師兄不諒解一陽子私授弟子追魂十二劍一事，一直愁懷難開，但她又不好正面請求二師兄不要追究，只好旁敲側擊地婉轉進言。

可是玉靈子始終避作正面答覆，慧真子生了氣，故意找些小事情和他吵鬧，玉靈子卻處處忍讓，閒情逸致地欣賞她大發嬌嗔。直待到了祁連山，無意中遇上了夢寰，玉靈子才正面允諾，不追究一陽子私授追魂十二劍的事情。慧真子想起一路上故意和師兄鬧的閒氣，不覺心中

有些歉然，星目含情地望著二師兄微微一笑。

夢寰聽兩人談話口氣，已知來人是派中掌門玉靈子師叔，當下垂手侍立，不待兩人問話，立時把追尋霞琳經過簡明扼要地說了一遍，有很多不便出口的地方，自然都被他隱了起來。

慧真子聽完話，笑道：「你和琳兒都在這裡，減少了我們一大心事，要不然找到你師父後，還得去找你們。」

夢寰急道：「怎麼，我師父還沒有回到饒州去嗎？」

慧真子道：「我和你二師叔到祁連山來，就是專門為尋你師父……」說至此一頓，又道：「你說那個替我療傷的人在這裡，快些帶我去謝謝人家。」

夢寰怔下神，笑道：「她和沈師妹一起在谷底洗澡。」

慧真子心頭一震，道：「什麼？他和琳兒在一起洗澡？」

夢寰知師叔有了誤會，急道：「她也是個女子，剛才我忘了對兩位師叔說了。」

慧真子一直為朱白衣替她療傷的事耿耿於懷，雖然事非得已，但一個女人，讓一個陌生的年輕男人，一雙手遍觸她全身要穴，想起來，心中就覺不安，現下聽說朱白衣也是女人，不覺微微一笑，存在心裡的一點不安，頓時消失。

忽地，又一個可怕的意念，泛上了心頭，剛剛綻在她嘴角的笑容，突然失去，臉色變得十分凝重，眼光盯在夢寰身上，一語不發，那兩道銳利的眼光，似兩把利劍般刺入了夢寰心裡，只看得楊夢寰大感不安，不自主垂下了頭。

慧真子似要問話，但她始終沒有開得出口，過了半晌，嘆息一聲，卻轉臉對玉靈子道：「二師兄，咱們今天是不是要到大覺寺去探聽一下大師兄的消息？」

玉靈子笑道：「去是要去，只是去的方法我還沒有想好，如果暗中窺探，對咱們崑崙派的聲望大有妨害，要是堂堂正正的投刺拜山，又怕大覺寺中和尙有了準備，探不出個所以然來。」

慧真子心知二師兄不願以一派掌門之尊，暗去大覺寺中窺探，只是不好明白說出而已，略一沉吟，答道：「師兄如不願暗入大覺寺察看，咱們就明著拜山也好。」說完，黯然垂頭。

玉靈子看師妹神情，知她心中惦念一陽子安危，對自己不肯入大覺寺察探一事，極是不滿，不覺微微一嘆，道：「明去暗探，都是一樣，只要能見到大覺寺中和尙，不管如何也要追出大師兄的下落！」說完話，又是一聲長嘆。

崑崙三子間的微妙關係，並未因年歲的增長，完全消失，三個人每想起，都不覺感慨萬千。這中間，最痛苦的自然是慧真子，她爲著維繫兩位師兄間的感情而甘心犧牲所愛，把一腔少女熱情，全藏心底，數十年來由少女步入中年，背地裡不知道哭過了多少次，但她表面上卻能不偏不倚，對兩位師兄一樣看待。

一陽子避情遠走，浪跡天涯，玉靈子不得不接掌門戶，他和慧真子同住在崑崙山金頂峰三清宮，三十年來，全仗慧真子的定力，維持崑崙三子間微妙的均衡。直到她遭受邱元金線蛇咬傷之後，一陽子剖示愛心，甘陪她十年後，濺血殉情，慧真子數十年苦心築成的理智防線，也隨著崩潰。因此，言詞神態之間，不知不覺就流露出對大師兄的偏愛和關心。

玉靈子一聲長嘆，使慧真子悚然警覺，轉臉望師兄，只見他隱透著無限的哀傷，不禁暗自警惕道：慧真子啊，慧真子！你已經忍受了三十年的痛苦煎熬，如今已經是五十多歲的人了，難道就不能再忍受下去嗎？想起來近日中和二師兄故意鬧的閒氣，甚是歉然，也難怪他感到傷心。

慧真子想到這裡，不覺回頭對玉靈子歉然地一笑，道：「咱們既是準備明著拜山求見，那就乾脆白天找上門去好些。」

玉靈子微微一笑，仰臉看著天色，道：「現在不過未時左右，最好咱們今天下午就去。」

慧真子還未及答話，楊夢寰卻插嘴接道：「朱白衣知道大覺寺的地方，等一下問問她，弟子隨侍兩位師叔同去，以便恭候差遣。」

三人說話間，沈霞琳和朱白衣洗好澡攀上峰頂，慧真子細看朱白衣換穿女裝後，動人至極。說秀美，她似比霞琳還勝三分。她望朱白衣，朱白衣也睜著一雙亮晶晶的眼睛望她，兩人互相打量了一陣，慧真子心頭不自覺地感到了微微一震。

只覺她秀美中，另含蘊一股逼人的高貴氣度，迫得人不敢多看，不由自主地垂目合掌，說道：「慧真子承蒙女英雄代療蛇毒，挽救了垂危一命，我這裡拜謝大恩了。」

朱白衣微一躬身，還禮笑道：「略效微勞，不敢當謝。」

她舉止雖然高傲，但卻是那樣自然，使人覺不出她有傲氣凌人之處。

沈霞琳見到師父後，說不出有多高興，依偎在慧真子身側，不斷微笑。過了半晌，她才想起問慧真子道：「師父，你的傷勢完全好了嗎？黛姊姊的本領大極啦，她救了師父，也救了寰哥哥的朋友陶玉……」

她嘰嘰呱呱地說個不停，慧真子卻有一大半不了然。但此刻，時間珍貴，慧真子也不追問，微微一笑，把她輕輕地拉在面前，拂去她還未全乾的秀髮，臉上無限的愛惜。

這是一件很奇妙的事情，慧真子心裡總覺得霞琳是自己另一個化身，楊夢寰在她心中也變

成了當年的一陽子，三十年來，她歷盡了情感的折磨，因而她不願再看到下一代重演恨事，不知覺間，她把一顆心關注在夢寰和霞琳身上，希望這一對兒女能有個完滿的結局。

哪想到半路上會殺出個朱白衣來，而且人美如花，嬌麗絕代，比起沈霞琳尤覺過之，這些已經使慧真子大為擔心，但更可怕的是，還是她那一身超凡入聖，高不可測的精博武學，天真無邪的沈霞琳，實無法和人家競爭情場，看來這件事，勢將又造成一場大恨。

慧真子萬千感慨，齊湧心頭，一時間忘記了置身何處。仰望著無際藍天，呆呆地出神。

霞琳看師父出神模樣，心中甚感奇怪，望了夢寰一眼，正待發問，突聽朱白衣一聲嬌叱，玉腕揚處，兩粒細小如豆的銀丸電射而出，但聽咚咚兩響，四丈外一株枝葉濃密的巨松上，跌下來兩個黃衣和尚。

玉靈子不覺臉上一熱，望了朱白衣兩眼，輕輕一聲感嘆，慧真子卻從百感交集中清醒過來，這才想起沒有讓霞琳拜見掌門師伯，微微一笑，對霞琳道：「快過去，給你掌門師伯行禮。」

沈姑娘搶先兩步，盈盈拜倒，玉靈子文風不動地受了一個全禮。

霞琳拜罷起身，慧真子又想起替朱白衣和師兄引見，她介紹過玉靈子後，卻無法說得出朱白衣的姓名，正感為難，朱白衣已接口笑道：「晚輩叫朱若蘭。」說完，對著玉靈子微一頷首，淡淡一笑，神情雖很和婉，但仍掩不住眉宇間高傲之氣。

沈霞琳轉過臉，眼光中滿是懷疑，望著朱若蘭問道：「姊姊在洗澡時，不是告訴我說，你叫朱小黛嗎，怎麼現在又叫朱若蘭了？難道姊姊剛才是騙我的？」

朱若蘭搖頭笑道：「沒有騙你，小黛是我的乳名，你以後還是叫我黛姊姊吧！」

霞琳嬌婉一笑道：「你既然有兩個名字，我就隨便叫啦，蘭姊姊和黛姊姊，不都是你一個人嗎，哪有什麼分別呢？」

朱若蘭聽她說得天真，忍不住笑出聲來，這一笑，真似百花盛放，嬌媚橫生，楊夢寰只覺耀眼生花，不敢再看，急忙轉過身，跑到四丈外那株巨松下面，順便把兩個和尙提到師叔面前放下，垂手一側，恭候發落。

這兩個和尙，都被朱若蘭施展米粒打穴神功，用牟尼珠打中了穴道，從幾丈高的松樹上摔下來，兩個人都跌得皮破血流，雖然還未摔死，但傷得已是不輕。玉靈子伏身查看，只見兩粒銀光燦爛的牟尼珠，深嵌在二僧兩處穴上，連身上衣服，也隨著牟尼珠深陷肉中，心中大爲吃驚，暗自忖道：看她年齡也不過二十左右，竟身懷這等上乘神功，不覺頓生敬佩之心，抬頭望著朱若蘭笑道：「女英雄有此神功，武林難得一見，貧道久聞米粒打穴神功，今天算開眼界了。」

朱若蘭笑道：「崑崙三子，名震江湖，晚輩這點微末之技，算得什麼？」

玉靈子嘆道：「米粒打穴神功，已是武林中失傳絕學，貧道還未聞得當今武林道上，什麼人有這等身手，想來令師定是一位隱在風塵中的奇人了？」

朱若蘭道：「家師已久不過問江湖是非，恕晚輩歉難奉告。」

玉靈子碰了一個軟釘子，呆一呆，又道：「這兩個黃衣僧人，想必是大覺寺中和尙，勞請女英雄代爲解開兩人傷穴，貧道準備借這兩個和尙帶路，以便投刺拜山。」

朱若蘭微微一笑，緩步移到兩個和尙身側，纖指連揚兩揚，兩粒牟尼珠應手而出。

玉靈子冷眼旁觀，見她手不著實人身，竟用內家功力，把兩粒深嵌和尙穴道的牟尼珠取出

來，心中更是敬佩至極。

朱若蘭起去二僧身上牟尼珠時，順便已替他們打活了穴道血脈，不到一盞熱茶的工夫，二僧舒展了一下手腳，雙雙躍起，望著眼前幾人發呆。

玉靈子看了兩個和尚一眼，問道：「你們兩個可是在大覺寺中出家嗎？」

二僧心知不說實話，定要吃苦頭，剛才糊糊塗塗的就被人家用暗器打中穴道，由樹上摔下來，此刻滿身傷疼，更是無力抗拒，相互交換了一個眼色，答道：「不錯，道長是什麼人？」

玉靈子笑道：「貧道玉靈子，正要拜訪貴寺方丈，煩請兩位辛苦一趟，替我們帶帶路吧？」

二僧久居祁連山中，從未涉足江湖一步，對玉靈子的來歷，竟是茫無所知，聽完話，怔下神，才答道：「道長既要拜會本寺方丈，貧僧等自是應當帶路。」

玉靈子望著慧真子，笑道：「急不如快，我們現在就去如何？」

慧真子點點頭，望了朱若蘭一眼，道：「朱姑娘救命大恩，慧真子永銘肺腑，他日如有用我之處，但憑一紙相召，定當捨身以報。」

說完，合掌禮，隨在兩個黃衣和尚的身後，向前走去。

夢寰躬身一禮，低聲說道：「我要和兩位師叔一起去大覺寺，探詢我師父下落，如果還能活著出來，當再面謝姊姊諸多援手之恩。」說畢轉過身子大踏步向前追去。

沈霞琳嬌婉一笑，轉過臉兒，道：「黛姊姊，我也要去了！咱們再見啦。」

朱若蘭嘴角間浮現著一份淒涼的微笑，她似乎沒有聽到夢寰和霞琳講的什麼，神情木然，呆呆佇立，既未還禮，也未答話，她心中正在思解著一件難題：既不願奪霞琳所愛，又感到難捨夢寰，情感和理智，交織成無比的痛苦。

足足一頓飯的時間，玉靈子和夢寰等，早已走得蹤影不見，朱若蘭才像剛自夢中醒來一般，眨下眼睛，滾落兩行淚水，匆匆地躍下山谷，從簡單的行李中取出一件青衫穿好，挽起秀髮，戴好儒巾，一聲清嘯，召喚來靈鶴玄玉縱身跨上鶴背。那靈鶴不待主人吩咐，立時振羽騰空，向北飛去。

且說兩個黃衣和尚，強忍著身上傷疼，帶著玉靈子等，向北急奔，翻越過七、八座山峰後，已是夕陽西下時分。

慧真子已大感不耐，忍不住問道：「大覺寺究竟在什麼地方，離這裡還有多遠？」左邊一僧側臉一聲冷笑，遙指西北一座聳雲高峰，答道：「就在那座高峰上面。」

慧真子運足目力望去，只見那高峰突出群山甚多，晚霞映照著峰腰中皚皚白雪，峰頂卻被一片濛濛的雲霧封鎖。

霞琳看山勢那等奇偉，不覺嘆口氣，道：「寰哥哥，那樣高的山峰上，修一座和尚廟，實在是不容易。」

夢寰笑道：「山峰頂上多有巨石松木，就地取材，修座寺院也不算什麼難事。」

霞琳嬌媚一笑，縱身躍到夢寰身側，道：「寰哥哥，你真是聰明極啦！」夢寰臉上一紅，正要答話，沈霞琳又搶先答道：「寰哥哥，黛姊姊真是美麗極了，性格又是那樣和氣溫柔，我真有點捨不得離開她哩。」

夢寰淡淡一笑，只說得一聲：「她是很好……」下面的話卻是說不出口了，只覺眼前一片

迷濛，已湧出兩眶淚水，趕忙轉過臉去，隨手用衣袖拭去。

兩個黃衣僧人，身上都負傷不輕，在勉強忍痛趕路。但他們四道眼神，卻仍不時在霞琳身上溜來溜去，沈姑娘嬌美容色，奪去了兩個僧人的三魂七魄，使他們忘去了身上的傷痛。

那座聳雲高峰，看上去並不很遠，但走起來卻很遙長，直到暮色蒼茫時候，才到入口。

慧真子打量眼前山勢，正走到一個雙峰夾峙的入口地方，數百丈懸崖峭壁，向兩邊伸延開展，中間是一條兩丈多的狹長山谷，看形勢，宛若一雙大鵬鳥張翼橫臥，那高峰就屹立在雙峰後面，一眼即可看出，這條狹長山道，是到那高峰的必經之路。

玉靈子看那狹谷形勢，相當凶險，兩邊絕壁如削、光滑似鏡，既無突出山石，亦無可攀矮松，而且峽谷愈深愈窄，三十丈後突然向左轉去，不知有多深多長，如果這兩側削壁上，伏有敵人，無論明擊暗襲，都是不易躲過，立時緊走一步，迫在左邊一僧身後，暗中運氣行功力聚左掌，只要一有敵人施襲，立時先把身側敵人除去，或先點傷他的穴道。

慧真子回頭低聲對夢寰和霞琳道：「你們走在後面，切不可距離過近，免得遇敵施襲時，措手不及。」說完，一個縱躍，緊隨右面一僧身後。

兩個和尚側臉望望崑崙二子，一聲輕微的冷笑，昂首闊步，直入峽谷，夢寰和霞琳在慧真子身後一丈左右。

深入峽谷三十丈後，向左轉進，只見兩側山壁更高，形勢也愈發險惡，崑崙二子緊隨兩僧，亦步亦趨，運勁蓄勢，一點不敢放鬆。

足足一刻工夫，才出了數百丈長的險地，幸好尚未遭受到敵人襲擊。

出了山谷，景物又是一片數百畝大小的草坪，四周峻嶺環抱，但都不及那高峰雄奇，因爲

天色已經入夜，只能大略地看出來山勢概貌。

兩個黃衣僧人帶路，穿過那一片草坪，剛剛到得峰下，突聞幾聲呼喝，暗影中又閃出來四個黃袍僧人，右手銅鈸，左手鐵筆，一字排開，攔住去路。

帶路的兩個和尚，一見同伴現身，雙雙一個急縱，躍入四僧隊中。

慧真子拔出背上長劍，一振腕，劍光若虹，直向兩僧後背襲去，她心中明白，如想登山，勢必先得把攔路四僧擊敗，故而一語不發，拔劍就刺。那四個攔路和尚讓過兩個同門，慧真子已仗劍攻到，只見四僧右手銅鈸齊揮，黃光閃閃，化成了一堵光牆，把慧真子的人劍一齊擋住。

慧真子急於登上峰頂，長劍變一招「杏花春雨」，劍若暴雨驟落，化一片銀星瀝下。

這一招，是追魂十二劍中絕學，出手威勢極大。但四僧都是大覺寺十八護法羅漢中人物，每人武功都極高強，四面銅鈸齊發，一片黃光如幕，但聞得錚錚聲，金鐵交鳴，竟把慧真子一招「杏花春雨」架開。

慧真子心中一驚，她原想這一招凌厲無匹的絕學，至少可把四僧迫退幾步，哪知人家寸步不移，硬架了她一招絕學。

就在她微一錯愕間，四點寒星電奔，已襲近面門前胸。

慧真子疾退兩步，長劍劃出一個半圈銀虹，把四僧鐵筆一齊蕩開，隨勢換劍招，只見銀光閃動，分向四僧刺去。

四個和尚銅鈸齊舉，架開慧真子的劍勢後，又各自還攻了一筆，只見筆影流動，劍氣森森，瞬息之間，已互拆數招。

玉靈子看四僧銅鈸鐵筆的招術，甚是怪異，不是數十回合內可分勝敗，正待振劍助戰，慧真子已打出真火，怒叱一聲，劍勢突變，施出分光劍法中追魂十二劍招，一霎時劍影縱橫，盡是進手招數。

四個和尚果然是抵擋不住，被迫不住後退。

慧真子搶得主動先機後，劍法愈發凌厲，驀的一招「白雲出岫」，震飛了一個和尚手中鐵筆。慧真子笑道：「打傷貴寺的，並非我等。再說，你們暗中偷窺人家行動，自難怪別人出手，四位如藉故不肯通報，可不要怪我們硬闖關了？」

四僧剛才被慧真子一陣急攻迫得招架不住，心知絕難阻攔得住，再說慧真子已報出崑崙派掌門人親自到訪，一派掌門宗師，在武林中身分甚高，四僧倒也不敢再藉故推托，最後一人，似是四僧中的領班，聽完話，接口道：「既是崑崙派的掌門人到，我們自當通稟住持方丈定奪。不過，峰上峰下，相距不近，往返需時，幾位諸在峰下等待一陣吧！」

玉靈子見四僧對人毫無禮貌，不由心頭火起，冷笑一聲，接道：「你們大覺寺對待客人，就是這等冷漠無禮嗎?貧道自入江湖，數十年來，還未受到過這等不近人情的待遇，難道你們就認定了，我們不敢硬闖嗎？」

玉靈子話剛落口，驀聞峰腰上傳來一聲大笑，道：「什麼人這等膽大，敢來青雲岩下撒野！」隨著話聲，一條人影，流星般落下峰來。

玉靈子定神看去，只見來人是個五十歲左右的和尚，青色僧袍，臉長如驢，手提禪杖，閃電奔來。四個黃衣僧人，對青衣和尚執禮甚恭，立時閃到兩側，讓開一條路，合掌作禮。

青衣和尚越過黃袍僧人後，停住步，掃了慧真子一眼，冷冷問道：「幾位是什麼地方來

的？」

玉靈子見此人較四個黃袍僧人神態，尤爲桀傲，更是難耐胸中氣忿，沉下臉，厲聲答道：「崑崙派掌門人玉靈子，要求見貴寺住持方丈，有事相詢。」

青衣和尚兩道眼光盯住霞琳望了一陣，突然放下臉，笑道：「失敬，失敬，道長原來是一派門戶宗師，小僧法名一清，掌寺中知客之職，道長既是求見本寺方丈，那就隨小僧登山吧。」說完，橫捧禪杖，合手一禮。

玉靈子技高膽大，跟著一清身後，當先向峰上走去。夢寰和霞琳走中間，慧真子走在最後，四個黃衣僧人各退兩步，讓過五人。

初上一段路，山勢雖險，但還有山徑可循，愈向上走，愈覺奇險，登高三百丈後，山徑已斷，四顧山勢，盡都是皚皚冰雪，寒風似剪，冷風侵人。

一清帶路，踏冰而上，這地方非有絕好的輕功，無法走得。

玉靈子、慧真子，功力既深，又走慣峭壁懸崖，舉步輕逸，走來並不費力，楊夢寰勉強可以走得，霞琳卻走得吃力，凝神提氣，直累得粉臉上香汗直滴。

玉靈子見多識廣，看一清走的路，已了然他是有意測驗幾人輕功，大覺寺和尚上下絕峰，必然有秘徑，腳下一加勁，追上一清，如影隨形般，跟在他身後趕路。

走過一段冰雪，又到了一片松林前面，這片林木，甚是濃密，夜暗中看出去，只覺一片黑黝黝的，不知有多深多寬。

到了林邊，一清陡然停住腳步，回頭對玉靈子笑道：「松林中本有路可走，只是東折西迴，走起來很是遙長，不如踏著林梢而過，來得快些。」

說完話，也不待玉靈子等回答，立時一個縱身，躍上松樹，踏著林梢上枝葉，向前奔去。

玉靈子冷眼看一清，竟是存心想一較輕功長短，冷笑一聲，也縱上林梢，向前追去。

慧真子握著霞琳一隻左腕，幫助她踏林梢飛渡。

幸好，這片松林不過只有幾丈寬度，如果再寬上一點，楊夢寰勢必摔下松樹不可。

飛渡過松林後，又攀登了一段峭壁，才算到了峰頂，這時已經是二更天了。

玉靈子打量了峰頂形勢，大約有五百畝左右大小，大覺寺就在峰上，依據著山勢築成。

一清把幾人讓進寺中廂房中坐下，這座廂房，大概是專門招待客人用的，飾設得異常清雅。

這時，碧空如洗，萬里無雲，一輪明月懸掛中天，似水光華由窗門中透射房內。室中一盞松油火燭，吃那月光一逼，光焰變成了瑩瑩青色。一清側臉向霞琳望去，只見她微帶笑意，坐在夢寰身側，燈光下嬌美絕倫，不禁爲之一呆。

玉靈子打量寺院形勢，只見這座寺院和一般廟宇大不相同，房舍疏落，全依據著山勢建成。這哪裡像是和尚廟，簡直是一座堂皇富麗的山莊。

房外是片廣闊的草坪，月光下人影穿梭往來，雖然都是和尚，但服裝卻分出數種不同的顏色。看他們行色匆匆，像是很忙，但卻是一語不發，你來我往，彼此各行其事，有如陌生路人。

玉靈子等登山入寺，沿途遇見不少和尚，大都是冷冷張望，不聞不問，有些甚至連看也不

看他們一眼，這種冷漠情形，造成一種神秘和緊張的恐怖氣氛，使人有置身鬼域的感覺。

玉靈子和慧真子都是久歷江湖的人物，什麼陣仗、地方大都見過去過，但此刻竟也覺著有一種恐怖的意念，只覺這地方陰氣森森，使人不安。

那自稱一清的知客僧人，似已看出了玉靈子等的不安神色，冷笑道：「幾位請在房中稍坐片刻，待我請示過敝寺的方丈後，再來回幾位的話。」

說罷，轉身出去，左腳剛剛跨出門外，陡然轉過身子，笑道：「貧僧未來相請之前，幾位最好不要擅自離開這裡。」

玉靈子怒道：「我們投刺拜山，不過是依武林中規矩行事，就憑這間小小石屋，還能困住人不成嗎？」說著話站起身子，對著門口走去。

一清冷笑道：「道長跋涉遠來，還是請休息吧！」說話之間，雙掌一合一推，登時有一股潛力逼來。

玉靈子心中暗想：此刻若不給這和尚一點苦頭吃，還待何時？心念一動，功行右臂，單掌一立隨即劈出，一股掌風，應手而出。

兩股潛力一發，玉靈子凝立未動，那一清和尚卻不自主地向前衝了三步，借勢向前走去。

雙方這一換掌較勁，雖然分出了勝敗之勢，但玉靈子心中卻是暗吃一驚，因爲一清和尚不過是大覺寺中一個知客僧人而已，竟有接得自己七成內力的功力，其方丈、監事之流，必然要比一清和尚高出許多。看來這趟大覺寺之行，恐怕是凶多吉少了。

他心中雖在發愁，但表面卻是不露聲色地退到原位坐下，暗中在籌思脫身之法。

四人足足等了頓飯時間，仍不見一清轉來，慧真子等得不耐，幾次要衝出去尋找寺中方丈理論，但都被玉靈子勸阻下來。

驀然間，三聲鼓響，劃破這絕峰上的沉寂。接著鐘聲悠悠，繞耳不絕，九響過後，始歸寂然。

鐘鼓鳴過良久，才見知客僧人一清匆匆返來。此時，他已放去禪杖，空著兩手進來，態度也較和緩，對玉靈子等合十笑道：「敝寺方丈，聞得幾位造訪，甚表歡迎，現在覺生殿恭候大駕，命貧僧延請幾位入內相見。」

玉靈子回顧了慧真子一眼，一起緩緩起身，隨在知客僧人一清身後，出了客室，穿過草坪，沿著一條白石鋪成的甬道，向裡走去。那甬道繞著疏落房舍，盤曲而入。

轉過了幾個彎，形勢又是一變，只見兩側巨松夾道，月光下濃陰匝地，松道盡處，聳立著一座大殿，遙望殿內燈火通明，人影幢幢，但卻聽不到一點嘈雜之聲。

一清帶著玉靈子等，直奔那大殿中去。

這座大殿全用青石砌成，高約三丈，大有九間，殿內高燒著二十四支松油巨燭，火光熊熊，照得十分明亮。

後壁正中間，分坐著三個身穿月白僧袍的和尚，正中一人，長眉垂目，閉眼靜坐，面色紅潤，白膚細膩，玉靈子暗暗一驚，心中忖道：就是內功精純的人，也難有這等容色，這和尚分明已修到返老還童之境。

再看右邊一僧，面色如鐵，體胖似牛，兩腮肉直垂顎下，端坐蓮台，宛如一個大肉團。左邊坐的一個，身材矮小，骨瘦如柴，一臉冷若冰霜神情，和右邊一個胖的，恰成了強烈

的對比。

這三人，正是大覺寺的三位長老，中間的是住持方丈神佛靈遠，右面那個胖的叫鐵彌勒海靈，左面矮瘦的是枯佛靈空。

兩側分列著四個青色僧袍的和尚，每人手中都握著一根鴨蛋粗細的禪杖，這四人年齡都在五旬上下，另在神佛靈遠的背後，站著兩個十五、六歲、眉清目秀的小沙彌。

知客僧一清搶前一步，合掌躬身，稟道：「崑崙派的掌門人玉靈子等，已隨弟子進殿謁駕。」

靈遠睜開眼睛先望玉靈子一眼，眼光又在霞琳身上打轉，笑道：「崑崙派掌門大駕親臨敝寺，不知有什麼教言吩咐？」話雖然說得和氣，但神情卻傲慢凌人，端坐蓮台，動也沒動。

玉靈子心中雖有氣，但卻忍下去沒有發作，單掌一立，笑道：「無事自不敢驚擾清修，貧道一位師兄一陽子，半月前曾和一位空門好友澄因大師，爲求一粒雪參果，聯袂拜訪貴寺，迄今未聞下落，恕特來詢問一聲。」

靈遠還未答話，左面坐的枯佛靈空，突然冷笑一聲，答道：「雪參果豈是輕易求得的嗎？令師兄一番心機只怕是白費了！」

慧真子臉色一變，怒道：「雪參果也算不得什麼神品，我們投刺拜山，只爲探詢師兄下落。」

只聽枯佛靈空一陣呵呵大笑：「大覺寺素不和江湖上人物交往，崑崙派和我們更是毫無淵源，這地方是清靜的佛家聖地，豈能容你們撒野發狂？」

靈空幾句話，不但氣得慧真子全身打顫，就是玉靈子也忍耐不住了，冷笑一聲，道：「大

覺寺談不上銅牆鐵壁，我們投刺拜山，無非是恪守武林規矩而已。今天貴寺如不能說出貧道師兄下落，豈止是撒野發狂能夠了事的？」

神佛靈遠傲然一笑，道：「這麼說起來，幾位是有心來我們大覺寺生事了？」

玉靈子疾退兩步，反手抽出背上長劍，厲聲喝道：「大師如不肯見示貧道師兄下落，玉靈子只有動手逼問了！」

神佛靈遠縱聲一陣大笑，袍袖拂處，一陣勁風捲出，殿中二十四支松油巨燭光焰立時搖顫欲熄，玉靈子、慧真子只覺滿室潛力激盪，冷氣迫人，不覺心神一震，待燭光復明時，蓮台早空，三僧已杳，竟不知何時離去。

大殿上，只餘下知客僧一清和四個手握禪杖列侍兩側的青袍和尚，那兩個小沙彌竟也同時隱去。

瞬息變故，大出意外，玉靈子也不覺爲之一呆，心中暗暗忖道：那和尚袍袖一拂之勢，勁風隨起，分明是借勢打出了一種至高的內家氣功，只是潛力中陰寒逼人，不知是什麼原因，看來這大覺寺實非善地。

他這裡略一沉思，四個青袍執杖和尚，已迅速散開，分守四個方位，把幾人圍在中間。

玉靈子看事情到了這步田地，心知只有動手一途，回頭對慧真子等說道：「你們暫時不要出手，先讓我試試這四個和尚功力再說。」說完，一欺步，振腕揮劍，猛向西邊一側刺去。

玉靈子腕力沉渾，長劍出手，急勁若風，但那四個青衣和尚，都是大覺寺八個一代弟子中人物，功力杖法，均有精深造詣，但聽一聲金鐵大震，長劍已被禪杖架開。

玉靈子挫腕收劍，第二招尚未攻出，左右兩禪杖已同時攻到，杖挾勁風，力道奇猛。

玉靈子驀然一提丹田真氣，內力直透劍尖，一招「乘龍引風」卸字訣，化開了兩杖交攻，大喝一聲，展開了分光劍法，剎那間，精光電掣，劍風似輪，崑崙派分光劍法，原以巧快爲主，適宜搶攻，再加上玉靈子深厚的內力，愈覺著攻勢凌厲。

夢寰一側觀戰，看師叔劍若游龍，在四僧杖風中穿來閃去，點、刺、劈、截，靈活無比。他自學會分光劍法後，始終沒有機會觀賞揣摩，今天有此良機，自是不肯放過，凝注全神，默察變化。

只覺這一套同樣的劍法，在玉靈子手中，卻增強了十倍威力，制機搶攻，無不妙極，這一陣觀賞，增強了他不少心得閱歷。

玉靈子劍氣縱橫，一連搶攻數劍，但始終未能把環圍四僧迫退一步，而且四僧禪杖上的勁道，愈打愈覺沉猛起來，各守方位，拒攻還擊，配合得天衣無縫。

三十回合後，玉靈子心中發起急來，看四僧內力，越打越是沉著，估計當前敵勢，自己如要衝出圍困，尚非難事，但如想擊敗四僧，恐非短時間能夠得手，敵人正主兒隱起不肯出手，分明已存了輕視之意，如再讓人家四個門下弟子走到上風，實有傷崑崙派的聲譽，心念一動，劍法隨變，已不再顧及造成流血慘局。

夢寰見師叔陡然間，演出了追魂十二劍的絕學，同時左手也展開天罡掌法，左掌右劍交相迫攻，劍法若滿天銀星流動，掌風似萬丈怒濤捲出，劍走巧著，耀目生花，掌發內力，勁道迫人。

這一來，四僧果然相形見絀，被迫得連連後退。

眼見玉靈子就要得手，猛聞一僧大吼一聲，杖法隨著一變，接著四僧相互移位交走，禪杖隨勢穿打，起初還見四僧交相攻守，杖影閃動，幾招之後，愈走愈快，四條禪杖，結成一片光幕，把玉靈子凌厲的攻勢封住。

慧真子看師兄無法勝得四僧，振腕揮劍而上，出手一招「風雷交擊」，劍尖左右刺點，接過兩個和尙的禪杖，立時把四個和尙交走穿打的陣式破去。

這一來，玉靈子感受的壓力驟減，大喝一聲，挺劍急攻，刷！刷！刷！一連三招絕學，長劍若游龍穿空，登時把兩僧迫退數尺。

這四個青袍和尙，每人都有著三十年以上的深厚功力，除了三位長老之外，是大覺寺武功最高，輩份最尊的一代，全用一字排名，以風、清、月、明、雲、雷、電、閃排稱，其中一明大師，因諫勸三位長老稍斂惡行，而遭逐出門牆，已在前回表過不提。八大一代弟子，一風、一清、一月，各有職司，和玉靈子、慧真子動手的，是雲、雷、電、閃四大弟子。

慧真子加入助戰後，電、閃兩僧被她纏住，玉靈子對付雲、雷兩僧，卻是綽有餘裕，劍刺掌劈，十回合已迫得二僧險象環生。

慧真子力拒電、閃兩僧，半斤八兩，勝敗難分。

眼看玉靈子就要得手，驀聞殿上兩聲狂吼，知客僧一清和另一個青袍僧人兩支禪杖，捲著一陣狂風，向玉靈子後背攻去。

楊夢寰早已蓄勢戒備，兩僧一發動，他也同時出手，長劍「玉女投梭」直向二僧迎去。

和一清同時夾擊玉靈子的青衣和尙，是掌理覺生殿的一月大師，這兩人功力比雲、雷、電、閃四僧還要深些，楊夢寰如何能抵禦得住，吃一清橫杖一架，把長劍直蕩開去，人也倒退一步。

一招接，楊夢寰已覺出和人相差太遠，如果硬擋敵鋒，難走十回合以上，當下展開朱若蘭傳授的「五行迷蹤步」，忽左忽右，閃擊攔刺，身形若飄風魔影一般，一清和一月大師，空負一身本領，卻被夢寰鬧得手忙腳亂，兩支禪杖橫掃直打，但卻杖杖落空，不到五回合，一清和一月被楊夢寰逗得暈頭轉向，那樣子比和玉靈子動手的雲、雷兩僧更加尷尬危險。

霞琳看夢寰在兩僧禪杖交相掃擊中穿來閃去，起初甚為擔心，生怕夢寰被禪杖擊中，到後來看兩僧始終打不著他，不由高興起來，她胸無城府，心若晶玉，看的快樂，忘記了身在險地，拍著手：「啊！寰哥哥，那兩個和尚要累死了，還是打不到你，真好玩呢！」

玉靈子聽得霞琳一嚷，不覺轉向夢寰看去。見他戲弄二僧身法，奇妙異常，在二僧禪杖劈掃中穿來閃去，步步恰到好處，瞬息之間，攻守易勢，二僧由猛攻變成忙守，被夢寰左一劍右一劍，逼得節節敗退，禪杖左攔右架，竟難再攻出一招，不由心中大感奇怪，看他移步身法，含蓄無窮玄機，但卻非崑崙派中武學，不知他在哪裡學得這等奇幻武功。

玉靈子這一分神觀察夢寰奇玄的身法，手中劍不自覺地緩緩慢下來，被一電覷個破綻，趁勢一杖劈下，杖風疾勁，幾乎劈中左肩，心中一驚，趕緊收回心神，運劍拒敵，連攻數招，才又搶回主動。

這時，勝敗之間，已極明顯，一清、一月被夢寰用「五行迷蹤步法」，逗得暈頭轉向，險象環生，一雲和一雷吃玉靈子凌厲劍風，迫得還手無力，只有慧真子和一電、一閃兩僧鬥個半斤八兩之局。

激戰中，驀聞殿角一聲大喝道：「沒有用的東西，六個人還打不過人家三個，都給我退下

去！」

這一喝，真似焦雷驟發，震得大殿上屋瓦格格作響，幾人不自覺地停下手。清、月、雲、雷、電、閃六僧，一齊躍到大殿門口，一排橫立，擋住眾人退路。

玉靈子轉臉望去，只見剛才隱去的鐵彌勒靈海重又出現，臃腫如牛的身軀，緩步向大殿中逼來，這當兒，他面帶怒容，暴眼圓睜，神態越發鬼惡。

玉靈子自和一清較勁，雲、電接戰之後，已知大覺寺僧侶武功非同凡響，這胖和尚既是寺中長老，武功當是更高，他哪裡還敢有絲毫大意，凝神橫劍，蓄神以待。

靈海在玉靈子五步外停住，冷笑一聲，道：「道長的劍術不錯，貧僧奉陪你幾招試試如何？」說完話，驀地欺步進招，一掌劈下。

玉靈子右腳向前疾進半步，身形斜轉，長劍上撩「迎風斷草」，截斬小臂。

靈海看起來身軀肥胖，極爲拙笨，哪知動上手，竟是十分靈活，左腿一旋，疾退數尺，雙掌交換出手，眨眼間連劈四掌，而且一掌比一掌力道威猛。

玉靈子力貫劍尖，劃出半圈銀虹，劍風撥引開四掌後，搶攻三劍，但都爲鐵彌勒隨掌打出的潛力逼開。

彼此交攻幾招後，玉靈子已感覺到對方功力深厚驚人，行氣運勁，橫劍待敵，一再搶攻。

只聽靈海一聲大笑道：「崑崙派掌門果然不凡，再接我幾掌看看。」說完，腳踏中宮，欺身直上。

玉靈子長劍斜出一招「飛瀑流泉」，劍鋒點刺敵人左胸，暗藏一招「倒轉陰陽」的變化，只要敵人一讓招，立時變刺爲掃，追擊中盤。

哪知靈海不避劍勢，左掌猛地振腕一揮，逼住劍勢，右掌一招「直叩天門」，迎頭劈下。這一掌，是他內家真力所聚，威猛無倫，玉靈子只得一挫腕收回長劍，躍退七尺。

靈海隨勢追擊，雙掌連綿搶攻，掌風潛力，也愈打愈強，十幾招後，大殿內二十支松油火燭，全吃那激盪的潛力，吹得搖擺不定。

玉靈子也把全身真氣，凝聚貫注劍身，那閃動寒光中，另含極爲強烈的劍風，表面上看去，兩人只是各出絕學，搶制機先，其實在制機搶攻中，也同時耗著內家真力。那攻出一掌、一劍中，不但蘊藏著變化殺機，而且還含蘊了千斤真力。

鬥過十五個回合之後，王靈子漸漸覺出不敵，只感對方掌力愈打愈猛，招術越出越怪，自己劍光的圈子，卻逐漸遭人掌力壓縮。

這時，玉靈子內力真氣，正慢慢消散，處境十分危險，再強撐下去，隨時有遭人掌力擊斃之險。

慧真子冷眼旁觀，看師兄已難再撐下去，正待振劍助戰，突聞得一聲清叱，接著咚咚兩響，擋守殿門口的六個青衣人，兩個中暗器躺下，十餘點銀芒破空飛入。大殿上二十四支松油火燭，被打熄一半，颯颯風響中，殿門外閃電般穿入三個人來。

刹那變故，全場震驚，鐵彌勒掌勢一緩，玉靈子借機躍退三尺，轉眼看去，來人並排而立，中間一人道袍背劍，正是大師兄一陽子，右面是一個慈眉善目的老和尚，手握一柄黑黝黝禪杖，兩人容色，都很憔悴，左面站一個秀麗絕倫少年，卻是女扮男裝的朱若蘭。這三人這時間突然現身，當前幾人心中，都有著不同的感觸。楊夢寰搶先一步拜倒地上，沈霞琳卻嬌喊一聲，對著那慈眉善目的和尚撲去。

玉靈子單掌立胸，微一躬身，道：「大師兄好！」

慧真子卻滿臉淒然，說道：「大師兄，老禪師，你們都為我吃苦，慧真子感愧死了。」

一陽子先還玉靈子一禮道：「小兄當受不起大禮，一陽子拜候掌門人康安，小兄數月前犯了門規戒約，俟出大覺寺，當即拜領責罰。」

玉靈子淡淡一笑，道：「大師兄言重了，三師弟告訴我經過，事非得已，如何能責怪師兄。」

一陽子淡淡一笑道：「掌門人寬恕不究，小兄更是慚愧，我這裡拜受恩恕了！」

說完，合掌當胸，深深一躬，然後才扶起夢寰，望著慧真子微微一笑。

就在眾人講話之間，熄去的松油火燭，已重新被兩個小沙彌點燃，黃緞垂幔後，緩緩轉出來神佛靈遠和枯佛靈空。

只聽靈遠一陣大笑道：「阿彌陀佛，善哉，善哉，恭喜兩位脫險了。」

一陽子冷笑道：「你認為那石牢真能把我們困死不成？」

神佛靈遠笑道：「好說！好說！道長言重了，區區幾根石欄柱，如何能困得兩位大俠。」

靈遠話音一落，枯佛靈空卻冷笑道：「是哪位開了石牢，放出兩位，請站出來，讓佛爺見識見識。」

朱若蘭傲然一笑，道：「是我開的石牢，放他們出來，你要怎麼樣呢？」

枯佛靈空望了朱白衣兩眼，正待發作，神佛靈遠卻搶先笑道：「幾位今天還想離開我們大覺寺嗎？」

說完，臉色突地一沉，注視霞琳，袍袖疾拂，一陣風自袖底捲出，燭影搖紅，全殿驟然一

暗，他身側兩個小沙彌，雙雙一躍，猛向霞琳撲去。

別看兩個小沙彌年齡不大，身法卻是快速無比，眨眼間，已到霞琳身側，澄因大師距離霞琳最近，正要搶救，朱若蘭已搶先出手，青衣飄動，兩掌左右拍出。

但聽得兩聲尖叫，兩個小沙彌各中一掌，雙雙被震退數步。

燈顫復明，大殿上已成了劍拔弩張之勢，崑崙三子和澄因大師，個個都納氣凝神，準備以本身修爲功力，抗拚敵人一擊。

鐵彌勒靈海，枯佛靈空，更是已到蓄勢待發之境，只有朱若蘭和神佛靈遠沒有凝神作態，但兩人臉色，都是十分沉重。

兩個小沙彌，功力竟都不弱，中了朱若蘭一掌後，人還沒有栽倒，緩慢退到神佛靈遠身側。

靈遠對這兩個隨侍小沙彌異常愛惜，兩人武功，也都是由他親自傳授，眼看著傷在朱若蘭的手下，心中憤怒已到極點。當下臉色大變，一陣冷笑，雙掌相抵，不停交搓，兩目兇光，直逼在朱若蘭的臉上。

崑崙三子一看靈遠神態，已知他在運集功力，只怕朱若蘭擋受不住他這一擊，趕忙移步向她身邊靠去。

這時，鐵彌勒靈海和枯佛靈空已到了弓滿待發之境，但卻都蓄勢相待靈遠，似是要等他一起出手。

驀聞神佛一聲大喝，右掌一揚劈出，但覺一股勁風挾著陰寒之氣，猛向幾人逼來。

崑崙三子各運內功，左掌同時打出，哪知力道初發，靈海和靈空也隨即發動，四掌並舉，勁風若若，橫裡擊來。

澄因虎吼一聲，把畢生功力運集掌上劈出。

幾股潛力一接，立時捲起一陣旋風，大殿上二十四支松油巨燭，吃那激盪潛力震熄大部，餘下七、八支雖然未熄，但也光焰搖擺不定。

這種內家真力交打，一絲取巧不得，崑崙三子和澄因大師，合接對方三僧一擊之後，立時覺著心神一震，尤以神佛靈遠打來力道，剛中帶柔，綿綿不絕，勁道正鋒雖被崑崙三子內家罡力震開，但卻感到一陣陰冷之氣，逼人生寒。

一陽子首覺不妙，大聲喝道：「快退！」

夢寰和霞琳首先躍出大殿，緊接著澄因和崑崙三子跟蹤退出。

只聽殿中傳來神佛靈遠呵呵大笑。

朱若蘭道：「那和尚掌力險寒迫人，必是一種極爲歹毒的功夫，如再接他一擊，我們可能要有人受傷，幾位先走，讓我擋他一陣試試。」

她話雖說得和婉，但神態之間，卻有著一種不可抗拒的力量，崑崙三子一時間竟答不上話。

朱若蘭一揚柳眉，催道：「幾位如不聽我良言忠告，眼下就要有人受傷，那時後悔就遲了。」

這幾句，果然有效，一陽子嘆息一聲，當先仗劍開路，緊接著慧真子、夢寰、沈霞琳魚貫相隨，玉靈子和澄因大師一劍一杖斷後，拒敵追兵，一行人向寺外衝去。

沿途群僧，雖然紛紛出手攔截，但如何能擋得住一陽子全力衝擊，被他傷了不少攔截的和

尙。

這當兒，神佛靈遠、鐵彌勒靈海、枯佛靈空，都已追出大殿。眼看一陽子等連傷阻擊弟子，衝向寺外，更是暴怒，靈海和靈空雙雙大喝一聲，縱身躍起來三丈多高，施出輕功絕技「拔步登空」，猛向一陽子等追去。

就在靈海和靈空躍起的同時，朱若蘭已運集好本身真氣，嬌叱一聲，連人帶劍化爲一道銀虹飛起，迎向二僧撞去。

這是劍術中最高馭劍之法，功力到了爐火純青的時候，可傷人在十丈之外，不過朱若蘭功候還淺，只能勉強使身劍合一。

不過，這等至高的馭劍神功，威勢究竟非同小可，二僧只覺一大片寒芒中捲著凌厲劍風迎面罩下，無法出手招架，不覺心神一震，同時劈出兩股強猛掌風，把急襲而來的劍氣一擋，借勢一沉丹田真氣，硬把前衝勁道收住，腳落實地，向後一躍，退出一丈多遠。

朱若蘭功力過淺，吃兩僧劈出內家罡力一擋之勢，已難再馭劍追擊，人落地上，銀虹隨劍一斂。這馭劍之術，最是耗人元氣，朱若蘭落地之後，已覺嬌喘吁吁，趕忙凝神行功，運氣調息。

神佛靈遠雙目不瞬，盯在朱若蘭的身上，半晌後，才冷冷問道：「看你年齡不大，竟能馭劍傷人……」

說到這兒，聲音突轉嚴厲，接道：「你那馭劍之術，是從哪裡學得？」

朱若蘭傲然一笑，道：「從哪裡學的，你不配問！」

靈遠冷笑一聲，陡然一掌劈去。

他借問話時，已暗中凝集了功力，這一掌劈出，實是他畢生功力所聚。

朱若蘭閃避不及，只得運集真氣，左手拍出一掌，準備拚受震傷，接他一擊。

哪知一掌劈出，竟是毫無阻力，心中甚感奇怪，不自覺地把打出的勁道收回。

只感一陣陰寒之氣，隨著收回力道，侵入體內，不由大吃一驚，急忙運氣護住內腑，自閉要穴，把侵入體內寒氣逼住。

靈遠陰森森一陣冷笑，道：「你已被我太陰氣所傷，縱有精純內功，也難熬過七日。現下你只有一條生路，那就是以你馭劍之術，換我療治之法。」

朱若蘭冷笑一聲，轉身一掠數丈，疾向寺外奔去。

這時，一陽子等早已衝過了群僧攔截，走得沒了影兒。

鐵彌勒靈海和枯佛靈空，雙雙暴喝一聲，猛追上去，同時，六個黃衣和尚，各執銅鈸鐵筆，躍入路中，一排橫立，擋住了朱若蘭的去路。

朱若蘭雖遭靈遠太陰氣功所傷，但她內功精深，還能支撐得住，嬌叱一聲，連人帶劍化成一道銀虹，猛衝過去。

六僧銅鈸並舉，化一堵黃色光牆，但他們如何能擋得住朱若蘭馭劍一擊，銀虹到處，劍風似剪，六面銅鈸全吃朱若蘭劍氣震得飛起了一丈多高，兩僧閃避略慢，雙雙斷去一臂，慘叫聲中，血雨濺飛。

此時靈海和靈空已然追到，鐵彌勒運功劈出一掌，直擊後背，枯佛靈空卻施用一招「飛鷹搏兔」，凌空撲下。

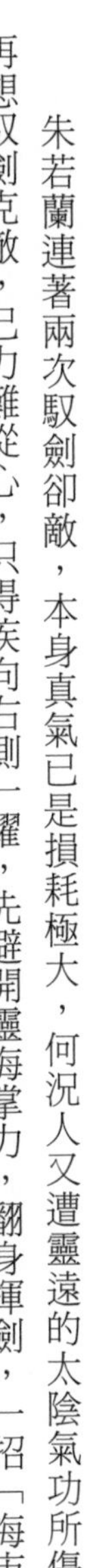

朱若蘭連著兩次馭劍卻敵，本身真氣已是損耗極大，何況人又遭靈遠的太陰氣功所傷，再想馭劍克敵，已力難從心，只得疾向右側一躍，先避開靈海掌力，翻身揮劍，一招「海市蜃樓」，劍化一片護身光幕，擋住靈空的撲擊。

鐵彌勒大喝一聲，雙掌連環劈出，兩股勁道，排山般直撞過來，朱若蘭不敢硬接，縱身一躍，凌空而起，一陣狂飆，掠過她足下捲過，也就不過是分厘之差，沒有擊中。

剛避開靈海的掌力，枯佛靈空又撲到身後，左掌「神龍控爪」，兜頭抓下，右掌「判官翻簿」逕扣右腕。

朱若蘭一振腕，奇招突出，長劍若點若劈，只見寒光流動，疾刺枯佛「玄機」、「當門」、「將台」三大要穴。

這一招奇幻無比，饒是枯佛靈空身負絕學，也是無法拆解，當下急收攻勢，疾退三步，朱若蘭卻趁勢掄起一陣劍風，一躍而起，借那劍風之力，施出「凌空虛渡」絕學，人落地，已到了十幾丈外，接著幾個縱躍，消失在月光中。

鐵彌勒靈海和枯佛靈空，還要追趕，卻被靈遠攔住，嘆道：「此人一身武學，世所罕見，不過功力還未到火候，再過幾年，我們均難望其項背。好在她已中了我太陰氣功的寒毒，七日之內，必遭寒毒攻心而死，只可惜他那馭劍之密，卻是無法知得了。」

言罷，一聲長嘆，神色間無限惋惜。

突然，他又抬起頭，望著一輪當空皓月，大聲笑道：「這人雖得馭劍之術，但仍送命我太陰氣功之下，縱有一身絕世奇學，又有什麼用處？」

說完，狂笑不止，似乎對朱若蘭中掌必死一事，有著無窮的快慰。

突然，他停住了笑聲，臉色倏地變得十分陰沉，仰臉望著天上明月，呆呆地出起神來。

這兩種極端不同的情態轉變，使靈海和靈空也同時發起呆來。兩人雖和神佛靈遠相處了數十年，但對靈遠的性格，仍是不盡了然，只知他素來把喜怒哀樂形露於外，今夜一反常態，使兩人大爲擔心。

足足過了有一刻時間，靈遠才逐漸恢復了鎭靜，冷冷地望了靈海和靈空一眼，吩咐道：「你們先把受傷的人醫好後，盡出一二三代弟子，務必在兩日之內尋得那青衣少年的下落，活捉最好，擊斃亦可。」

說完，轉過身子緩步踱入大殿。

靈遠鄭重的令諭神情，使大覺寺驟然緊張起來。鐵彌勒先替雲、雷兩僧起出牟尼珠，推活穴道，又命把兩個斷臂弟子扶入靜室休養，然後點遣僧眾分頭追尋，盡出七隻巨鳶幫助搜尋。

大覺寺養的巨鳶，都是數百年以上之物，碩大威猛，極是少見，靈遠費了九牛二虎之力，一共才捕得九隻，各飼一粒雪參果，以增其靈性，數年苦心，才把九鳶馴服，用以搜尋敵蹤，傳遞訊息，其中最大三隻，並可馱人飛行，但三隻巨鳶，已去其二，一遭若蘭掌力擊斃，一爲靈鶴玄玉啄死。

按下大覺寺人鳥並出，追尋敵蹤不說。單說朱若蘭衝出大覺寺，一口氣趕下山峰，追上崑崙三子等一行。

霞琳一見她，立刻跑過去拉著她一隻手，關心地問道：「黛姊姊，你和那些和尚動過手沒有？」

朱若蘭把長劍還給夢寰，淡淡一笑，道：「動過手啦，我打不過他們，咱們得快些趕路，也許他們還要來追我們。」

這時，崑崙三子等都已對她敬佩得五體投地，她說要趕路，大家就放開腿一陣緊跑。

天色大亮時，已走了七、八十里，霞琳早已跑得香汗透衣，楊夢寰也跑得不停喘息，一陽子和澄因大師，雖有著極深厚的功力，但因久困石室，受盡折磨，體力消耗甚大，臉上也都見了汗水。

幾人尋一塊平坦的草地，坐下休息，一夜力戰，誰都有八分倦意，各自盤膝而坐，閉上眼，運功調息。

太陽爬上了白雪峰巔，照在草地上，映射著朝露，閃爍生光，峰上的冰雪在日光照耀下，也幻化出了絢爛的彩色，早晨的山景，是這樣幽靜、瑰麗。

驀地裡，一聲鶴鳴，劃破長空，一陽子等全被這鶴鳴驚醒，睜眼望去，只見一隻碩大無比的白鶴，降落在朱若蘭的身側，鶴頂紅冠如火，神態極是威猛。

旭日的光芒，照著盤膝靜坐的朱若蘭，她原本艷紅的嫩臉，此刻卻變成一片蒼白，一滴滴晶瑩的淚珠兒，滾滾而下，秀眉緊顰，星目半合，神色之間，隱透出無限痛苦。

一陽子心頭一震，轉臉對慧真子道：「你快些過去看看她，她傷得恐怕不輕？」

此語一出，全場人無不震驚，慧真子、楊夢寰、沈霞琳等，紛紛急奔過去，大家圍在朱若蘭的身邊，只見她喘息急促，不禁全都一呆。

沈霞琳緩緩曲下雙膝，取出一方羅帕，兩行清淚，早已順腮淌下，輕舉玉腕，擦拭著朱若蘭臉上汗水。

一陽子焦急之中，仍能保持鎮靜，低聲叱道：「琳兒，快退開，不要擾她行功。」

霞琳站起身子，退到夢寰身邊，幽幽問道：「寰哥哥，你說姊姊的傷勢，會不會很快就好？」

楊夢寰黯然一笑，答道：「我想她……她會很快好的。」

朱若蘭陡然睜開星目，眼神逼在夢寰臉上，淡淡一笑，倏然復合。

雖然是那麼輕輕地一瞥，但卻如兩道強烈的電流般，觸傷了夢寰的心，那目光中包含了無窮的情愛，無窮的幽傷，心頭驟然一陣感愧，不自主側臉望望霞琳，只見她愁眉雙鎖，無限惶凄，粉臉上滿是淚痕，情急之態，流露無遺，是那樣多愁善感，純潔無邪，登時又增多一分愁懷。

時光在沉寂中流逝，雖然還不到一刻工夫，但一陽子和夢寰等，卻如同度過漫漫的長夜一般，一種渴望的緊張，使他們感到一分一秒，都是那樣悠長。

突然間，朱若蘭睜開了閉著的眼睛，蒼白的臉上，浮現出一絲微微的笑意，緩舉衣袖，揮去汗水，說道：「我中了大覺寺老和尙的太陰掌力，寒毒正逐漸侵入內腑，現三陽三陰六脈已遭寒毒侵傷，恐怕很難再撐過七天了。」

慧真子黯然一嘆，道：「姑娘爲救我們數人性命，獨拒強敵，受此重傷，使崑崙派兩代弟子，均沾大恩，我們縱然粉身碎骨，也是難報萬一。」說著一頓，悄然淚下。

玉靈子拔劍一揮，接道：「崑崙三子，如不能揮劍盡誅大覺寺中僧人，爲朱姑娘報仇，還有何顏面立足人間……」

朱若蘭截住玉靈子的話，道：「大覺寺三個老和尙，各有獨特絕學，你們縱有必死之志，也難以爲我報仇，何苦去枉自送命？」

玉靈子聽得怔一怔，道：「酬恩全義，死而何憾？」

朱若蘭搖頭笑道：「明知無望勝人，何必輕生犯敵。」

玉靈子臉上一紅，默然無語。

一陽子接口說道：「朱姑娘武功精博，比我等高出很多，但仍傷在他人太陰掌下，我等自是更難與敵，這報仇一事，不妨從長計議。當前課題，是如何醫好姑娘的傷。大覺寺雪參果，功效起死回生，不知是否能醫得朱姑娘傷勢？」

朱若蘭望著夢寰微微一笑道：「近日中，大覺寺的雪參果已經遭竊一粒，防範上必將較以往更爲嚴密。何況太陰掌的寒毒，是含蘊在內家真力之中劈出，借罡力把寒毒迫侵入血脈中，雪參果能否醫得，還很難說。」

夢寰聽得怔了一怔，黯然問道：「難道姊姊的傷勢，就沒法醫好了嗎？」

朱若蘭見他關懷之情，溢於言表，蒼白的臉上，微露出快慰的笑意，星目中光輝一閃，說道：「如有人能幫我打通三陽三陰六脈，只需七日靜養，就可以完全復元。」

聽完朱若蘭幾句話，崑崙三子等一個個面現難色，因爲那三陽三陰六脈，屬於人身體內脈穴，一般的推宮過穴手法，自是不能奏效，非有獨特精深的內功，無法下手。

幾人均自知無能相助，一時間相顧無言，場面甚是尷尬。

半晌後，一陽子嘆息一聲，笑道：「貧道等自知無能相助，但望姑娘指出一條明路，什麼人能醫得好你的傷勢，貧道等自當全力以赴，無論如何，總要求得那人出手相救，聊謝數番援手之恩。」

朱若蘭笑道：「據我所知，遍天下武林中人，只有一位能夠救我。不過，那位老前輩住處，距此遙遙萬里，而且生性高傲，從不接見生人，幾位縱有相助之意，只恐力難從心。」

這幾句話，如從別人口中說出，崑崙三子絕難忍受，但朱若蘭侃侃道來，情勢卻又不同。一則崑崙三子等已親睹她奇高武學，再者，全場諸人，都受過她救命之恩，心中縱然怪她出言咄咄逼人，但誰也不好發作出來，當下全場默然。

朱若蘭微微一笑，繼續說道：「那位前輩也就是我的授業恩師。」

此語一出，崑崙三子等全都一震，六個人十二道眼神，交投在朱若蘭臉上，等她說出師父姓名，看看是哪位江湖奇人，教出這樣高明的徒弟。

只聽朱若蘭又道：「我師父遠居浙南括蒼山中，距這裡何止萬里，但我這傷勢，七日內即將發作身死，縱有日行千里的功力腳程，恐也難在七日內往返一趟。」說完，淡淡一笑，又望了夢寰一眼。

一陽子久歷江湖，看朱若蘭那等鎮靜神態，已知她胸有成竹，只是想不出其中的奧妙所在，猛轉臉，見巨鶴昂首而立，心中突然一動，暗自忖道：這等高大白鶴，世所罕見，必然有著極長的飛行能力，莫非她要借巨鶴之力，在七日之內趕回括蒼山嗎？

這時，慧真子的眼光也落到巨鶴身上，心中憶起括蒼山中往事，那墨鱗鐵甲蛇皮，不就被這隻巨鶴攫去嗎？當時自己曾凝集了畢生功力，擊這巨鶴一掌，那一掌至少有六百斤以上真力，但卻並未擊傷巨鶴，轉眼望去，只見朱若蘭頭上汗水紛紛滾落……想起人家在饒州客棧，療治蛇毒之恩，不覺心中感愧萬千。

突然，一陣鳥羽劃空之聲，一隻巨鳶，從西方振翼而來，霞琳一見，立時叫道：「寰哥哥，快看啊！這怪鳥和大覺寺和尚載我來這裡的怪鳥一樣，難看死了。」

只見朱若蘭玉掌一揚，身旁巨鶴振羽急起，快若流星，直向大鳶迎去，只一交接，那大鳶立被巨鶴啄斃，由高空直摔下來，巨鶴在啄死大鳶後，又落回原地。

朱若蘭緊顰秀眉，說道：「大覺寺養的巨鳶，甚為通靈，我們要快些走了，巨鳶既現，恐怕他們人也快要搜尋到了。」

一陽子點點頭問道：「朱姑娘可要回括蒼山去療治傷勢嗎？」

朱若蘭一笑，答道：「我騎玄玉飛行，三天內大概可以趕得去。」

一陽子略一沉吟，道：「朱姑娘傷勢不輕，沿途無人照拂，如何能行？我想遣劣徒夢寰隨行，以便聽候使喚，只不知姑娘靈鶴是否能馱帶兩人同飛？」

朱若蘭側臉望著霞琳，一時間猶豫難答。

沈霞琳卻滿臉笑意，走到朱若蘭身側，說道：「黛姊姊，我心裡也很想送你，只恐怕你的大白鶴不能同騎三人，寰哥哥什麼都比我強，他一定能好好照顧你的，等你傷勢醫好了，再讓他騎你的大白鶴到崑崙山去找我。」

說完，又走到夢寰身邊，笑道：「你送黛姊姊去吧！我和師伯、師父們一起回崑崙山上等你。」

朱若蘭目睇霞琳，臉上神色若悲若喜，緩緩退到玄玉身旁，跨上鶴背，答道：「你來吧！」

夢寰一躍而上，巨鶴振翅起飛，鶴翼劃風，凌霄而去。

沈霞琳引頸仰望，目含淚光，直待那巨鶴消失不見，才轉身走到師父旁邊，臉上似笑非笑，神態極是特異，不知她心中想的什麼。

澄因大師自幼把霞琳帶大，卻是從未見過她那樣奇異的神情，不禁大爲擔心，皺皺眉頭，走近霞琳身邊，問道：「琳兒，你心裡是不是有些難過？」

霞琳轉臉答道：「我不難過，寰哥哥把黛姊姊送到括蒼山後，一定會回來找我的。」說完，又恢復一臉似笑非笑的神情。

澄因輕輕一聲嘆息，只見正西方山腳轉彎處，湧現出五個和尙，電奔風飄般急馳而來，轉瞬間已到了幾人面前。

請續看《飛燕驚龍》（二）

臥龍生武俠經典珍藏版 1

飛燕驚龍（一）

作者：臥龍生
發行人：陳曉林
出版所：風雲時代出版股份有限公司
地址：10576台北市民生東路五段178號7樓之3
電話：(02) 2756-0949　　傳真：(02) 2765-3799
執行主編：劉宇青
美術設計：許惠芳
行銷企劃：林安莉
業務總監：張瑋鳳
出版日期：臥龍生60週年珍藏版 2022年2月
ISBN ：978-986-5589-54-7
風雲書網：http://www.eastbooks.com.tw
官方部落格：http://eastbooks.pixnet.net/blog
Facebook：http://www.facebook.com/h7560949
E-mail：h7560949@ms15.hinet.net
劃撥帳號：12043291
戶名：風雲時代出版股份有限公司

風雲發行所：33373桃園市龜山區公西村2鄰復興街304巷96號
電話：(03) 318-1378　　傳真：(03) 318-1378
法律顧問：永然法律事務所 李永然律師
北辰著作權事務所 蕭雄淋律師

行政院新聞局局版台業字第3595號 營利事業統一編號22759935
©2022 by Storm & Stress Publishing Co.Printed in Taiwan
◎如有缺頁或裝訂錯誤，請退回本社更換

定價：320元　**版權所有　翻印必究**

國家圖書館出版品預行編目資料

飛燕驚龍／臥龍生 著. -- 臺北市：風雲時代出版股份有限公司，2021.06- 冊；公分（臥龍生武俠經典珍藏版）

ISBN：978-986-5589-54-7（第1冊：平裝）
ISBN：978-986-5589-55-4（第2冊：平裝）
ISBN：978-986-5589-56-1（第3冊：平裝）
ISBN：978-986-5589-57-8（第4冊：平裝）

863.57　　110007323